JAMES DOUGLAS

Goldauge

JAMES DOUGLAS

Goldauge

Thriller

James Douglas: Goldauge
Lizenzausgabe für die
Planet Medien AG
Baarerstr. 12
CH 6300 Zug

Gesamtherstellung: Planet Medien AG

Art.-Nr. 21055

Prolog

Auschwitz, 15. Februar 1944

Der rostbraune Güterzug rollte schwerfällig an die lange Rampe, wo grimmig dreinblickende SS-Unterscharführer mit schußbereiten Gewehren die Reihe der Hilfskräfte in Schach hielten. Sie durften weder sprechen noch irgendwelche Warnzeichen geben, sonst wurden sie hinter den Zug geführt und erschossen.

Es war bereits der dritte Transport, der an diesem Tag an die Rampe fuhr, und zwei Züge wurden noch erwartet. Bedrohliche Nervosität lag in der Luft. Die SS-Knechte standen unter Druck.

Die Vernichtungsmaschinerie funktionierte nur, wenn alles ruhig über die Bühne ging; die ahnungslosen Neuankömmlinge mußten die Wagen rasch verlassen und geordnet zu den Gaskammern geführt werden. Bloß keine Panik.

Mütter mit Kindern bildeten eine Gefahr. Wenn ihr Beschützerinstinkt Resignation und Angst überwand, konnten sie ein Massaker auf der Rampe auslösen und Sand ins Getriebe der Todesmaschine streuen; wenn beim nächsten Transport die Neuen die Blutlachen bemerkten, war der Tag gelaufen.

Die Lokomotive zischte, der Zug kam kreischend zum Stehen.

In Auschwitz hörten die Gleise auf. Endstation für alle. Ängstliche, blasse Gesichter drückten sich mit weit aufgerissenen Augen an die vergitterten Fenster der Viehwagen.

Hanna Loewenherz hielt den Atem an. Sie war mit ihrem Sohn seit drei Tagen in der Ecke des stinkenden Wagens eingepfercht. Unzählige Male hatte der Zug angehalten. Aber diesmal drangen andere, unheimliche Geräusche herein.

Hektische Befehle, Wortfetzen, Stiefelschritte, Lärm von Metall und Leder.

SS-Männer sprangen an die Wagen, öffneten die Schlösser und schoben die Türen auf: »Alles heraus!«

Grelles Licht fiel ein, die Augen schmerzten. Hanna Loewenherz sah schwarze Umrisse von Stahlhelmen, als die Knüppel auch schon auf die ersten Köpfe niederdroschen, um das Ausladen zu beschleunigen. Bei fünfmal zweitausend Menschen am Tag überließen die SS-Schergen nichts dem Zufall, denn Ärger bedeutete Mehrarbeit und späten Feierabend. Aufgeschreckt quälten sich Frauen, Männer, Kinder in Panik hinaus, stießen sich, trampelten gehetzt über die Liegengebliebenen auf die Rampe. Hanna Loewenherz taumelte mit ihrem Sohn als letzte aus dem stinkenden Verlies, hielt die Hand schützend vor die Augen und versuchte, einen Halt zu finden.

»Los, los, Laufschritt. Gepäck hinlegen und weiter, weiter.« Der Transport bestand aus gut vierzig Wagen. Hanna hatten sie in den hintersten Teil verfrachtet.

Sie sah Männer in gestreifter Kleidung in die Wagen stürmen; sie zerrten die Toten und Sterbenden heraus. Längs der Rampe parkten Lastwagen, auf deren offenen Ladebrücken Leichen und noch Lebende aufgeschichtet wurden. Der SS ging alles zu langsam.

»Los, Laufschritt.« Sie halfen den zur Hilfe Gezwungenen mit Stockschlägen nach.

Vor Hanna Loewenherz hatte sich eine dichte Menschenmasse gebildet, die sich trotz Kolbenhieben und Drohungen nur zähflüssig vorwärtsbewegte. Weiter vorne schien sich der Strom zu teilen. Sigmund legte seinen Arm schützend um seine Mutter. »Wo sind wir, Mama?« fragte er leise.

»Ich weiß nicht. In einem Lager.« Sie deutete nach vorne. *Arbeit macht frei* stand in geschwungener Schrift über dem Torbogen.

Sigi, ein kräftig gebauter Fünfzehnjähriger, sah über die Köpfe hinweg nach vorne. »Männer und Frauen werden getrennt«, flüsterte er.

Hanna zitterte. Sie war eine bemerkenswert schöne Frau. Selbst die unmenschlichen Strapazen der mehrtägigen Reise im stinkenden Viehwagen hatten die äußeren Reize und die Klugheit im Gesicht dieser Frau nicht vernichten können. Instinktiv besann sie sich auf ihre Stärken. Bald bemerkte sie, daß vorne die weitaus meisten Frauen und Männer nach rechts geschubst wurden, während ab und zu ein eskortierter Trupp nach links abging. Hanna beschloß, daß sie nach links wollte. »Sei ruhig, bitte, sag kein Wort«, ermahnte sie ihren Sohn leise.

Sigi nickte und drückte seiner Mutter fest die Hand. Dann sah Hanna den Mann im weißen Kittel, der am Ende der Rampe auf den Absätzen wippte und offensichtlich über »rechts« oder »links« entschied.

»Links ist schlecht, rechts ist gut«, sagte ein bärtiger Alter hoffnungsvoll mit vorgehaltener Hand.

Graue Wolken hingen herab; die schmutzigen Güterwaggons der Reichsbahn, die Uniformen, die schwarzen Gebäude schienen jedes Licht aus diesem trostlosen Ort zu verdrängen. Es mußte spät am Nachmittag sein; ihre goldene Armbanduhr, das Hochzeitsgeschenk von Simon, hielt Hanna unter den Kleidern versteckt.

Die Lokomotive dampfte, der Atem der verängstigten Menschen stieg in hellen Schwaden hoch. Schmutzig lag der Schnee, wo das Auge hinreichte. Aus den Kaminen im Lager quoll ein schwarzer, gräßlicher Qualm; manchmal schoß eine Stichflamme in die Kälte.

»Was verbrennen sie?« flüsterte Sigi.

»Ich weiß nicht, sei still.«

»Ruhe«, schrie ein SS-Mann und stieß den Gewehrlauf in Sigis Rücken. Hanna warf ihrem Sohn flehende Blicke zu: ›Sei um Gottes willen ruhig!‹

Der Offizier im weißen Kittel stand nicht mehr weit weg.

Flankiert von zwei Unterscharführern winkte er mit dem Daumen verächtlich nach rechts, immer wieder, ohne richtig hinzuschauen. Noch ungefähr zwanzig Schritte, dann würde er auch über ihr Los entscheiden.

SS-Hauptmann Mengele, bereits gelangweilt vom üblichen Ablauf, sah plötzlich die Frau: Ihr Blick bohrte sich in sein Gesicht, wich keinen Zollbreit. Die Frau war schön, die Augen gescheit, der Mund ausnehmend verführerisch. Endlich hatte der SS-Arzt gefunden, was er suchte. Die anstrengende Inspektion an der Rampe hatte sich doch noch bezahlt gemacht.

Mengele winkte mechanisch weiter nach rechts, bis die Frau mit dem Jungen vor ihm stand. Er hatte sich nicht getäuscht, diese Jüdin sah verdammt gut aus. Und der junge Lümmel? Der gehörte zu den Starken, war brauchbar. Einer von hundert. Mengele wippte genüßlich auf den Absätzen seiner blanken Stiefel. Ein Grinsen entblößte die Lücke zwischen seinen Schneidezähnen.

»Mein Sohn«, sagte Hanna Loewenherz tapfer, »er kommt mit mir.«

Die Unterscharführer schnellten vor, im Begriff die Frau mit den Gewehrkolben niederzuknüppeln. Keine Jüdin sprach unaufgefordert zu einem SS-Offizier.

»Halt«, befahl Mengele. Die Männer zuckten zurück. Er hob lässig seine rechte Hand und zeigte mit spöttischem Lächeln nach links: »Namen notieren.«

Sie gelangten durch das Tor zu den Baracken, das Grau der Wolken lastete über dem großen Lagerkomplex und verschwamm mit der grauen trostlosen Ebene. Schwermütiges Grau, wohin sie schauten. Unheilvolle Laute drangen zum Schuppen, wo ein Gefangener ihnen wortlos gestreifte Kleidung austeilte. Bellende Unterscharführer, höhnisches Lachen, Schreien, Schluchzen erfüllten die Luft, das Murmeln Betender, das Stampfen von Stiefeln, der helle Klang von Eisen, als die Lokomotive abgekoppelt wurde, ergänzten das Konzert von Leid und Tod. Sigmund würde es niemals vergessen.

»Links ist schlecht, hat der alte Mann gesagt«, preßte er zwischen den Zähnen hervor.

»Links ist besser«, widersprach Hanna, und der Hilfswächter nickte kaum merklich.

Hanna Loewenherz, schweizerischer Abstammung, verheiratet mit dem bekannten Bankier Simon Loewenherz, der in der »Kristallnacht« vom 9. November 1938 dem nationalsozialistischen Mob zum Opfer gefallen war, hatte recht, wie meistens. Rechts bedeutete Gaskammer. Vernichtung. Millionen von Juden gingen seit 1939 unter dem nationalsozialistischen Regime Hitlers ahnungslos diesen Weg. Im Mai wurden eine Million Juden aus Ungarn erwartet. Eine neue Rampe war eben fertiggestellt; in Auschwitz war man vorbereitet.

Am Abend mußte sich Hanna Loewenherz im Lagerkrankenhaus melden. »Medizinische Eintrittsuntersuchung«, spottete der Unterscharführer, der sie aus der Baracke holte.

Sigmund sah seine Mutter erst am nächsten Morgen wieder, als die Gefangenen zum Appell heranwankten. Zwei Stunden ließ man die völlig geschwächten Menschen in klirrender Kälte in Reih und Glied ausharren, bevor der SS-Feldwebel geruhte, die Arbeitseinteilung bekanntzugeben: Sigmund wurde in das Lagerkrankenhaus zu Mengele abkommandiert, Hanna mußte sein privates Quartier sauber halten. »Wir haben ein Abkommen geschlossen«, keuchte Hanna, als es ihr gelang, neben Sigmund stehen zu bleiben. »Der Arzt protegiert dich. Mach genau, was er dir befiehlt, stell keine Fragen, halt die Augen offen. Es geht um Leben oder Tod.« Sie holte tief Atem.

Ihr Sohn blickte sie aus großen Augen an.

»Rechts bedeutet Tod. Gaskammer. Vergiftung. Die Menschen, die vor uns standen, sind alle tot. Verbrannt. Schau.« Sigi starrte entsetzt zu den qualmenden Kaminen.

»Das sind die Krematorien. Mengele hat keinen Zweifel gelassen. Entweder wir gehorchen, oder ...« Hanna zeigte verzweifelt zu den Schloten.

»Sigi – wir wollen doch überleben«, stieß sie hervor. »Wir werden leben. Also befolge genau, was man dir sagt. Es ist unsere einzige Chance, dieser Hölle lebend zu entkommen.« Sie drückte ihre Hand auf den Unterleib.

»Was machst *du*? Was ...«, Sigi brach ab.

Seine Mutter sah ihn entschlossen an. »Ich habe die Angelegenheit geregelt. Mengele will unser Vermögen.«

»Unser Vermögen?« stammelte Sigi atemlos.

»Ja, unser ganzes Vermögen. Geld oder Blut.« Die Mutter schaute ihn fest an. Sie kämpfte mit den Tränen.

»Was hast du geantwortet. Hast du ihm ins Gesicht gespuckt, Mama?«

Hanna Loewenherz schwieg. Ihr wurde schwindlig.

»Hast ... du ...?«

»Nein, Sigi, ich habe mich gefügt. Ich bin eine Frau. Ich verhandelte mit meinen Waffen. Ich überschrieb ihm unser ganzes Vermögen.«

»Du hast es gemacht?« Sigi verstand sie nicht.

»Wir sind hier nicht im Vorhof der Hölle, mein Sohn. Das ist die Hölle.« Sie sprach abgehackt. »Im Krankenhaus – die Leute, die sich krank melden – die bringen sie einfach um. Mit Spritzen. Machen Versuche. Durchkommen zählt, Sigi. Nicht verbrannt werden. Also, was bedeutet da schon meine Ehre, unser Vermögen?« Erschöpft hielt sie die Hände vors Gesicht.

»Und ... ist der Arzt ... darauf ... eingegangen?«

Hanna Loewenherz nickte: »Er will das Vermögen, er will mich!« Es war nur noch ein Flüstern. Sigis Blick war wütend, den letzten Zusatz schien er nicht aufgenommen zu haben. Hanna fing sich wieder. »Die Nazis bekommen kalte Füße. Ihre Uhr ist abgelaufen, Sigi. Der Krieg verloren. Mengele denkt an die Zeit danach, unser Geld soll ihm die Zukunft sichern.« Auf den andern Teil des Handels ging sie nicht mehr ein. Sigi würde es nicht verkraften.

Ein Wachtrupp näherte sich.

»Die Schweine!« stieß Sigi zwischen den Zähnen hervor.

Die Mutter legte ihre Hand zärtlich um seinen Nacken. »Komm, mein Schatz, ich habe zugesagt, und ich habe einen Brief an die Bank in der Schweiz aufgesetzt. Mengele wird damit zum Generalbevollmächtigten über unser Konto in Zürich. Er kann alles Geld abheben. Im Gegenzug sind wir privilegiert. Kommandierte zur besonderen Verfügung sozusagen.« Sie lachte bitter.

Sigi biß sich auf die Unterlippe, starrte zu den qualmenden Schloten hinüber, wo dicker Rauch in den fahlen Morgen stieg.

»Los, los, Laufschritt«, brüllte die Wache.

In der Nähe von Dachau, 19. Mai 1945

Der scharf bewachte amerikanische Militärkonvoi zweigte in die Nebenstraße ab und kroch die leichte Steigung empor. Die Fahrzeuge fuhren dicht aufeinander. Vor allem die schweren Doppelräder der GMC-Laster wirbelten kräftig Staub auf, so daß der olivfarbene Chevrolet-Stabswagen, der der trägen Kolonne folgte, zurückfiel, bis sich die Staubfahne im leichten Ostwind auf das karge Feld gelegt hatte.

Der Sizilianer auf dem Rücksitz, er mochte um die Vierzig sein, studierte mit blitzenden Augen unter buschigen Brauen interessiert den Transport.

Gut dreihundert Meter vor dem Konvoi sicherte eine Gruppe Infanteristen im offenen UC-Kettenfahrzeug mit aufgebautem Maschinengewehr den Vormarsch. Dann folgten zwei Jeeps mit Militärpolizisten, dicht gefolgt von den beiden GMC-Trucks, mit seitlich abgespannten Planen. Am Heck war die Abdeckung hochgerollt, doch durch die Staubwolke hindurch war kaum auszumachen, wer auf der finsteren Ladebrücke saß. Ab und zu blitzte das Weiß eines MP-Helmes auf, oder ein fahles Antlitz hob sich für Sekunden vor dem dunklen Hintergrund ab.

Den Schluß der Kolonne bildeten zwei offene Dodge-Geländefahrzeuge, die eine Limousine zwischen sich sicherten. Auf den Sitzbänken der Dodges hielten Militärpolizisten ihre Maschinenpistolen schußbereit vor der Brust.

Der Sizilianer wunderte sich über die Zusammensetzung dieser motorisierten Marschgruppe, aber der amerikanische

Oberst, der neben ihm dumpf nach vorne starrte, sagte gelassen: »Gefangenentransport.«

Der Sizilianer nickte und suchte in seiner schwarzen Rocktasche nach Zigarren. Da stoppte der Konvoi plötzlich. Rufe drangen nach hinten. Die MPs auf den Dodges stiegen von ihren Sitzen und umzingelten sofort die ins Sandwich genommene Limousine. Die vorderen Jeeps wendeten mit aufheulenden Motoren im Feld, rasten zurück und hielten mit einem Ruck beidseits der Laster. Die Männer sprangen hoch, die Waffen im Anschlag.

Vom vorderen GMC war Militär abgesprungen: die Männer zerrten eine dunkel gekleidete Gestalt von der Ladebrücke und legten sie neben dem Fahrzeug sorgsam nieder. Ein Soldat beugte sich über die Brust des Mannes und begann zu winken, während GIs die Köpfe in Schach hielten, die plötzlich unter den hochgehobenen Planen hervorlugten. Einer verständigte sich wild gestikulierend mit dem Captain, der aus der vorderen Limousine ausgestiegen war. Ein Jeep raste davon.

Der Oberst und der Sizilianer stiegen aus und schlenderten gemählich nach vorne. Sofort zogen sie die Aufmerksamkeit auf sich. Der ranghöhere Offizier und die schwarze Gestalt des Sizilianers mit dem breitkrempigen Hut strahlten Autorität aus. Der Captain eilte auf sie zu und informierte über die Lage.

Als sie auf die Limousine zuhielten, traten die MPs respektvoll zur Seite. Der Captain raunte dem Colonel etwas zu. Verdutzt blickten er und sein südländischer Begleiter in den Fond der Limousine: Dort saß starr, mit festem Blick nach vorne, eingezwängt zwischen Soldaten, Hermann Göring, Oberbefehlshaber der deutschen Luftwaffe.

Die Gruppe marschierte weiter hinüber zu dem Verwundeten. Er trug die schwarze Uniform, die Abzeichen waren abgerissen. Ein Sanitäter knöpfte ihm den Rock auf; der Sizilianer kniete sich neben ihn, um zu helfen.

Wie er erfuhr, hatte sich der Gefangene mit der Pistole eines dösenden MPs in die Brust geschossen. Selbstmord kurz vor Erreichen des Lagers.

Der Sizilianer betrachtete gebannt das fein geschnittene Gesicht, die hohe Stirn, die runden Brillengläser, die intelligent wirkende Mundpartie. Der Selbstmörder sah nicht aus wie ein Kriegsverbrecher – nicht wie er sich einen dieser Bande vorgestellt hatte. Der Sanitäter legte einen Druckverband an, schüttelte dabei resigniert den Kopf. Der Sizilianer half, den Verband festzumachen, und gemeinsam brachten sie den Verletzten in eine seitliche Lage.

Um den sei es nicht schade, murrte einer der Herumstehenden, während der Captain in scharfem Befehlston Ordnung in seinen Haufen brachte.

Da schlug der Verletzte die Augen auf; sein Blick hatte etwas Flehendes, die Lippen bebten, versuchten, etwas zu sagen. Jetzt bemerkte der Sizilianer die verkrampfte linke Hand, die sich abmühte, etwas aus der Brusttasche des Uniformrocks hervorzuklauben.

Er beugte sich über den Kopf des Deutschen.

»Mein letzter Wunsch ... Bitte ... geben Sie das meinem Sohn ... Heinz, bitte.«

Der Sizilianer begriff. Er zerrte den Gegenstand aus der Brusttasche der blutdurchtränkten Uniform. Es war ein Notizbuch, in abgegriffenes braunes Leder gebunden. Der Sizilianer steckte es wortlos ein, drückte dem Verletzten die Hand, nickte ihm zu. Die Augen schlössen sich wieder, die Züge des Todgeweihten entspannten sich.

Der Sizilianer schaute auf – in grimmige Gesichter der GIs, als vom Lastwagen aufgeregtes Stimmengewirr herunterdrang. Ein nervöser Militärpolizist richtete seine Laufmündung bedrohlich auf die Gefangenen. Die Luft knisterte vor Spannung. Die Truppe fühlte sich bloßgestellt, Wut stand auf den Gesichtern, der peinliche Zwischenfall würde ein Nachspiel haben.

Der Sizilianer beugte sich nochmals über den Verletzten – dann stand er langsam auf. »Er ist tot«, sagte er lakonisch zum Colonel, als ein Jeep heranraste und in einer Staubwolke zum Stehen kam. Der Arzt aus dem Lager konnte der Diagnose nichts hinzufügen. Man deckte den Toten zu und legte ihn auf die Ladebrücke des GMC.

Befehle ertönten, Motoren heulten auf, die Getriebe sprangen ein, die schweren Lastwagen setzten sich wieder in Bewegung. Der Captain salutierte und stieg auf den Beifahrersitz der Limousine.

Göring starrte ungerührt in die Ferne, das Kinn erhoben, als der Wagen, eskortiert von den zwei Dodges, dicht an ihnen vorbeifuhr. Der Sizilianer trat zur Seite und steckte seine Havanna in Brand; der Colonel erklärte kurz: »Die Jungs der 7. US Army haben Göring vor ein paar Tagen aufgegriffen. Guter Fang – genau am 8. Mai.«

Der Sizilianer schaute der Staubwolke nach und zog an der Zigarre.

»Wir machen Geschichte, Carlo. Die andern auf den Trucks gehörten zu Görings Gefolge. Alles Bonzen unter Hitler, wie der Tote. Komm, gehen wir.«

»Wer war der Tote?« Der Sizilianer blies den Rauch in die klare Luft.

»Bouhler, Philipp Bouhler. Chef der Reichskanzlei Hitlers«, antwortete der Oberst.

Als ihr Stabswagen über die Anhöhe fuhr, sahen sie den Konvoi in der Ferne entschwinden. Die Wachttürme des alliierten Lagers, in dem die hochgestellten Nazis bis zum Beginn der Kriegsverbrecherprozesse interniert blieben – sofern sie sich nicht vorher umbrachten –, ragten am Horizont auf. Nicht weit davon entfernt befand sich das Konzentrationslager Dachau; es war erst vor drei Wochen von alliierten Truppen entdeckt worden. Sie würden daran vorbeifahren, um zum Schrottplatz zu gelangen, hatte ihn der Colonel vage informiert.

Der Schrottplatz erwies sich als zerbombtes Flugfeld, wo die Amerikaner ausgedientes Kriegsmaterial feilboten. Hunderte von Jeeps, Dodges, GMC-Lastwagen und Panzerbegleitfahrzeugen harrten dort ihrer Käufer. Ein Wachtposten an der Schranke prüfte die Papiere der Kaufwilligen und winkte sie lässig durch.

»Wann kehren Sie nach Bern zurück?« fragte der Colonel, als sie an den Kriegsrelikten der massiven Stoßstangen und hohen, zerbeulten Kühlerhauben entlangfuhren.

»Morgen.«

»Mein Bruder arbeitet in Bern – im Team von Alan Foster Dulles«, erklärte der Amerikaner.

»Spionage?« Der Sizilianer schaute skeptisch.

»Rufen Sie ihn an. Frank heißt er, Major. Amerikanische Botschaft.«

Der Sizilianer brummte Zustimmung, zog die Hutkrempe ins Gesicht und inspizierte seine brennende Zigarre. Gute Verbindungen in Bern konnten nicht schaden.

Die Amerikaner schätzten Carlo Prizzi, genannt *Der Sizilianer*, als gewieften Makler. Und als verläßliches Schlitzohr. Er bezahlte pünktlich, lieferte alles. Heute standen zweitausend Fahrzeuge auf seiner Liste.

1

An einem milden 19. Dezember, über fünfzig Jahre nach Kriegsende, machten zwei Menschen unabhängig voneinander eine Beobachtung, die sie in Todesgefahr bringen sollte.

Dabei begannen beide den Tag völlig unbeschwert: Die Frau, bildschön, mit einem Anflug geheimnisvoller Noblesse, nahm für die Genfer Kantonspolizei heikle Aufgaben wahr, über die im Korps nur hinter vorgehaltener Hand gesprochen wurde.

Die Wärter des Hochsicherheitsgefängnisses blickten dem bezaubernden Geschöpf denn auch mit unverhohlener Neugier nach, als sie mit weichem Gang und wallendem blonden Haar durch die Pforte schritt. An die Zurufe und Pfiffe der Insassen hatte sie sich längst gewöhnt, doch diesmal übertönte der Lärm eines schweren Hubschraubers die Geräusche aus den Zellen. Zuerst verdunkelte ein Schatten die weiße Mauer, dann dröhnte das Ungetüm plötzlich über dem Hof.

Im hinteren Teil des modernen Gefängnisses befand sich eine Baustelle, und der Pilot versuchte, die tonnenschwer im Transportnetz hängende Ladung dort abzusetzen. Die Frau hielt sich die Ohren zu und suchte im Eingang des Zellentrakts Zuflucht.

Dann geschah es. Das Seil klinkte aus. Der gewaltige Betonquader sauste in die Tiefe und krachte wuchtig auf das Sicherheitsnetz, das den Hof in einer Höhe von vier Metern überspannte.

Das Netz gab ächzend nach. Kreischend rissen die Stahlmaschen. Der Betonklotz landete mit dumpfem Knall auf dem Pflaster und begrub zwei Wärter unter sich. Staub und Steine wirbelten auf, Schreie übertönten das Knattern der mächtigen Rotoren. Der Schock lähmte jede Bewegung. Entgeisterte Augen starrten gebannt auf das Schauspiel.

Nur einer blieb ruhig, handelte überlegt. Er löste sich aus einer vor Entsetzen erstarrten Gruppe, rannte zum Steinbrokken in der Platzmitte, griff nach der herabhängenden Leine, gab ein Handzeichen. Der Hubschrauber hob dröhnend ab, der Mann entschwebte am Seil baumelnd durch die Bresche im Sicherheitsnetz. Mit offenen Mäulern gafften Wärter wie Gefangene gen Himmel. Dann brach das Chaos aus.

In Windeseile verbreitete sich die Neuigkeit durch alle Zellen: Martin Deuber war die spektakulärste Flucht aller Zeiten geglückt.

Keinem Menschen fiel der Fischer auf, der Kilometer vom Zuchthaus entfernt sein Boot mit abgestelltem Motor ins Schilf gleiten ließ. Er hatte einiges mit jener blonden Schönheit gemeinsam, die soeben Zeugin der kühnen Flucht geworden war. Beide standen dem Leben unvoreingenommen gegenüber. Sie wandte sich dabei eher den Menschen, er mehr der Natur zu. Aber ihre Beobachtungsgabe hatte sich dadurch im Laufe der Zeit geschärft.

Für den Fischer war es zunächst keine Kunst, den tief vorbeibrausenden Hubschrauber zu bemerken. Der Abwurf des Bündels am Ende des Schilfwuchses konnte schon eher übersehen werden. Doch nur das gut geübte Auge bemerkte, wie noch lange nach dem Aufklatschen sanfte Wellenrippen durch das Schilf liefen.

Da er schon am Morgen beobachtet hatte, wie Kampfflugzeuge und Hubschrauber über den See jagten, hochzogen und im grellen Sonnenlicht verschwanden, brachte der Fischer den Helikopter in Zusammenhang mit den militärischen Manövern; das Bündel hielt er für einen abgesprungenen Taucher.

Ein Schwarm aufgescheuchter Fischreiher protestierte krächzend gegen die Störung. Der Fischer beschloß ärgerlich, den entweihten Ort zu verlassen. Wäre er in entgegengesetzter Richtung weggerudert, hätte er den im Schatten der Uferwildnis vor Anker liegenden Lastkahn bemerkt. Er hätte auch zwei schwarze Gestalten beobachtet, die sich vom Deck herunterbeugten, um das Bündel in Empfang zu nehmen. Der Fischer, dem sonst nicht entging, wie der Hecht heranschwamm, die Mücke über der lauernden Felche tanzte und die Libellen sich in der Luft paarten, hätte auch deutlich gesehen, wie sich aus dem Bündel zwei Männer lösten, einer schwarz wie die beiden auf Deck, der andere in helleren, am Körper klebenden Kleidern.

Doch Bath glitt in stille Gewässer abseits der Bucht und war froh, daß wieder Ruhe eingekehrt war.

2

Am nächsten Morgen fuhr Bath schon im Morgengrauen hinaus. Still lag der See vor ihm, als er das Schnurende von der Winde zog, während das Boot langsam dahintuckerte.

Der Sommer war schlecht gewesen für die Bootsfischer. Dann, zum Herbstanfang, wimmelte es plötzlich von Barschen.

Bath stellte den Außenbordmotor ab, die Leine spannte sich. Als er sie einholte, zappelten vier Fische daran; nur ein farbiges Gummiband war leer geblieben.

Er warf einen prüfenden Blick zum Himmel, wo dunkle Wolken sich zusammenballten. Er holte das Fanggerät auf Backbord ein und streifte den Fang ab: Fünf hungrige Prachtkerle hatten die farbigen Köder für flüchtende Jungfische gehalten. In den Morgenstunden waren sie besonders gierig, und Bath, der die Zeit, bis die Wolken sich entladen würden, noch nutzen wollte, warf den Außenborder wieder an und hielt auf die Bucht zu.

Da sah er den gespenstischen Koloß im trüben Dämmerlicht. Er stoppte, drehte ab. Wut stieg in ihm hoch. Die Bucht, gesäumt von einer steilen, dicht bewaldeten Böschung, wimmelte in diesen letzten Herbsttagen nur so von Barschen. Bath fühlte sich für ihr Wohl im geschützten Grund verantwortlich. Und jetzt lag so ein dreckiger, unförmiger Lastkahn von einer dieser beschissenen Kiesausbeutungsgesellschaften mitten in seiner Bucht vor Anker.

Daß er nicht näher heranfuhr, schrieb er später einer Vorahnung zu. In Wirklichkeit spannten sich die Leinen; er hatte alle Hände voll zu tun, die Beute an Bord zu hieven. Auf dem Lastschiff regte sich nichts.

Das Wetter verschlechterte sich zusehends. Leichte Böen bliesen ihm ins gebräunte, kantige Gesicht. Das Boot glitt am Schilf vorbei zur tiefen Senke. Bath legte sich einige Male in die Ruder und ließ das Boot über der tiefen Stelle im leichten Wind treiben. Während er ein letztes Mal die Leine abhaspelte, schaute er über die Schulter zum Geisterschiff zurück. Eine Nebelschwade strich über das Steuerhaus am Heck. Hatte da nicht ein Licht aufgeblitzt? Bath schüttelte den Kopf.

Ob der Kahn wohl schon in der Bucht gelegen hatte, als sie gestern den Taucher abwarfen? Nun, es war nicht seine Art, sich in fremde Angelegenheiten einzumischen. Er beschloß zurückzukehren.

Das Bootshaus lag da, wie er es verlassen hatte. Bath legte an und schleppte den Korb zu seinem alten 76er Plymouth unter der im Wind zitternden Trauerweide. Erste Regentropfen fielen ihm auf die Stirn, als er die Hecktür des Stationswagens öffnete und den Korb gegen die Sitzbank rückte. Dann setzte er den Wagen in einer blauen Auspuffwolke zurück, schaltete den

Vorwärtsgang ein und fuhr mit brummendem Motor am Ufer entlang bis zur Abzweigung, die zum Dorf führte.

Der »alte Amerikaner« sei ein Rosthaufen, hatte ihn der Professor ausgelacht, aber Bath konnte sich von dem nostalgischen Vehikel nicht trennen. Zudem war der Motor einfach unverwüstlich.

Bath schaltete das Radio ein. Die Nachrichten liefen gerade, und der Sprecher berichtete über die spektakuläre Flucht. Das Gefängnis galt als Hochsicherheitskomplex. Im inneren Teil, wo sie die schwersten Fälle einbuchteten, war ein Stahlnetz über den Freilauf gespannt – eben, um zu verhindern, daß Sträflinge, meistens Rückfällige, aus der Luft befreit würden. Der Vorfall von gestern habe jedoch gezeigt, daß die Sicherung nur sehr begrenzt war. Wie immer stellte man die Frage nach den Verantwortlichen. Ein Bauer ratterte auf einem Traktor vorbei. Es begann nun stark zu regnen. Bath stellte den Wischer an und rätselte, wer Martin Deuber wohl aus dem Knast herausgeholt hatte.

Es regnete Bindfäden, als der alte Plymouth mit unverminderter Geschwindigkeit durch das Dorf fuhr. Im Radio berichteten sie nun vom Absturz des Helikopters; man ließ auch einen Fachmann zu Wort kommen. Dieser bezeichnete die Maschine, eine Super-Puma, als absolut zuverlässig; es sei ihm schleierhaft, warum der Vogel explodiert sei. Ob der Helikopter eventuell von der Luftwaffe abgeschossen worden sei, um die Gangster zu stoppen, fragte der Reporter provozierend, worauf der Flieger sachlich antwortete, das sei ausgeschlossen, zudem habe sich das Unglück allem Anschein nach über dem französischen Teil des Sees ereignet.

Bath sah den dunklen Vogel deutlich vor sich, wie er gestern über ihn weggedonnert war. Er parkte seinen Plymouth vor dem Minimarkt. Schwab, ein riesiger Kerl mit Bart und einer schwarzen Kellermeister-Schürze, trat heraus.

»Salü, wie läuft das Geschäft?« grüßte er.

»Nicht schlecht, jetzt beißen sie endlich wieder, vor allem früh am Morgen.« Bath zeigte auf den Korb. Gut dreißig Fische mit dunklen Bändern auf den Flanken glotzten heraus. »Aber im Sommer war's verdammt flau.«

Schwab betätigte sich gewissermaßen als Zwischenhändler. Er nahm Bath in der Regel den ganzen Fang ab und verteilte dann die Fische an den Wirt und andere Liebhaber von Barschen oder Egli, wie man sie hier nannte.

Kaum hatten sie den Korb im Laden abgestellt, legte der Regen noch zu. Die schweren Tropfen vollführten auf dem schwarzen Asphalt einen prasselnden Tanz, bevor sie die Abläufe überfluteten.

»Verflucht, ich habe das Seitenfenster offengelassen.« Bath rannte zum Wagen. Das Radio lief noch. Man schließe Komplizen im Gefängnis nicht aus, der Täter sei schließlich … »Gewäsch«, fluchte Bath, stellte das Gerede ab und kurbelte die Scheibe hoch.

Aber drinnen im Laden liefen die Nachrichten auch.

»Dem Barsch mußt du auf die Schliche kommen«, erklärte Bath überzeugt, als sie die Fische auf die Waage legten. »Nach einem guten Fangjahr folgen meistens zwei magere. Händler sollte man sein.«

»Irrtum, die guten Zeiten sind vorbei. Die Leute sparen. Wer kauft hier noch Fleisch? Die Frauen fahren über die Grenze nach Frankreich.«

»Ist recht, wenn sie am Fleisch sparen. Die sollen Fisch fressen.«

Der Reporter unterhielt sich jetzt mit dem Bergungstrupp. Außer ein paar Sitzkissen und einem riesigen Ölfleck sei nichts übriggeblieben. Die Experten der Schweizer Polizei und der französischen Gendarmerie redeten von einer gewaltigen Explosion. Ausgeschlossen, daß jemand diesen Absturz überlebt habe, sagte der Chef der Seepolizei und setzte hinzu, der See sei so tief, daß an eine Bergung der Leichen einstweilen nicht zu denken sei.

Bath wollte Schwab eben erzählen, daß er den Hubschrauber gesehen hatte, als die Tür aufging und der Dorfpolizist eintrat. Er schüttelte seine dunkelblaue Pelerine. Draußen regnete es jetzt in Sturzbächen.

»Morgen! Wie geht's? Dieses Sauwetter kommt von den Atomversuchen. Ich sag' ja immer …«

»Was suchst du in meinem Laden«, unterbrach ihn Schwab skeptisch. Er hielt Bath eine Tasse Kaffee hin und stellte seine auf dem Tresen ab. Bath schlürfte das heiße Getränk und beobachtete die beiden.

Der Polizist deutete mit dem Kinn zum Radio, wo immer noch über den Fall berichtet wurde. »Die sind nicht weit gekommen. Alle tot. Ich war damals dabei, als wir den Deuber geschnappt haben. Er war bewaffnet.«

Bath verschluckte sich. »Du hast Deuber gekannt?«

»Klar«, nickte der Uniformierte, und Schwab höhnte: »Aber das Geld, das er der Bank abgenommen hat, habt ihr nie gefunden. Deuber ist schlauer als ihr alle zusammen.«

»Das nützt ihm jetzt auch nichts mehr«, brummte der Polizist und glotzte auf die Fische.

»Bist du offiziell hier?« fragte Schwab nicht sehr freundlich und verteilte Barsche je nach Größe in zwei kleine Behälter.

»Wir müssen Erkundigungen anstellen. Möglicherweise gibt es Hinweise.«

Schwab schwieg, Bath nahm einen Schluck Kaffee und wartete.

»Der Helikopter ist ziemlich genau über unser Dorf zum See hinaus geflogen. Vielleicht hat jemand etwas beobachtet.«

»Was wollt ihr denn jetzt noch herausfinden. Alle sind tot. Typisch Schmiere«, spottete Schwab und blickte zur Ladentür. Der Regen hatte nachgelassen. Es war acht Uhr, bald würden die ersten Kunden eintrudeln.

»Das versteht ihr eben nicht«, belehrte sie der Dorfpolizist wichtig. »Der Tatablauf muß rekonstruiert werden. Nach den Ermittlungen hat eine Bande die Hand im Spiel gehabt. Die Frage stellt sich zum Beispiel, woher sie den Helikopter hatten.«

Bath steckte sich eine Brissago zwischen die Zähne und zündete sie an. In seinem Kopf fuhren die Gedanken Karussell: der unheimliche Kahn, Martin Deuber, eine Bande?

»Hast du etwas beobachtet? Du treibst dich ja ständig auf dem See herum«, schreckte ihn der Polizist auf und trat einen Schritt näher.

Bath schaute auf, irgendwo ins Leere. Ihm war nicht nach Reden zumute. »Ich schaue ins Wasser, nicht nach oben«, knurrte er.

Der Polizeifunk piepste aus der Gesäßtasche. Der Ordnungshüter riß das schwarze, klobige Gerät geschäftig an sein Ohr. »Ja, was ist?« meldete er sich überlaut und rückte seine Uniformjacke gerade. »Aha – gut. Verstanden.«

Die Brissago war erloschen, und Bath suchte nervös nach den Streichhölzern.

»Hier, vor deiner Nase«, half ihm Schwab.

»Ist schon ein Hinweis eingegangen«, nuschelte Bath, mit seiner krummen Zigarre beschäftigt; der Polizist fühlte sich verspottet, zumal der Anruf nur eine blöde Auffahrkollision im Regen betroffen hatte. Er antwortete ärgerlich: »Wir kommen der Sache schon auf die Spur. Ich hoffe für euch, ihr habt mir nichts verschwiegen«, hob mahnend das Funkgerät, tippte es zum Gruß an die Schläfe, packte seine Pelerine und stolzierte hinaus.

»Idiot«, murmelte Schwab.

»Weißt du, wo der Lastkahn in der Bucht herkommt?« fragte Bath, als draußen der Motorenlärm verhallt war.

»Also hast du doch etwas beobachtet, he?« fragte Schwab und tippte Bath das Filetiermesser an die Brust. Im Radio spielten sie jetzt Unterhaltungsmusik; eine elegant gekleidete Frau betrat den Laden. Die Frage blieb somit unbeantwortet. Schwab wandte sich dem sichtlich interessanteren Geschäft zu.

»Ich brauche noch Most für den Außenborder«, rief Bath und deutete im Weggehen mit dem Finger nach hinten zum Schuppen.

»Hol dir, was du brauchst, wir rechnen später ab«, antwortete Schwab und schob seinen massigen Leib der hübschen Kundin entgegen.

3

Es hatte aufgehört zu regnen, als Bath in Gedanken versunken aus dem Dorf zum See hinunterfuhr. Er wollte die Zeit noch nutzen; die kommenden Tage boten nicht nur in bezug auf das Wetter düstere Aussichten. Schnee war bis in die Niederungen angesagt, bald würde der eisige Wind durch alle Ritzen blasen und Bath aus dem Bootshaus in die Villa treiben. An Weihnachten mußte er für den Professor arbeiten. Bis Ende Februar mit dem Frühling die Barsche zurückkamen, stand ihm eine trostlose Zeitspanne bevor, die ihn um so mehr bedrückte, als er spürte, daß die in der Villa es irgendwie auf ihn abgesehen hatten.

Er hatte das eigenartige Gefühl, an einem Wendepunkt zu stehen. Hing das nicht greifbare Unbehagen mit den sonderbaren Vorgängen im Herrschaftshaus zusammen? Bath bildete sich schon eine ganze Zeitlang ein, von Erich Felgen, den er nicht ausstehen konnte, beschattet zu werden. Etwas mußte geschehen, sonst käme er nie auf einen grünen Zweig. Grimmig drückte er das Gaspedal durch, als plötzlich zwei phantastische Beine unter einem roten Minirock in sein Blickfeld gerieten.

Die junge Frau mit dem leuchtend blonden Haar richtete sich auf und winkte, als sie das Motorengeräusch hörte. Ihr Auto hing schief am Straßenrand, mit halb geöffnetem Schlag. Bath manövrierte den Plymouth langsam daran vorbei, hielt an und stieg aus.

»Radwechsel ist Männersache«, grinste er und kickte mit dem Fuß zweimal an den Reifen, dann bückte er sich und prüfte die Unterseite der Karosserie. »Haben Sie den Wagenheber dabei?«

Die Blonde suchte hinter seinen schwarzen Sonnengläsern vergeblich nach einem Blick. »Nett, daß Sie angehalten haben, vielen Dank.« Sie reichte ihm einen Schraubenschlüssel, als ein Lastwagen mit brummender Motorbremse vorbeirollte. Müllabfuhr, registrierte Bath automatisch.

»Ihr Wagen steht manchmal vor dem Laden im Dorf. Wohnen Sie in der Nähe?« Bath rastete den Wagenheber in die seitliche Aussparung ein und drehte an der Kurbel.

Sie beobachtete, wie sich der Wagen hob. »Sie sind doch der Fischer vom See?«

Er wuchtete das Rad von der Nabe und schaute verblüfft hoch.

Ihr Gesicht mit den roten Lippen spiegelte sich in seinen Brillengläsern. Sie erklärte, daß sie oft Fisch bei Schwab kaufe. Er nickte nur.

Eine Sportmaschine flog brummend in geringer Höhe über den See. Bath warf einen prüfenden Blick zum Himmel. Mit gefurchter Stirn rollte er das Ersatzrad heran und machte es fest. Verbissen kurbelte er dann den Wagen wieder herunter und zog die Schraubenmuttern nach.

Die Frau versuchte es erneut. »Ich weiß nicht, was ich ohne Sie gemacht hätte.« Sie strich mit den Händen den Rock glatt.

»Der Müllwagen hätte Sie ganz bestimmt mitgenommen«, bemerkte er trocken.

Sie lachte und fragte, was sie ihm schuldig sei. Er schüttelte den Kopf, hob den platten Reifen auf und stemmte ihn gegen seinen flachen Bauch. »Ich lasse ihn flicken, heute abend ist er fertig.«

Sie folgte ihm zum Plymouth. »Es gibt tatsächlich noch Kavaliere. Dann komme ich also gegen sechs bei ihnen vorbei?« Bevor er entgegnen konnte, der Reifen wäre in der Dorfgarage zum Abholen bereit, sagte sie, sie wolle dann gleich ein paar

Fische mitnehmen – frisch vom See. Fröhlich winkend stieg sie ein und brauste los.

Bath sah nachdenklich, wie der 69er Alfa Spider auf der langen Geraden hinter der Kuppe verschwand, und ein Schmunzeln huschte über seine breiten Lippen. »… ein Kavalier …«

Das Flugzeug drehte weit draußen auf dem See eine Schleife und verschwand aus dem Blickfeld. Bath setzte sich hinters Steuer, wendete und fuhr mit breitem Grinsen zum Dorf zurück.

4

Im würfelförmigen Gebäude der Schweizerischen Bundespolizei im hundertfünfzig Kilometer entfernten Bern stieß der Israeli einen Seufzer aus. Das Verhör dauerte nun schon über eine Stunde.

»Der Freund meines Vaters war Philipp Bouhlers Sohn, daran besteht kein Zweifel«, beharrte der Israeli.

Kommissar Vongunten stopfte sich eine Pfeife.

»Warum sind Sie so sicher? Ihr Vater litt an geistiger Verwirrung.«

»Ich spreche von medizinischen Aufzeichnungen«, wehrte sich der Israeli. »Die Ärzte hielten die Berichte meines Vaters in der Krankengeschichte fest, und der Abschnitt mit Bouhler blieb die ganze Zeit über ohne Widersprüche.«

Der Kommissar hatte die Pfeife angezündet und stank nach Latakia. »Wer war Philipp Bouhler?«

»Ein kluger Kopf, kultiviert, charmant. Gehörte zur Nazi-Elite. Studierte Philosophie, dann schrieb er für den Völkischen Beobachter und avancierte zum ersten Geschäftsführer der NSDAP. 1934 ernannte man ihn zum Polizeipräsidenten von München, kurze Zeit später holte ihn Hitler als Kanzleichef nach Berlin.

Bouhler schrieb 1942 das Buch ›Napoleon – Kometenpfad eines Genies‹, Hitlers bevorzugte Bettlektüre. Bouhler wirkte sanft, intellektuell, hatte ein gutgeschnittenes Gesicht mit hoher Stirn und vollen Lippen, war Brillenträger. Er verkehrte mit seiner jungen Frau oft im Haus der Magda Goebbels.«

Der Kommissar stopfte sorgfältig seine Pfeife nach und unterbrach dann: »Kommen wir auf den Punkt. Bouhler trug doch die Verantwortung für die Euthanasie-Anstalten und ließ Geisteskranke auf verschiedene Weise, auch mit Gas, umbringen. Später stellte er Personal und Einrichtungen für die Todeslager in Polen.«

Der Israeli nickte. »1944 reiste Philipp Bouhler in offizieller Mission nach Polen, auch nach Auschwitz. Sein Sohn Heinz war damals genauso alt wie mein Vater, Sigmund Loewenherz. Zusammen türmten die beiden und schlugen sich nach Berlin durch.«

»Ihr Vater war als Fünfzehnjähriger Insasse von Auschwitz. Wie ist es möglich, daß er mit dem Sohn eines Nazibonzen Reißaus nahm?«

»Sigmund Loewenherz besaß im Lagerkrankenhaus eine privilegierte Stellung. Der Lagerarzt Josef Mengele machte ihn zu seinem persönlichen Hausburschen und nahm ihn im September 1944 mit zu einem SS-Offizierstreffen, das in den Buna-Werken der I. G. Farben, acht Kilometer von Auschwitz entfernt, stattfand. Für Philipp Bouhler, den Ehrengast aus Berlin, sollte eine pompöse Feier steigen. Sigmund mußte an seinem Tisch bedienen. Heinz Bouhler, der sich langweilte, sprach ihn an, ein Fauxpas, aber niemand wagte, gegen den Sohn des Ranghöchsten aufzumucken.

Später gaben die unterschiedlichen Jungen völlig überraschend vierhändig ein Klavierkonzert zum besten. Jazz – in den Augen der Nazis dekadente Negermusik. Doch anfängliche Ablehnung schlug in Begeisterung um. Die SS-Bande grölte, stieg auf die Tische, soff sich die Hucke voll. Plötzlich skandierte die Gruppe um Mengele: ›Judenschwanz, auf zum Tanz, Judenschwanz ...‹, und einer schrie: ›Josef, dein Lustknabe! Her mit ihm!‹

Heinz schmuggelte Sigmund noch rechtzeitig aus dem Saal. Mit einem gestohlenen Stabswagen flüchteten sie zunächst nach Krakau.«

»Und Hanna Loewenherz?« fragte der Kommissar.

»Meine Großmutter starb auf dem Marsch nach Buchenwald, nachdem die Nazis im Herbst 1944 die Gaskammern und Krematorien in Auschwitz gesprengt und das Lager evakuiert hatten. Hanna starb an Hunger und Erschöpfung.«

»Mengele ließ sie also verrecken?«

»Ja, machte sich rechtzeitig aus dem Staub und flüchtete nach Argentinien.«

»Mit dem Vermögen der Familie Loewenherz?« fragte der Kommissar.

»Einen Teil der Gelder konnte er noch abheben, bevor die Bank aufwachte und das Konto sperrte«, antwortete der Israeli.

Kommissar Vongunten weilte in Gedanken weit weg. Sein Blick drang durch den Israeli hindurch.

»Professor Knocher bestätigt diese Geschichte«, sagte der Israeli, »mit dem feinen Unterschied, daß er sich als Sigmund Loewenherz ausgibt. Fragen Sie ihn. – Hören Sie überhaupt zu?«

»Sie sind verrückt«, starrte ihn der Kommissar an.

Der Israeli starrte zurück. Vongunten zog mürrisch an der Pfeife, die schon wieder am Erlöschen war.

»Lebt denn der alte Bouhler noch?« fragte er.

»Nein, Philipp Bouhler geriet mit Göring in amerikanische Gefangenschaft. Auf der Fahrt ins Internierungslager gelang ihm in der Nähe von Dachau im Mai 1945 die Flucht in den Freitod.«

Der Kommissar wühlte unter einem Aktenberg. Mit einem Ruck zog er ein Blatt heraus, nahm die Pfeife aus dem Mund und überflog den Text.

»Die US-Behörden führen eigene Ermittlungen, jedoch in anderem Zusammenhang.« Der Kommissar hatte nicht im Sinn, den Verdacht des FBI mit seinem Besucher zu erörtern.

Der Israeli wartete ruhig.

»Wenn ich Sie richtig verstehe«, fuhr Vongunten bedächtig fort, »soll sich folgendes abgespielt haben: Zwei Fünfzehnjährige, Jude und Nazisohn, türmen. Auf der wochenlangen Flucht, die ständige Lebensgefahr schweißt sie zusammen, erzählen sie sich ihre Lebensgeschichten.

Anfang 1945 gelangen sie nach Berlin. Das Kriegsende ist absehbar. Das Chaos regiert. Der Nazisohn Heinz Bouhler verrät seinen Freund an die Gestapo und schickt ihn damit in den sicheren Tod. Dann gibt er sich als Sigmund Loewenherz mit Großmutter in der Schweiz aus. Er kennt ja alle Einzelheiten von Sigis Lebensgeschichte und erhält in der Schweizer Botschaft in Berlin von unserem Gesandten Freudiger Asyl. Mit einer Rotkreuzdelegation gelangt er in die Schweiz, wo er auf Grund der Papiere der Botschaft einen Paß erhält. Später, behaupten Sie, ließ er den Namen ändern und hieß fortan Knocher, wie seine angebliche Großmutter, die Mutter von Hanna Loewenherz-Knocher ...«

»Knocher ist Heinz Bouhler«, fuhr der Israeli dazwischen.

Der Kommissar gebot mit der Hand Schweigen. »Ihr Vater, besagter Sigmund Loewenherz, überlebte die Folter der Gestapo in Berlin und kam nach der Befreiung nach Israel. Ein zerstörter Mensch, der mit Hilfe von Ärzten und einer Pflegeschwester seiner Vergangenheit auf die Spur kam.«

»Die Pflegeschwester war meine Mutter, sie starb bei meiner Geburt 1956.«

»Ich weiß«, deutete der Kommissar mit dem Finger auf die Akten der Amerikaner. »Es steht da drin. Und da steht auch, ich soll Ihnen den Unsinn weiterer Nachforschungen ausreden.«

Der Israeli brachte kein Wort über die Lippen.

Der Kommissar zeigte mit der erloschenen Pfeife auf den Sprachlosen. »Ich habe beschlossen, Ihre Geschichte zu überprüfen.« Er drückte auf einen Knopf und befahl: »Bringen Sie das Dossier herein, Frau Zinsli.« Während er auf das Aktenbündel wartete, versuchte der Kommissar seine Pfeife wieder anzuzünden. »Der Föhn ist schuld«, erklärte er und gab es auf. »Wir haben die Akten von Professor Knocher bis 1945 zurückverfolgt ...« Er schaute zum Fenster hinaus. Die Schneeberge glänzten gestochen scharf und waren zum Anfassen nahe. »Gefällt Ihnen Bern?«

»Es ist wunderbar«, sagte der Israeli höflich, seine Ungeduld nur mühsam beherrschend.

»Knocher besaß eine Großmutter mütterlicherseits. Bürgergemeinde Hinterfultigen, Kanton Bern. Die Einbürgerungspapiere des Sigmund Loewenherz sind beglaubigt und stützen sich auf konsularische Akten. Diese sind zwar dürftig ... sehen wir mal ...« Die Sekretärin hatte die Akte mit einem kurzen Lächeln auf den Tisch gelegt.

»Von einer Schweizerin als Großmutter steht da nichts, doch hier: Loewenherz ist nach glaubwürdigem Vorbringen schweizerischer Abstammung. Da steht es!« Der Israeli runzelte die Stirn.

»Keine Verwandten. Die Familie Loewenherz wurde von den Nazis ausgerottet. Hanna überlebte Auschwitz nicht. Sie war das einzige Kind der Schweizerin Knocher gewesen, die bis zu ihrem Tod 1947 in Zürich lebte.«

Der Kommissar blickte prüfend in die Akten und schüttelte seinen massigen Kopf. »Tut mir leid, ich glaube nicht, daß ein Gericht in diesem Land Ihre Geschichte auch nur anhören würde.«

»Ich habe geglaubt, die Schweiz sei eine Demokratie«, sagte der Israeli mit Bitterkeit in der Stimme.

»Wir sind eine Bürokratie. Formulare, Formulare ...«, korrigierte der Kommissar. Dann warnte er den Israeli, Kopf und Kragen zu riskieren. Professor Knocher sei ein Unberührbarer in diesem Land, eine angesehene Persönlichkeit mit Einfluß. Ein berühmter Augenarzt, Titularprofessor, ein Wohltäter für sehbehinderte Kinder. Seine Freunde säßen an hohen Stellen in der Pharmaindustrie und im Bankgeschäft. »Und Sie kommen daher und behaupten, Professor Knocher sei ein Schwindler.«

Der Israeli zog einen Umschlag aus seiner Aktentasche und legte ihn auf den Tisch. »Er hat unser Familienvermögen gestohlen, Herr Kommissar. Nach den Aufzeichnungen meines Vaters lag das Geld nach Kriegsende noch in der Schweiz.«

Der Kommissar griff unwillkürlich nach der Pfeife, legte sie nervös wieder ab und lehnte sich nach vorne auf die Ellenbogen; er blickte den Israeli scharf an: »Wenn ich denke, wieviel Zeit ich in meiner Karriere damit verschwendet habe. Hinweisen von Leuten nachzugehen, denen innere Stimmen etwas zuflüsterten. Hören Sie gut zu. Ihr Vater litt an einem furchtbaren Trauma. Das Konzentrationslager, die Folter haben seine Persönlichkeit zerstört. Das ist tragisch. Doch aus kriminalistischer Sicht kann ich mit diesen Wahnvorstellungen nichts anfangen. Beweise fehlen, Herr Harel, und für den dümmsten Psychiater ist es ein Kinderspiel zu erklären, warum Ihr Vater als Opfer von Wahnvorstellungen sich für *den* Sigmund Loewenherz hält, der heute Knocher heißt.«

»Er war in Auschwitz. Genügt das nicht als Beweis? Seine Mutter kam auf einem Evakuationstransport ums Leben. Glauben Sie, mein Vater hat diese Geschichte erfunden? Was wollen Sie noch? Blutspuren?«

Der Kommissar lehnte sich wieder zurück.

»Nehmen wir an, ich glaube Ihre Geschichte. Aber um das Gericht zu überzeugen, brauchen wir belegbare Verdachtsmomente, Dokumente – sonst schlägt Ihnen der Richter die Gesetzesbücher um die Ohren, immerhin fünf Bände. Diese Demütigung möchte ich Ihnen ersparen. Es tut mir leid.«

Der Israeli biß sich auf die Unterlippe. »Die Beweise liegen im Vermögen, das auf den Namen von Simon und Hanna Loewenherz lautete. Die Unterlagen müßten sich in den Archiven der Schweizer Bank befinden.«

Der Kommissar rollte mit seinem Ledersessel rückwärts und griff nach einem schmalen, roten Dossier auf dem Regal hinter ihm. »Ich habe die Unterlagen angefordert«, sagte er und schob sich zum Schreibtisch zurück. Es handele sich um ein streng vertrauliches Dossier, das er ihm gar nicht aushändigen dürfte. Die *Sammelstelle für nachrichtenlose Vermögen* sei der zentrale Aufbewahrungsort für Vermögen Verschollener aus der Zeit des Zweiten Weltkriegs.

Der Kommissar öffnete das Dossier und schaute hinein. Das Vermögen der Loewenherz sei ungefähr 1935 der Schweizer Bank anvertraut worden. 1956 habe sich die Anspruchsberechtigung geklärt: Sigmund Loewenherz, der Sohn, jetzt mit schweizerischem Namen Knocher, sei als Verfügungsberechtigter eingesetzt worden.

»Das ist Heinz Bouhler, der Nazi, verdammt.« Der Israeli sprang erregt auf und trat ans Fenster.

»Vom Kriegsverbrecher Mengele«, fuhr Vongunten unbeirrt fort, »der nach Ihrer Version 1944/45 das Vermögen an sich gebracht haben soll, findet sich leider nichts in den Unterlagen. Und 1957 ist das Vermögen dann auf Weisung von Professor Knocher, vormals Loewenherz, an einen Trust überwiesen worden, den die Schweizer Bank verwaltet.

Der Name des Trusts steht im Dossier. Sie könnten ihn auf Herausgabe des Vermögens verklagen«, schlug der Kommissar vor.

»Danke für Ihre Hilfe, Herr Kommissar, aber ich muß Knocher alias Heinz Bouhler zur Strecke bringen. Das Geld ist mir egal.«

»Was wollen Sie jetzt unternehmen?« Der Kommissar suchte nach Streichhölzern.

Der Israeli sammelte bedrückt seine Papiere ein. »Was würden Sie an meiner Stelle tun?«

»Wie gesagt, die Übung abblasen ... Nun, vielleicht vorher noch ...«

Sein Gegenüber schaute überrascht auf.

»... ja, suchen Sie in Deutschland nach Bekannten oder Angehörigen von diesem Bouhler. Sie verstehen? Sie konzentrierten sich bis heute auf Ihre Familie. Aber Philipp Bouhler, der NS-Kriegsverbrecher, hatte vermutlich Verwandte. Wer weiß, ob da noch jemand lebt und den Professor in der schönen Villa am Genfer See kennt? Ich glaube, Ihre letzte Chance liegt in München, wo diese Familie herkam.«

Als sein Besucher gegangen war, lief der Kommissar das Zimmer ab und kratzte sich am Kopf. Die Bundespolizei befaßte sich auf Wunsch der Amerikaner bereits mit Professor Knochen. Die vermuteten, der Professor habe Kontakte mit einer kriminellen Vereinigung. Wäre die Anfrage nicht von Ken Custer vom FBI gekommen, hätte Vongunten sie wohl in den Papierkorb geschmissen.

Der Kommissar nahm den Umschlag des Israeli in die Hand und suchte nach dem Brieföffner. Angenommen, Professor Knochers Identität sei tatsächlich gefälscht ...? Er würde selbst mal Erkundigungen einziehen, das kostete ihn ja nicht viel. Er zog den Bericht aus dem Umschlag:

»*Vernichtungslager Auschwitz, 15. Februar 1944*«, war die erste Seite überschrieben. Vongunten blätterte im Manuskript und hielt jäh inne:

Mengele, Josef, geb. 1911, schwarzes, volles Haar, mit Scheitellinie links, starke Brauen, dunkle, stechende Augen, den Mund zu einem Grinsen verzogen, zwei markante Schaufelzähne mit Lücke, Stirn drückt auf die Augen, anliegende Ohren.

SS-Arzt, nahm Selektionen für die Gaskammern vor und machte die entsetzlichsten medizinischen Versuche an den Häftlingen. Spezialisierte sich auf Zwillingsforschung. Seit 1943 Chefarzt in Auschwitz. Gnadenloser Vollstrecker der Endlösung. Häftlinge, die irgendeine Art von Mißbildungen aufwiesen, wurden, sobald sie im Todeslager eingetroffen waren, auf seinen Befehl eigens für ihn umgebracht, um ihm als Studienobjekte zur Verfügung zu stehen. Es gab eine eigene Sektionsabteilung, wo man an den für Mengele ermordeten Leuten Autopsien durchführte. Er hoffte, mit seinen Menschenversuchen eine Rasse blauäugiger Arier zu züchten.

5

Bath betrat gegen Abend die Villa des Professors durch den Hintereingang, legte den ausgeweideten Fisch in der Küche in den Gefrierschrank und ging nach unten in das Untersuchungszimmer.

»Setz dich dort auf den Stuhl«, begrüßte ihn Professor Knocher, der am Schreibtisch saß und in Papieren blätterte.

Die Villa lag in einem riesigen Park am See. Baths Blick fiel durch das breite Fenster auf die Bootshütte, das Gewächshaus und die alten Birken, dann sah er zur Neuenburger Pendeluhr neben der Van-Gogh-Imitation: fünf Uhr. Noch eine Stunde, dann würde die schöne Alfa-Fahrerin ihren Reifen abholen.

»Erinnerst du dich an die Sache mit der Lehrerin im Internat?« unterbrach der Professor seinen Gedankenfluß.

»Ich hab sie schon hundert Mal erzählt.«

Die hagere Gestalt im weißen Kittel setzte ihm den Kopfhörer mit den eingebauten Elektroden auf den Kopf. »Ich weiß, du hast sie sexuell belästigt.« Er steckte die Kabel in die Buchsen des Apparats, betätigte den Schalter und setzte sich auf die Tischkante.

»Unsinn«, Bath starrte den Professor an, »die war doch scharf auf uns alle, sogar auf mich, obschon ich schielte.«

Der Professor schwieg, und das Gerät summte ganz leise.

Dann erzählte Bath zum x-ten Mal: »Es war ein Jahr vor dem Abitur im Internat in Gstaad. Ich fixierte die Geschichtslehrerin unverwandt mit den Augen und suggerierte ihr die Botschaft: *Du hast es wieder getrieben mit ihm, du hast es getrieben, gestern abend, mit dem Böckli im Lehrerzimmer, du hast es getrieben* ... Plötzlich schaute sie auf. Unsere Blicke kreuzten sich. Sie errötete wie ein Stopplicht. Dann hob sie den Arm und wies zur Tür: ›Raus, Bath‹, keuchte sie. In der Klasse war es mäuschenstill. Ich ließ die Frau nicht aus dem Auge, als ich langsam hinausging ...«

Das Untersuchungszimmer befand sich im niedrigen Ostflügel mit Blick auf die schönen Bäume, die sorgfältig gestutzt wurden, um die Sicht auf den Genfer See freizuhalten. Der Professor hielt die Sitzungen mit Vorliebe am Nachmittag ab, wenn warmes Licht von Westen hereinfiel.

Knocher hatte ausgesprochen vornehme Züge. Sein großer Kopf saß auf einem schmalen, ledrigen Hals. Über der goldumrandeten Brille wölbte sich die hohe, gefurchte Stirn. Auf dem Scheitel trotzte ein Streifen silbriges Haar der von den Schläfen vorrückenden Kahlheit. Wie ein schmelzendes Schneefeld, dachte Bath. Der Hinterkopf dagegen trug eine feste, säuberlich zurückgekämmte Haartracht. Aus den hellen, blauen Augen traf einen der ewig herablassende Blick des Gelehrten. Zwei tiefe Falten zogen sich von der Nase zu den Mundwinkeln.

Er rieb jetzt mit Daumen und Zeigefinger am runden Kinn. Die fast zierlichen Lippen öffneten sich zu einem steifen Lächeln und ließen den Goldzahn aufblitzen. Mit sanfter Stimme sagte er: »Wo hast du hingeschaut, als du sie mit deinen Gedanken bombardiert hast?«

»Ins Gesicht, auf die Augen, den Mund, die Stirn und … nach unten.«

»Auf die Beine?«

Bath rutschte hin und her. »Natürlich. Sie trug immer Röcke, stellte ihre Beine zur Schau. Sie wußte, daß es uns verrückt machte.«

»Du hast abwechselnd auf ihr Gesicht gestarrt, auf ihre Schenkel und …«

»Auf ihre Möse«, nickte Bath. »Sie trug an diesem Tag keinen Slip.« Er schaute wieder zum Fenster hinaus. Die Umrisse des Bootshauses verschwammen langsam im Dämmerlicht. Der Professor nahm ihm den Elektrodenkopfhörer ab und fragte, wieso er gewußt habe, daß sie es mit dem Böckli getrieben hatte.

Bath starrte auf den dunklen, feuchten Rasen. Der Besitz, allein die Lage und die herrschaftliche Ausstattung der Villa, dazu der alte Baumbestand, war wirklich einzigartig. Vergeblich hatten sich Botschaften, Industrielle und ausländische Potentaten um den Erwerb des Landsitzes bemüht. Der Professor für Augenheilkunde lebte als eingefleischter Junggeselle hier allein mit ein paar Bediensteten unter dem ausladenden Ziegeldach des großen alten Patrizierhauses: Da gab es den schwarzen Butter, der kaum je mit der Wimper zuckte, den athletischen Deutschen mit giftigem Blick namens Felgen, Manager der verschiedenen Liegenschaften. Er spielte sich als die rechte Hand des Professors auf, indem er die anderen am straffen Zügel hielt und herumkommandierte; den Libanesen, einen kalten Killer-Typen, und den Chauffeur. Bath war froh, abseits zu wohnen, da ihn die Angestellten mieden. Am wenigsten kam er mit dem schleimigen Chinesen, der hochnäsig den Mercedes herumchauffierte, aus.

»Ich wußte es einfach, der Gedanke schoß mir durch den Kopf«, antwortete Bath endlich.

»Es stimmte«, bestätigte der Professor ruhig. Er hatte Erkundigungen eingezogen. Die Frau war eine Nymphomanin gewesen. Auf Druck der Schulleitung kündigte sie. Böckli, der Turnlehrer, blieb.

»Sie hätten es in der Hand gehabt, meinen Rauswurf zu verhindern«, sagte Bath. »Als großer Gönner des Internats. Warum durfte ich nicht bleiben?«

»Du hast die Lehrer mit Gedanken und Blicken terrorisiert«, erwiderte der Professor.

Die Lehrerschaft hatte sich bedroht gefühlt. Vor allem nach dem Zwischenfall mit dem Tintenbeutel, den Bath dem Rektor am Besuchstag aus der beachtlichen Distanz von vierzig Metern auf die weiße Weste geworfen hatte. Sein unheimliches Schielen hatte ihnen ebenfalls Unbehagen verursacht.

»Ich hätte trotzdem das Abitur machen können«, wandte Bath ein, aber der Professor schüttelte den Kopf. »Ich erkannte erst später die außergewöhnlichen Fähigkeiten deiner Augen. Aber das habe ich auch schon hundert Mal erklärt. – Ja?«

Unter der Tür stand plötzlich der Butler. Er fragte, ob sie etwas zu essen wünschten. Der Professor bestellte einen Snack.

»Am Montag kommt deine große Stunde, Bath.« Der Professor nahm ihn sanft am Arm und drängte ihn zum Ausgang. Sie gingen durch den Flur und betraten einen Raum, der so groß war, daß der mächtige Billardtisch im hinteren Teil sich harmonisch in die Sitzgruppe vor dem Kamin einfügte. Auf dem Billardtisch türmte sich eine Pyramide mit weißen und gelben Golfbällen. Auf dem schwarzen Marmortisch an der Wand gegenüber der Couch thronte ein großer Computerbildschirm. Bierdosen verunzierten den Kaminsims aus Sandstein. Bath blickte sie sehnsüchtig an, als der Butler hereinglitt und das Tablett mit zwei gefüllten Tellern, zwei Gläsern und einer Flasche Wasser auf den Tisch neben den Computer stellte.

»Für mich ein Cardinal hell«, forderte Bath.

Das Handy klingelte. Der Professor nahm es aus der Brusttasche seines weißen Kittels und ging zum Billardtisch hinüber. Bath nahm ein Stück kalte Truthahnbrust; der Butler brachte mit mißbilligendem Blick das Bier.

Der Professor hatte ihnen den Rücken zugekehrt. Von hinten sah sein Schädel mit dem spärlichen Haar auf der Seite noch kantiger aus. Bath genügten einige Wortfetzen, um den Anrufer zu identifizieren. Es war Erich Felgen, der unheimliche Schatten Knochers. Der Professor steckte das Telefon in die Brusttasche zurück und beschrieb nun das Experiment. Bath folgte skeptisch den Erklärungen, spülte den Rest des Truthahns mit einem Schluck Bier hinunter und trat hinter den Billardtisch. Aus einer Entfernung von zehn Metern knallte er sechs Golfbälle in kurzer Folge auf die Bierdosen.

»Wenn du einen Gegenstand fixierst, brennen deine Blicke wie unsichtbare Laserstrahlen«, erklärte der Professor und winkte Bath zum Bildschirm. »Und wenn du dir sagst: *Ich will treffen*, rasen die entsprechenden Signale ins Zentrum des Gehirns, das die Bewegungen deiner Muskeln steuert.«

Der Professor nahm einen Schluck Wasser. Draußen senkte sich die Dämmerung über den Garten, Bath schaute ungeduldig auf die Uhr.

»Vereinfacht ausgedrückt natürlich«, schob der Professor nach.

Dann ließ er Bath auf der Couch Platz nehmen und hieß ihn, den Bildschirm, auf dem jetzt farbige Rechtecke aufschienen, ins Auge zu fassen. »Dieser Computer reagiert auf Berührung«, erklärte der Professor und tippte mit der Fingerspitze das blaue Rechteck an. Eine Landschaft erschien, mit einer weiteren Berührung ließ der Professor sie wieder verschwinden. Die Vorführung war überflüssig. Bath kannte sich aus.

»Ich will, daß du jetzt folgendes machst, Bath: Du durchbohrst die Rechtecke mit deinem Blick – einverstanden?« Die Stimme des Professor zitterte. Er stieß die geballten Fäuste gegeneinander. »Hinter jeder Farbe steckt ein anderes Bild. Versuch es, Bath!«

Bath zielte auf das rote Feld. Seine Augen schienen zu glühen. Und da – Musik erklang und auf dem Bildschirm zeigte eine nackte Schönheit ihre Reize.

»Nicht schlecht«, meinte Bath trocken, während der Professor die Arme in die Höhe warf. »Es funktioniert, es geht, unglaublich!« stammelte er.

Im gelben Feld verbarg sich ein Kampfpanzer, der über eine Straße donnerte, und das grüne Rechteck enthüllte einen Alphornbläser vor dem schneebedeckten Matterhorn.

»Und jetzt der Tierversuch«, rief der Professor und zerrte Bath aufgeregt ins Labor. Das Chamäleon bewegte die Augen listig hin und her. Knocher klemmte dem Tier einen Pulsmesser in den Nacken und malte ihm mit einem Leuchtstift einen gelben Punkt auf die Brust.

»Ziel, Bath, ziel ...« Die Stimme überschlug sich.

Das Chamäleon blickte Bath an, er blinzelte zurück; einen Augenblick schienen Menschen- und Tieraugen miteinander zu tanzen. Dann senkte Bath seine Augen und bohrte seinen Blick in den gelben Punkt. Der Puls des Tieres schlug augenblicklich höher.

»Weiter ...«, drängte der Professor.

Bath sah das Herz des Tieres wild gegen den Brustkorb pochen. Jeden Augenblick mußte der zierliche Körper bersten. Knocher starrte fasziniert auf die gequälten Augen des Tieres. Der Puls raste, aus dem Meßgerät drangen schrille Piepstöne.

Da hielt Bath inne und wandte sich ab. Knocher fluchte und biß sich wütend auf die Lippen. Der Pulsmesser piepste langsamer.

Wortlos verließ Bath das Labor. Im Freien atmete er tief durch und blickte sehnsüchtig nach Westen, wo die letzten Sonnenstrahlen im Dunst verglühten.

6

Als Bath endlich von weitem blondes Haar auf das Haus zuwogen sah, schlug sein Herz höher. An den alten Plymouth gelehnt, setzte er betont gelassen seine dunklen Gläser auf, strich sich die Haare glatt und prüfte den Sitz seiner Hosen. Doch sein Puls raste wie der des Chamäleons auf dem Prüfstand, als die Frau näher kam.

Sie habe sich verspätet, entschuldigte sie sich mit geröteten Wangen und zeigte lächelnd zur Straße, wo sie ihren Alfa Romeo geparkt hatte. Bath drückte ihr linkisch die Hand, sagte, er habe Zeit und rollte den geflickten Reifen den Feldweg entlang zur Einmündung. Sie gab ihm Geld für die Reparatur, machte aber keine Anstalten abzufahren; langsam schlenderten sie zum Bootshaus zurück.

Bath schielte mehrmals verstohlen auf ihr hübsches Gesicht. Sie entsprach nicht dem schlanken Ideal, doch alles an ihr war straff, nichts wackelte, und ihre leichte Üppigkeit wirkte auf Bath unerhört anziehend. Sie hätte vor ein paar hundert Jahren Botticelli Modell stehen können, als dralle Frauen mit vollen Brüsten, breiten Hüften und prallen Schenkeln sinnliche Wogen der Bewunderung auslösten.

Das Abendrot war verglüht, die Nacht brach nun rasch herein, im Süden stieg der Mond als große Scheibe zum Himmel auf. Sein Licht funkelte auf dem Wasser, glitzerte im Schilf, als Bath sich ein Herz faßte und die Frau aufs Boot einlud.

»Gerne«, sagte sie, als hätte sie die Umladung erwartet. »Ich kenne keinen einzigen Stern«, gestand sie und blickte verzückt in den Nachthimmel.

Hinter dem Schilfwuchs warf Bath den Anker schwungvoll ins Wasser und machte sich mit dem Tau zu schaffen. »Sehen Sie dort den schwachen Schimmer?« Er zeigte mit der freien Hand zum nördlichen Himmel.

Sie blickte stumm.

»Das ist die Andromeda. Man erahnt sie mit bloßem Auge nur. Eine Milchstraße, benannt nach der ägyptischen Prinzessin, die Perseus aus dem Rachen eines Seeungeheuers rettete und heiratete.«

Die Frau schwieg, die Wellen vom Ankerwurf verebbten im Schilf, dann fragte Bath: »Kamen Sie heute morgen noch rechtzeitig zur Arbeit, trotz der Panne?«

»Ich mußte zum Staatsanwalt, der läßt mich ohnehin immer warten«, antwortete sie.

»Staatsanwalt? Zum blutigen Gaston etwa?«

»Ja, zu dem«, nickte sie.

Am Ufer quakte ein einsamer Frosch, Bath setzte sich neben sie und legte die Brille ab. »Milchstraßen gibt es im Universum Abermillionen, Milliarden gleichartiger Systeme.« Er machte eine ausholende Armbewegung.

Die Frau schlug die Beine übereinander und faltete die Hände auf dem Knie. Baths Blicke schienen sich in den unendlichen Weiten des Universums zu verlieren. »Manchmal macht mich der Gedanke beinahe wahnsinnig.«

»Was meinen Sie?«

»Dort oben gibt es Quasare, die sind elf Milliarden Lichtjahre entfernt.«

»Ich dachte schon, Sie meinten den Staatsanwalt«, lachte sie.

»Angesichts dieser riesigen Entfernungen schrumpft der menschliche Standort zum Nichts zusammen. Die Anfänge unserer Existenz liegen zwanzig Milliarden Jahre zurück, sagt man.«

Die Frau erwiderte nichts. Bath griff nach einem Ruder, dabei streifte er mit dem Arm ihr Knie. »Es muß in der Weite des

Universums eine Welt geben wie die unsrige«, sagte er überzeugt, »mit Lebewesen wie wir.«

»Sie haben faszinierende Augen, wie – wie ein Chamäleon, ja!« Sie klang richtig entzückt.

Bath schwieg. Meistens erschraken die Leute, wenn er die Brille abnahm. Viele senkten betreten den Blick, andere erteilten ihm gute Ratschläge, wiesen auf berühmte Ärzte und neue Behandlungsmethoden hin; als Kind hatten sie ihn gehänselt, aber noch kein Mensch hatte ihm gesagt, er habe faszinierende Augen.

»Es tut mir leid wegen dem Chamäleon«, sagte sie sofort darauf.

»Nein, ist in Ordnung, stimmt ja«, wehrte er ab. »Sie sind die erste, die sich nicht lustig macht.«

Sie berührte sein Kinn und drehte sein Gesicht vorsichtig zu sich hin. »Sie sind wirklich besonders. Können Sie in zwei Richtungen gleichzeitig sehen?«

Bath schmunzelte. »Mehr als das. Ich treffe alles.«

»Wie meinen Sie das?« Sie schaute ihn fragend an.

»Sagen Sie mir, was ich treffen soll, und ich treffe es!«

Sie schaute sich um. »Dort oben, den Mond!«

Er lachte: »Ein klein bißchen weit.«

Auf seinen Vorschlag setzte sie sich in den Bug und hielt den Mund leicht geöffnet. Er klaubte ein paar Datteln aus der mitgebrachten Tüte und zielte auf ihre weiß schimmernden Zähne.

»Achtung, Wurf eins!«

»Wow!« Sie hatte sich vor Überraschung fast verschluckt. Dann provozierte sie: »Zufall. Ich setz' mich weiter zurück. Los!« Sie öffnete den Mund und lehnte sich übermütig zurück, um die Entfernung zu vergrößern.

»Wurf zwei!« Er traf haargenau zwischen die schönen Lippen; sie lachte und verlor das Gleichgewicht. Bath sah noch ihre gespreizten Beine nach dem Mond greifen, dann klatschte sie ins schwarze Wasser.

Er treffe immer ins Schwarze, scherzte Bath, als er ihr an Bord half und ihr ein Tuch reichte, um sich abzutrocknen. Aber sie lachte nicht, sondern starrte zähneklappernd in die schwarze Nässe hinaus.

Bath schickte sich an, die Ankerleine einzuholen. Es war Zeit, zurückzufahren. Das Mißgeschick hatte den nächtlichen Ausflug abrupt beendet.

»Ihr Kunststück war phantastisch«, staunte die Frau. »Aber ich kann es noch nicht fassen. Treffen Sie auch Fische oder den Vogel im Flug?«

Bath hörte nicht zu. »Er kommt nicht hoch, verdammt ...«, keuchte er, an der Leine zerrend. Die Frau zog sich seine Jacke über und kroch auf allen Vieren zum Bug. Sie solle sich festhalten, riet Bath und stemmte sich mit beiden Füßen gegen die Bootswand. Nur langsam gab das Ankertau nach.

»Bringen Sie die Stablampe«, befahl er, »der Anker hat sich verfangen. Dort im Seitenfach liegt sie. Wahrscheinlich hängt der Anker in einem Kabel fest. Rasch, zünden Sie die Lampe ... da – mein Gott, was ist das?!«

Am Anker hing eine Masse aus dunklem Stoff. Ein Sack. Bath zog ihn mit einem letzten Ruck zur Bordwand hoch. Der Lichtkegel erfaßte im gespenstischen Widerschein des Wassers die aufgedunsene Fratze eines Menschen mit weit geöffneten Augen. Zwischen den bleichen Wangen klaffte eine schreckliche schwarze Wunde. Und jetzt sahen sie es deutlich. Die Ankerzacke war unterhalb der Kinnspitze in den Hals gedrungen und ragte blutig aus der Mitte des Gesichts wie eine riesige, obszöne Nase. Den Sack hatte das Hebemanöver aufgerissen, so daß gerade der Kopf des loten herausragte.

Die Frau stieß einen markerschütternden Schrei aus, und Bath ließ das Tau vor Schrecken fahren. Wasser platschte gegen die Planken, das Seil surrte über die Bootswand. Dann war es still. Nur ihr vor Erregung heftiges Schnaufen war zu hören. Bath zog sie an sich. Sie zitterte wie Espenlaub.

Nach einer Weile klaubte er wortlos das Fischmesser hervor und durchschnitt das Ankertau. Das Boot durchfuhr ein Ruck, und langsam trieb es davon.

Baths Augen rasten hin und her, versuchten die Finsternis am Ufer zu durchdringen. Keine Bewegung, nichts Außergewöhnliches. Die Frau hatte sich auf dem Bootsboden zitternd unter der Decke verkrochen. Bath warf den Außenbordmotor nicht an, sondern paddelte das Boot geräuschlos ans Ufer.

7

Im Gebäude der Bundespolizei brannte im vierten Stock noch immer Licht. Kriminalkommissar Vongunten trank einen Schluck Kaffee aus der Henkeltasse und schlug die Notizen an der Stelle auf, wo ein gelber Klebezettel herausragte:

Die beiden Jungen hatten monatelang zusammengehalten. Sie sprangen nachts auf Züge auf, versteckten sich tagsüber in Ställen, bangten, entdeckt zu werden, erreichten schließlich in der Neujahrsnacht 1944 die zerbombten Vororte Berlins. Auf der Flucht hatten sie sich in den langen Nächten von ihren Familien erzählt. Immer wieder und mit allen Einzelheiten. Vieles davon mußte Sigmund Loewenherz in der Agonie der letzten Tage vor seiner Befreiung vergessen haben. Aber der Israeli hatte die Aufzeichnungen seines Vaters zusammengefaßt: Heinz Bouhler wollte Raketentechniker werden und nach Penemünde in den Westerwald ziehen, doch sein Vater redete es ihm aus – der Krieg sei verloren. Reichskanzleichef Philipp Bouhler wollte einen Arzt aus ihm machen, aber Heinz hatte die Schnauze voll. Die Russen rückten nach dem Sieg von Stalingrad unaufhörlich weiter vor. Die Zukunft lag für Heinz Bouhler im Westen, in Amerika.

Die Nacht in den Buna-Werken, der grölende SS-Pöbel, die sich abzeichnende Orgie, sein Vater, der tatenlos zusah, gaben dem jungen Bouhler den Rest. Die Flucht mit dem Juden war sein Protest gegen den Vater.

Der Kaffee erkaltete, während Vongunten fasziniert auf die Notizen starrte.

Im Dritten Reich gab es drei höhere Führer mit dem eher seltenen Namen Bouhler, aber nur einer gehörte zum engsten Kreis Hitlers: Philipp Bouhler, der Vater von Heinz. Ein Hinweis auf den Wehrmachtsmajor Bouhler folgte, der in der Nähe von Warschau fiel, aber keine Angehörigen in Deutschland hinterließ. Der dritte Bouhler, Hermann, wurde 1944 wegen Mittäterschaft am Attentat gegen Hitler zum Tode durch den Strang verurteilt und nach Berlin verfrachtet, wo er der Hinrichtung harrte, die nie vollzogen wurde: Hermann Bouhler, Philipps Bruder, unternahm nach Kriegsende einen Fluchtversuch und wurde von einem Sowjetsoldaten erschossen. Der junge Heinz verehrte seinen Onkel heiß, dessen zwei Töchter hingegen bezeichnete er abschätzig als geile Fotzen.

Vongunten griff zur Henkeltasse – leer. Auch gut; atemlos las er weiter.

Die Sowjets hatten die achtzehnjährigen Zwillingsschwestern Hildegard und Edeltraut Bouhler in ein Offiziersbordell nach Ostberlin verschleppt, wo sie 1946 entkamen. Hildegard beging 1959 in der Nähe von Bonn Selbstmord. Edeltraut zog nach München, wo die Familie herstammte. Nach Recherchen in München schien es sich bei der Gesuchten um eine Edeltraut Stenz zu handeln ...

Vongunten nahm das Fax des Bundeskriminalamts Wiesbaden in die Hand:

Edeltraut Stenz: einundsiebzigjährige (geb. 1925) alleinstehende Frau ... Nichte von Philipp Bouhler, wuchs in München auf, trat mit zwölf in den Bund Deutscher Mädchen ein, arbeitete von 1943 bis 1945 für die Gestapo, floh 1946 nach Westen, gelangte ins Alliierte Lager Oberursel bei Frankfurt. 1946 zu fünf fahren Haft wegen Beihilfe zu Mord und Verschleppung verurteilt. Gelangte 1952 nach München, lebte unauffällig und arbeitete in einer kleinen chemischen Fabrik als Leiterin der Abteilung Sicherheit und Kontrolle. Edeltraut Stenz erhält monatlich eine Überweisung von achttausend Mark aus der Schweiz.

Kommissar Vongunten wählte die Nummer, die ihm der Israeli aufgeschrieben hatte, und gab ihm die Angaben über Edeltraut Stenz weiter.

»Dann bleibt mir wohl nichts anders übrig, als gleich nach München zu fahren. Herzlichen Dank für die Information.«

Vongunten lauschte mit hochgezogenen Brauen, schmunzelte und legte befriedigt auf. Fallen stellen machte dem passionierten Hochwildjäger ganz besonderen Spaß.

8

Die großen, schwarzen Fensterscheiben des Wohnzimmers starrten ihnen abweisend entgegen, als Bath das Boot an der kleinen Mole vorbeimanövrierte, die Lampe an der gewölbten Anlegemauer einschaltete und das Tau über einen Pfosten warf.

Sie stiegen die Steinstufen hoch und betraten die schmale Küche des Bootshauses, wo in der Ecke ein alter, hoher Kühlschrank stand. Bath holte zwei Dosen Bier heraus, schob mit dem Ellenbogen eine Schachtel beiseite und stellte das Bier auf den Küchentisch. Sehr ordentlich sah es bei Bath nicht aus, doch er fühlte sich wohl hier.

Er zeigte seinem Gast das lange Gewächshaus hinter dem Bootshaus mit dem unterirdischen Trakt, der letztes Jahr unter Wasser gelegen hatte, als der Sturm die Wogen des Sees bis in den Garten gepeitscht hatte.

Dann führte er die durchnäßte Frau in das kleine Badezimmer neben der Küche und gab ihr Handtücher und trockene Sachen zum Anziehen. Er setzte Wasser auf und zog sich selbst einen warmen Sweater über. Während die Frau noch im Bad war, nahm Bath den Feldstecher vom Fenstersims und suchte mißtrauisch den See ab. In der Dusche gurgelte das Wasser durch den Ablauf. Der Mond glitzerte wie vorher friedlich auf dem See, das Schilf bewegte sich kaum, das Gehölz bildete gegen die Bucht hin eine schwarze Wand. Irgendwo rechts vom Glitzerstreifen hing der Tote unter Wasser an der Ankerzacke.

»Das tat gut«, seufzte die Frau, von der er noch immer nicht den Namen wußte. Sie stand hinter ihm und trocknete die Haare. »Das Wasser kocht. Soll ich Kaffee machen?«

Bath behielt das Fernglas am Auge. »Gern. Es gibt auch Kirschwasser in der Flasche neben dem Eisfach. Ich könnte ein Glas gebrauchen.«

Sie fand zwei große blaue Tassen, zwei Schnapsgläser und stellte sie im Wohnzimmer auf den kleinen Glastisch. »Beobachten Sie etwas? Sollten wir vielleicht die Polizei verständigen?« rief sie in die Küche.

Bath legte den Feldstecher ab und betrat mit der Kirschwasserflasche in der Hand das Arbeitszimmer. »Wir warten bis morgen«, entschied er. »Heute nacht macht die Polizei ohnehin nichts, und wir bekommen höchstens Scherereien. Der Tote wird auch nicht lebendig davon.«

Sie holte das heiße Wasser und das Kaffeepulver. Als sie zurückkam, tönte sanfte Unterhaltungsmusik aus dem Radio.

»Was haben Sie eigentlich mit dem Staatsanwalt am Hut?« fragte Bath spitz und stellte die Musik leiser.

»Nichts. Nehmen Sie den Kirsch in den Kaffee?«

»Nein, pur – bitte.«

Sie betrachtete das Bücherregal an der Wand. In der Mitte stand die Tür zum Schlafzimmer halb offen. »Sie haben es gemütlich hier.«

Bath sank in die Couch und kippte den Kirsch hinunter, dabei spiegelte sich sein Profil im Computerbildschirm auf dem breiten Holztisch. »Verraten Sie mir Ihren Namen? Meinen wissen Sie ja.«

»Sabine«, sagte sie kurz.

Bath reichte der Vorname.

»Ich war übrigens im Gefängnis, als sie Deuber aus der Luft befreit haben«, verriet Sabine.

Bath erhob sich und starrte zum Fenster hinaus. Dann griff er in den Aschenbecher und drehte sich um. »Dieser Nagel steckte in Ihrem Reifen«, er hielt ihr den Stachel unter die Nase. Sie lachte und fragte dann mit ernster Miene, ob er wisse, wer der Tote sein könnte. Bath schüttelte den Kopf: »Nein, aber ich kannte Martin Deuber. Wir waren Freunde.« Sabine hob nur die Augenbrauen. Bath mutmaßte, die Leiche sei möglicherweise aus dem Helikopter abgeworfen worden. Es könnte der Hubschrauber vom Zuchthaus gewesen sein, meinte Sabine, und als Bath nur gelangweilt den Schnaps schlürfte, trat sie vor ihn hin, die Fäuste in die Hüften gestemmt: »Ich habe die Befreiung beobachtet. Interessiert Sie das eigentlich nicht? Wir haben einen Toten herausgefischt, den sie vermutlich aus genau diesem Heli abgeworfen haben! Ist Ihnen das auch egal?«

Bath schwieg, in seine Gedanken versunken. Doch der heiße Kaffee und vor allem der Schnaps lockerten allmählich die Verspannung.

»Nachdem Sie mich aus dem Wasser gefischt haben, könnten wir auch du sagen, oder?« Sie setzte sich neben ihn.

»Von mir aus, nenn mich einfach Bath.« Er rutschte verlegen nach vorne und meinte, sie sollten sich die Sache mit dem Toten gut überlegen. Der sei einstweilen dort unten gut aufgehoben. In den nächsten Tagen, wenn man mehr wisse, sei immer noch Zeit, etwas zu unternehmen.

»Hast du gehört, daß die Befreiung gescheitert ist?« fragte sie.

»Ja, die Nachricht hat sich rasch verbreitet. Dein Staatsanwalt kann sich freuen. Es gab keine Überlebenden. Martin Deuber ist tot.« Bath preßte die Lippen zusammen.

»Tut mir leid, Bath.«

»Weißt du, dieses spitzbübische Grinsen in seinem Gesicht«, erinnerte sich Bath, »und jetzt liegt er auf dem Grund des Sees ...« Er verstummte.

»Der Hubschrauber soll weit draußen über dem See explodiert sein. Hast du nichts gehört?« Er habe einen dumpfen Knall gehört, gab Bath zu, doch hier in der Gegend werde ab und zu gesprengt, oder man höre den Überschallknall eines Düsenjägers.

Er habe sich nichts dabei gedacht. Sabine verschränkte schaudernd die Arme. »Wenn du frierst, mache ich gerne ein Feuer«, bot Bath an und suchte nach Streichhölzern auf dem Kaminsims. »Du führst ein ... ein lockeres Leben mit Männern?« Er suchte emsig weiter.

Sabine lachte leise in sich hinein: »Nicht nur, auch mit Frauen«, sagte sie ernst hinter seinem Rücken.

»Auch mit Frauen?« Bath drehte sich um.

»Auch mit Frauen«, nickte Sabine. »Frauen und Männer jeden Alters, vor allem alte, oft uralte.«

»Jeden Alters«, echote Bath. »Du meinst auch Achtzigjährige?« Bath schüttelte den Kopf, die Augen huschten verschämt auf Sabines kräftigen Schenkeln umher.

»Auch Achtzigjährige«, bestätigte Sabine unbekümmert. »Die meisten kommen erst im hohen Alter zu mir. Aber natürlich muß ich mich auch ab und zu um jüngere kümmern.«

Bath blies ins Feuer und stand auf. »Das ist widerlich.«

»Ich arbeite mit Toten«, lächelte Sabine entwaffnend.

»Mit To-Toten? Auch das noch ...«, stammelte Bath, aber Sabine winkte spöttisch ab.

»Natürlich, und bevor du einen Herzanfall kriegst. Ich bin Kosmetikerin und mache in einem Bestattungsinstitut die Toten zurecht, Männer und Frauen. Ich schminke, pudere, kämme, übertünche Spuren des Leidens, glätte bittere Falten, ziehe Mundwinkel hoch, übermale kranke Flecken und Unfallnarben. Die Leichen müssen gut aussehen. Die Angehörigen wollen alles rasch hinter sich bringen. Die Südländer dagegen wollen schöne Leichen. Sie bringen mir Fotos, diskutieren ihre Wünsche: mal ein friedliches Lächeln, mal rote, lebendige Lippen, ein strammes Kinn, volle Backen, damit der Tote wie ein Schlafender aussieht. Es gibt auch welche, die finden Trost in meiner Arbeit. Dann gibt es natürlich auch Sonderwünsche ...«, Sabine brach ab.

Baths verspanntes Gesicht löste sich in einem breiten Lachen: »Du hast mir einen schönen Schrecken eingejagt«, gestand er.

»Ab und zu muß ich eine Polizeileiche zurechtmachen«, sagte Sabine ungerührt.

»Eine Polizeileiche? Du meinst wirklich einen toten Bullen?«

»Nein, ich meine eine Polizeileiche. Es handelt sich um Leichen, die Gegenstand kriminalpolizeilicher Ermittlungen sind – Verbrechen, Selbstmord oder unbekannte Todesursache. Der Untersuchungsrichter gibt den Leichnam erst nach der Obduktion frei. Das sind Polizeileichen.«

»Dann hat dich die Polizei später geholt?«

»Woher weißt du das?« fragte Sabine leise.

Er wisse gar nichts, widersprach Bath, indem er ein Holzscheit in die lodernden Flammen warf. Sabine schmiegte sich an ihn, und nach einer Weile begann sie zu erzählen.

9

Sabine fand, daß ihre Eltern, die als Deutschschweizer nach Genf gezogen waren, Schuld an ihrem Schlamassel hatten. Ihr Vater zog einen Autohandel mit Gebrauchtwagen für Nordafrika auf. In Tunesien und Libyen fanden sich Liebhaber für europäische Nobelmarken und englische Allradfahrzeuge. Sabine hatte ihren Vater selten zu Gesicht bekommen. Er ging frühmorgens weg, kehrte spät in der Nacht heim und war am Wochenende oft auf Geschäftsreisen. Das Geschäft war gut angelaufen, und die Familie wäre zu Geld gekommen, wenn es ihr Vater nicht in zwielichtigen Lokalen mit Weibern und Geschäftskumpanen gleich wieder verpraßt hätte. Am Tag der Escalade, einem Genfer Volksfest, verabschiedete er sich zärtlich von seiner Frau, die zum zweiten Mal schwanger war, und kehrte nicht mehr in die Wohnung zurück. Polizeibeamte, die gegen ihn seit einiger Zeit wegen betrügerischen Konkurses ermittelt hatten, überbrachten acht Tage später die Nachricht, ihr Vater sei in Marseille in einer Schießerei zwischen rivalisierenden Banden mit mehreren Kopfschüssen getötet worden. Ihre Mutter erlitt einen Nervenzusammenbruch und verlor das Kind.

Sabine, bis dahin ein behütetes junges Mädchen, mußte im Alter von fünfzehn Jahren jäh erfahren, was es heißt, aus der

Bahn geworfen zu werden. In ihrer Verzweiflung klammerte sie sich an die Freunde vom Volleyballclub, schlief das erste Mal mit einem Jungen, dem Sohn eines chinesischen Diplomaten.

Ihre Mutter fand durch verschiedene Gelegenheitsjobs nicht nur Anerkennung in den besseren Häusern Genfs, was ihr ein einigermaßen anständiges Einkommen einbrachte, sie war auch sehr hübsch und anziehend. Nach kurzer Zeit machte sie die Bekanntschaft eines wohlhabenden Herrn, der sich auch um Sabine kümmerte und dafür sorgte, daß sie das Gymnasium besuchen konnte. Er machte sich auch als Sponsor des Fußballclubs einen Namen und nahm Sabine oft zu den Spielen der Mannschaften mit. Sie genoß die Abwechslung und natürlich die Bekanntschaft der jungen Spieler. Sie machte ein paar sexuelle Erfahrungen, nichts Ernstes, nur Spielereien. Aber offenbar mißfielen diese Flirts dem Monsieur Sponsor; er nahm sie nach den Spielen nun in die Ehrenloge des Clubs mit, fern von den Jungen, und fing an, ihr den Hof zu machen, kaufte ihr Geschenke, darunter erotische Dessous. Es war Sabine bald klar, daß er mit ihr schlafen wollte.

Sie entzog sich ihm spielerisch, was er mißdeutete und zum Anlaß kühnerer Avancen nahm. Als eines Abends die Mutter nicht zu Hause war, kam er schon ziemlich angeheitert vorbei, überreichte ihr einen Blumenstrauß, scherzte und trank mit ihr eine Cola. Plötzlich nestelte er an seinen Hosen, Sabine wandte den Blick ab. Als sie wieder hinschaute, sah sie sein steifes Glied. Erschrocken floh sie ins Schlafzimmer der Mutter, Monsieur ihr nach. Wie gelähmt ließ sie es geschehen. Als er sich keuchend befriedigt hatte, wollte er ihr zureden und streichelte sie. Sabine sprang auf, ergriff die große Nähschere vom Arbeitstisch vor dem Fenster und rammte sie ihrem Vergewaltiger in den Bauch. Es war kein gefährlicher Stich, die Schere war abgerutscht, aber er blutete und mußte sich verarzten lassen. Er vertuschte die Sache wohlweislich als Unfall.

Ihre Mutter klammerte sich trotz allem an ihren Gönner und machte ihrer Tochter sogar Vorwürfe, sie hätte versucht, ihr den Liebhaber auszuspannen. Gerüchte über den Vorfall kamen dem Rektor des Gymnasiums zu Ohren, der Sabine ins Gebet nahm und ihr einen ausschweifenden Lebenswandel vorhielt. Die Leistungen in der Schule sanken darauf rapide ab, erneut spürte sie das beängstigende Gefühl, aus der Bahn geworfen zu werden. Prompt schaffte sie die Prüfungen nicht und flog im nächsten Halbjahr von der Schule. »Ich war inzwischen achtzehn. Es folgte eine bittere Zeit. Ich wurde schwanger, von einem Kerl der zweiten Mannschaft, der alles bestritt und mich als Hure beschimpfte, als es ums Zahlen ging. Ich trug das Kind aus, brachte es in Zürich zur Welt und gab es in einer noblen Vorortgemeinde zur Adoption frei.«

In Genf, der Stadt Calvins, machten viele Männer sich an sie heran, versuchten sie zu verführen, weil sie davon ausgingen, sie sei leicht zu haben. Sabine, nach Rache dürstend, beschloß, diesen Umstand geschäftlich zu nutzen.

Die Idee stammte von Michel, dem Dealer hinter dem Bahnhof. Er war der Typ des ewig kleinen Fischs. »Wir schicken dich auf den Strich«, erklärte er ihr und musterte wohlgefällig ihren drallen, schön geformten Körper. »Wir müssen dich nur etwas zurechtmachen.« Sabine protestierte, doch nachdem sie den Plan begriffen hatte, ging sie trotzdem mit Michel zu Evelyne, die eine Kosmetikboutique führte.

Sabine sah danach umwerfend sexy aus, verlangte horrende Preise, die nur verrückte Diplomaten oder einsame Geschäftsleute zahlten. Sie riß die liebeshungrigen Männer in der Nähe der teuren Hotels, des Richmond oder des Noga Hilton, auf und schleppte sie in ihre feine Absteige ab, die Michel in der Nähe gemietet hatte. Woher er das Geld dafür hatte, überlegte Sabine sich nicht. Der Gedanke, Michel könnte Drogengelder unterschlagen haben, kam ihr nicht.

Die Männer, aufgegeilt von Sabines heißen Phantasien und Spielereien, zahlten brav im voraus und begleiteten sie arglos zu ihrem diskreten Appartement, das – wie beruhigend in einem guten Viertel lag. Wenn sie dann mit ihren Opfern verschwörerisch in die Wohnung stiefelte, stand plötzlich ein aufgebrachter Michel im Flur, der tobend den eifersüchtigen Freund mimte, Sabine packte, schüttelte, beschimpfte, schlug und drohte. Die unerwartete Szene ließ die Galane die Lust abrupt vergessen. Sie ergriffen Hals über Kopf die Flucht, die Angst im Nacken, der tobsüchtige Kerl werde sie gleich niederstrecken. Das Geld ließen sie natürlich zurück.

10

Im Polizeipräsidium der Rhônestadt war Sabine bei der Sitte als Prostituierte registriert, doch selbst die diensttuenden Beamten redeten liebevoll vom blonden Engelchen oder nannten sie weltgewandt *Executive Escort.* Sabine strahlte schon damals etwas Vornehmes aus. Sie kleidete sich apart, ihr Gang, ihre Bewegungen wirkten selbstbewußt und gewandt, sie sprach zudem fließend Deutsch und Französisch, und ihr Englisch aus der Gymnasialzeit reichte zumindest für den Small talk, der ihren Eroberungen vorausging. Ihre laszive Art, die Beine übereinanderzuschlagen, oder das wollüstige Spiel ihrer Lippen mit dem Lippenstift brachten das Blut der Männer in Wallung und die Frauen in Rage.

Als im November ein Kongreß die Hotels der Stadt mit Leuten aus der ganzen Welt füllte, schlug ihr Michel vor, an der Bar im *Du Rhône* ihren Stammplatz einzurichten. Der Barkeeper machte mit, nachdem er seinen Anteil errechnet hatte. Zudem konnte das steife Ambiente im *Du Rhône* eine Aufwertung vertragen, und der charmante Blickfang, den Michel ihm vorstellte, war genau das Richtige. Ihr Verbündeter sah nun aufmerksam die Gästeliste nach Herren durch, die allein gekommen waren, beobachtete sie und entschied mit geübtem Blick, wer weiblichen Annäherungen nicht abgeneigt war und wer als Prototyp des graugekleideten Geschäftsmanns im Spießer-Look jenseits von Gut und Böse war.

Messerli gehörte zweifellos zur ersten Kategorie. Trotz seines biederen deutschschweizer Namens war er aus den USA zum Kongreß angereist und erkundigte sich schon beim Einchecken, wo sich die schönen Genferinnen versteckt hielten. Dem Mann sollte geholfen werden.

Sabine war am Abend an der Bar, wo ein kleiner Whisky horrende fünfundzwanzig Franken kostete, in Hochform und redete unbekümmert über den jüngsten Justizskandal der Stadt. In Gesellschaft der attraktiven Frau benahm sich Messerli wie ein Pfau. Ihm gehörte die Bar. Dank Sabine genoß er ungeahnten Respekt, der sich in dienstfertigen Bücklingen des Barkeepers ausdrückte, im dezenten Kopfsenken des Pianisten und – das Beste: Wie eintretende Herren ihn demonstrativ keines Blickes würdigten oder aber verstohlen hinüberguckten, um herauszufinden, was das Vollblutweib an diesem Wanst nur so toll fand.

»Hier«, hauchte Sabine und wies mit dem Finger auf eine Stelle an der Innenseite ihres Knies, das sie ihm zur Anschauung entgegenhob.

»Was ...?« Messerli starrte verdutzt zwischen ihre halbgeöffneten Schenkel, und was er unvermittelt dort unter hauchdünner Seide erahnte, schoß wie ein heißer Pfeil sein Rückgrat hinunter.

»Da«, wiederholte sie und senkte das Knie. »Eine Operation. Genau vor einem Jahr.«

Geschickt, wie sie das Thema wechselte, dachte Messerli, und er erinnerte sich, warum er nach Genf gereist war. »Habe ich früher auch gemacht, bis zu elf Mal am Tag«, schnaubte er. »Jetzt schnibble ich hier oben.« Mit den Fingerspitzen seiner Hand machte er eine schneidende Bewegung über seine Stirn: »Schädel.«

»Wow ... Gehirnchirurg. Das ist aufregend.« Sie blickte aber nicht auf sein Haupt, sondern inspizierte mit Kennerblick die gewölbte Stelle in seinem Schritt. Mit einem Neurochirurgen hatte sie noch nie zu tun gehabt. Das dürfte eine Premiere werden, dachte sie. »Die Potenz beginnt im Kopf, oder nicht?« lachte sie.

»Die Potenz? Ach so.« Messerli brach in Gelächter aus. Er hatte gar kein Interesse an einem medizinischen Thema. Weder war er Chirurg, noch verstand er überhaupt etwas von Medizin, bis auf die Annahme, daß eine prächtige Erektion offenbar tatsächlich im Hinterkopf ihren Anfang nahm. Er stand als *Messerli, medical doctor* auf der Teilnehmerliste des Neurologenkongresses. Ein Mindestmaß an medizinischer Terminologie, die man ihm eingetrichtert hatte, gehörte zu seiner Tarnung. Die Anatomie interessierte ihn höchstens in weiblichen Fällen, wie heute abend, und sein Interesse am Gehirn beschränkte sich darauf, es mit einem Fangschuß außer Betrieb zu setzen. Doch heute abend konnte er sich den Luxus leisten, von diesem lieblichen Geschöpf als Halbgott im weißen Kittel bewundert zu werden.

Messerli bestellte eine Flasche Champagner aufs Zimmer, unterschrieb die Rechnung und steckte Sabine diskret einen Fünfhunderter zwischen die Knie. Im Lift waren sie nicht allein. Der dritte Mann, Michel, schlüpfte noch herein und begann sogleich mit seinem Stunt des erbosten Freundes. Doch Messerli war eine Schuhnummer zu groß. »We have a deal, wir sind verabredet«, stellte er ganz lapidar fest und setzte Michel mit einem harten Hieb auf den Solarplexus außer Gefecht.

»Und was geschah dann im Zimmer«, fragte Bath. Er war aufgestanden, hatte von dem Kirsch eingeschenkt. »Ja, dann ...«

11

Der Wind peitschte den Regen gegen die Fensterscheibe; Messerli schaute mürrisch auf die verschwommenen Lichter der Stadt. Sein Blick fiel auf die schäumenden Wassermassen der Rhône, die sich am mittleren Pfeiler der Brücke aufbäumten und danach in der Finsternis verloren. Messerli wandte sich ab, zog die Jacke aus, lockerte die Krawatte, streifte die Schuhe ab. Sabine saß auf dem Bettrand und schaute ihm belustigt zu.

»Laß mal den Korken springen, bin gleich zurück«, sagte Messerli und verschwand im Badezimmer. Sabine zog die Vorhänge vor und sperrte die Regennacht aus. Dann dämpfte sie das Licht im Zimmer und wählte im Fernseher den Musikkanal. Rhythmischer Sound ertönte, während sie an der Champagnerflasche das Drähtchen löste, den Korken festhielt und die Flasche drehte, bis er mit einem satten Plopp heraussprang. Als Messerli zurückkam, hielt sie ihm wortlos ein gefülltes Glas hin. Sie tranken, knabberten Erdnüsse. Messerli setzte sich neben sie auf den Bettrand und legte ihr den Arm auf die Schulter. Sie blieb still. Der Zauber war verflogen.

Messerli legte sich der Länge nach aufs Bett und lockerte den Gürtel seiner Hose. Sabine wartete. Sie trug ein dunkelblaues Deux-pièces mit einem engen, kurzen Jupe. Sie öffnete zwei Knöpfe des Oberteils und nahm den Fünfhundertfrankenschein aus ihrem Dekollete. »Hier haben Sie Ihr Geld zurück, die Lust ist mir vergangen«, sagte sie und stülpte ihm den Schein über die Wölbung seiner Erektion.

Messerli setzte sich auf, nahm einen Schluck und lachte: »Prost!«

Sie hob das Glas müde lächelnd und schlug die Beine übereinander.

»Sie sind in Schwierigkeiten«, sagte Messerli und schüttete sich eine Handvoll Nüsse in den Mund. Messerli hatte das Spielchen von Michel und Sabine seit seiner Ankunft beobachtet. Sie hatten mindestens zweitausend abkassiert, ohne daß sich die Frau ein einziges Mal hinlegen mußte. Er könnte sich bei der Direktion beschweren. Die Polizei würde verständigt. Ein Hotel wie das *Du Rhône* legte Wert auf seinen guten Ruf. Die beiden würden verhaftet.

Kauend schlug Messerli Sabine vor, für ihn zu arbeiten. Eine einfache Angelegenheit. Kein Sex. Ein geschäftlicher Kurierdienst. Sabine überlegte und schüttelte den Kopf. Sie befürchtete Drogen und schlug sein Ansinnen aus. Er gab ihr eine Woche Bedenkzeit, dann müsse er Maßnahmen ergreifen.

»Was wollen Sie tun?« fragte Sabine.

»Zum Beispiel der Polizei erklären, was hier so alles vorgeht. Daß Sie von Männern Geld erpressen ohne Gegenleistung: Betrug, Nötigung. Kann unangenehm werden.«

Sabine packte die Wut. Sie baute sich breitbeinig vor Messerli auf und warf ihm das Glas samt Champagner ins Gesicht. »Mistkerl«, fauchte sie und stürmte aus dem Zimmer.

Zwei Tage später barg die Seepolizei einen Mann mit auf dem Rücken gefesselten Händen aus der Rhône. Die Libanesen, munkelte man, hätten mit Michel abgerechnet, weil er ihnen Geld aus Drogenverkäufen unterschlagen habe.

Die Polizei nahm im Milieu einige Verhaftungen vor. Auch Sabine wurde festgenommen. Evelyne, die Kosmetikerin, benachrichtigte ihren Vetter Manuel, einen Brasilien-Schweizer und gewieften Strafverteidiger. Die Polizei ließ Sabine nach der Intervention des Anwalts zwar noch am selben Tag frei, doch der Richter stellte die Untersuchung gegen sie nicht ein. Sie mußte sich den Behörden zur Verfügung halten und durfte die Stadt nicht verlassen.

Sabine war auf sich allein gestellt. Ihre Mutter sah in einer Mischung aus religiösem Wahn und astrologischen Verheißungen im Schicksal ihrer Tochter ein unabwendbares Strafgericht und brach jeden Kontakt mit der gefallenen Sünderin ab. Zum Glück verhalf ihr der junge Anwalt zu einer Stelle bei seiner Schwester. Sabine lernte Kosmetikerin. Sie hatte kaum angefangen, als Messerli auftauchte. Er sprach sie vor dem Laden an, und sie setzten sich in ein Café. Sabine hatte Michel gern gehabt. Mit ihm hatte sie sich beim Sex das erste Mal gut und sicher gefühlt. Irgendwie brachte sie Messerli mit dem Tod ihres Freundes in Verbindung. Sie war außer sich, und als die Kellnerin den heißen Kaffee mit Croissant brachte, schob Messerli, eingedenk des in seinem Gesicht gelandeten Champagners, die Tassen vorsorglich zur Seite. Dann zeigte er ihr die Papiere aus den Untersuchungsakten im Mordfall Michel. *Staatsanwaltschaft der Republik und des Kantons Genf* stand auf der ersten Seite eines längeren Berichts, der von ihr handelte. Ihre Vergangenheit wurde aufgerollt. Sogar, daß sie Monsieur Sponsor mit einer Schere verletzt hatte, was mangels einer Strafklage des großzügigen Monsieur nicht verfolgt wurde, stand da drin. Man stellte sie als Dealerin und Prostituierte dar und entschied am Schluß, daß ihre vermutete Mittäterschaft am Mord von Michel weiter zu untersuchen wäre.

Sabine, kreidebleich im Gesicht, hielt das Papier zitternd mit beiden Händen fest. »Wo haben Sie das her?« stammelte sie benommen.

»Ich habe meine Informationsquellen«, erwiderte Messerli unverbindlich. Sie schwiegen. Sabine las nochmals alles durch. Tränen schimmerten in ihren Augen. Messerli legte ihr seine Hand auf den Arm: »Ich helfe Ihnen, wenn Sie mir helfen. Sie brauchen Schutz.«

»Wer sind Sie? Ich will nichts mit Drogen zu tun haben.« Sie rührte den Kaffee nicht an.

»Wir sind eine Organisation, die für eine bessere Welt kämpft und Zugang zu geheimen Informationen hat.« Messerli deutete zum Beweis auf das Papier.

»Und was soll ich tun?« fragte Sabine, die mit ihren Nerven am Ende war.

Messerli schob ihr die Tasse zu. »Trinken Sie erst mal einen Schluck Kaffee.«

12

Ihre Aufgabe erwies sich als einfach. Es machte Sabine sogar Spaß, diese Botengänge zu besorgen, die Messerli so organisiert hatte, daß sie sich wie eine Geheimagentin fühlte. Sie versuchte, ihre Rolle möglichst cool zu spielen, wie sie es in Filmen immer bewundert hatte.

Zunächst mußte sie am Vormittag in der Treuhandgesellschaft zwei Umschläge abholen. Zur Identifikationsprüfung diente die Hälfte eines Hundertfrankenscheins. Der Riß verlief ziemlich genau über die traurigen Augen des Baumeisters Francesco Borromini, der, wie Sabine beiläufig lernte, von 1599 bis 1667 gelebt hatte. In der Treuhandfirma verwahrten sie die andere Hälfte Borrominis. Ein Prokurist der Firma händigte ihr nach dem Vergleich die Umschläge aus. Der eine war klein und gelb, wie ein amtliches Kuvert, der andere groß und weiß. Sabine steckte die Briefe sorgfältig in ihre Handtasche und spazierte über die zweite Brücke an der Statue von Jean-Jacques Rousseau vorbei auf das linke Rhôneufer, bog in die geschäftige *Rue du Marché* ein und warf den großen Umschlag dort, wie besprochen, in einen Briefkasten. Nebenan kaufte sie die »Tribune de Genève« und schlenderte die Gasse zur Kathedrale hoch.

Gegenüber dem Justizgebäude setzte sie sich zur angegeben Zeit in eines der Cafés, bestellte Café au lait mit Croissant, blätterte die »Tribune« durch und wartete.

Gegen zehn Uhr herrschte viel Betrieb im Café, und so fiel es nicht auf, wenn sich eine Person an ihren Tisch setzte, die sich ebenfalls kaffeetrinkend in die »Tribune« vertiefte. Niemand nahm Notiz von Messerli, der am Nebentisch eine handliche Videokamera abgestellt hatte, bei der das aufgenommene Bild im Sucher erschien. Der Film hielt fest, wie Sabines Kontaktperson die »Tribune« zusammenfaltete, auf den Tisch legte, bezahlte und mit der Zeitung von Sabine wegging.

Die Übergabe des gelben Umschlags stellte einen kritischen Moment dar; Messerli besprach anschließend den Zeitungstausch mit Sabine anhand des Films. Der Anschauungsunterricht half ihr, die Szene so einzuüben, daß auch ein aufmerksamer Beobachter nicht bemerken würde, daß ein gelber Umschlag die Hand wechselte. Messerli machte noch öfter Aufnahmen mit Einblendungen des Datums und der Uhrzeit, um die Übergabe des Corpus delicti an die Person aus dem Gerichtsgebäude zu beweisen.

Sabine vermutete, daß die Umschläge Geld enthielten, stellte aber auf Anweisung von Messerli keine Fragen.

»Je weniger du weißt, desto besser«, erklärte er. Der weiße Umschlag im Briefkasten an der *Rue du Marché* wurde von einem gutgekleideten Herrn noch am gleichen Tag auf die nicht weit entfernte Privatbank gebracht, wo er dem Umschlag zwanzig Bankschecks entnahm. Sie lauteten nicht auf den Namen eines bestimmten Begünstigten, sondern einfach auf den

»Inhaber«. Jeder dieser Schecks stand für zwanzigtausend Franken. Der Mann ließ die Bankschecks einem Nummernkonto gutschreiben, dessen Eigentümer er nicht kannte. »Wer nichts weiß, kann nichts sagen«, hatte ihm sein Auftraggeber gesagt. Nicht einmal Messerli wußte, daß das Nummernkonto auf eine hochgestellte spanische Persönlichkeit lautete.

Sabine entwickelte mit der Zeit eine bewundernswerte Routine. Weiße Umschläge fielen öfter in der Woche an, während sie mit dem gelben nur einmal im Monat den Hügel zum Gericht hinaufspazierte. Sie wechselte ihre Kleidung, die Frisur, suchte neue Wege über eine der acht Brücken zum Briefkasten; hin und wieder nahm sie ein Taxi oder kam mit dem Fahrrad von einer ganz anderen Seite. Messerli war zufrieden und zahlte gut für die Überstunden. Einmal kaufte er ihr sogar Schmuck. Sabine genoß die Spannung dieser heimlichen Missionen.

Als die Vorladung vom Staatsanwalt kam, geriet Sabine in Panik. Messerli spielte die Sache herunter, aber sie lief zu Manuel, dem Verteidiger: »Du darfst die Aussage verweigern«, belehrte er sie.

Doch es kam völlig anders. Der Staatsanwalt nahm sie ganz allein ins Gebet und zeichnete ein düsteres Bild ihrer Situation. Die Mordsache Michel sei immer noch nicht geklärt, sie treibe sich im Milieu herum, und die Polizei könne ihr hart zusetzen, wenn er als oberster Ankläger so entscheide.

Sabine schwieg, obwohl sie vor Wut kochte.

Die Polizei könne andererseits Leute mit Verbindungen zur Unterwelt gebrauchen, fuhr der Staatsanwalt geheimnisvoll fort. Sie sollte der Polizei Informationen zutragen; im Gegenzug würden die Ermittlungen gegen sie keine Konsequenzen haben.

Sabine mied den Blick des Staatsanwalts und starrte verächtlich auf eine Topfpflanze am Fenster des geräumigen Zimmers. »Wir haben ein paar schwere Jungs, die nicht mit der Sprache herausrücken. Wir gestatten ihnen ab und zu Frauenbesuch im Knast«, sagte der Staatsanwalt.

»Ich bin keine *Nutte*«, brach Sabine ihr Schweigen. »Sie können mich mal. Suchen Sie sich eine andere, um Ihre Sträflinge weichzubumsen.«

Der Staatsanwalt hob beschwichtigend die Hände. Es handle sich um eine seriöse Sache. Im Gefängnis stehe Sex nicht zur Diskussion.

»Wollen *Sie* etwa Sex mit mir?« Aufmüpfig verschränkte Sabine ihre Arme.

»Sie sind meine IM«, antwortete der Staatsanwalt, seine Miene wies die Unterstellung streng zurück, seine Augen sagten das Gegenteil.

»IM?«

»Inoffizielle Mitarbeiterin. Sie liefern der Polizei Informationen. Im Knast hört man einiges.«

»Und was bekomme ich dafür, als ... eh ... IM?« fragte Sabine.

»Nichts. Diese Besprechung hat nie stattgefunden. Aber wenn Sie mitmachen, lassen wir Sie in Ruhe. Sie bekommen die Anweisungen zur gegebenen Zeit. Jemand wird sie kontaktieren. Wenn nicht ...« Der Staatsanwalt hob unschuldig beide Hände und zog die Brauen vielsagend hoch.

Und wenn ich ihm von meinem Zeitungsleser im Justiz-Café ... Laut sagte sie:

»Ich habe keine Ahnung von der Polizei. Ich bin nicht die Richtige für diesen Job.«

»Wir führen eine kleine Schulung durch«, sagte der Staatsanwalt und ergänzte, sie sei nicht die einzige IM im Räderwerk der Genfer Justiz. »Sie berichten ausschließlich mir, ich werde Sie auch persönlich betreuen«, schloß der Staatsanwalt, und sein Blick fiel auf ihre vollen Schenkel.

13

Und was geschieht, wenn du dich weigerst, weiter für die Polizei zu arbeiten«, erkundigte sich Bath. Sabine schwieg. Ihr Blick verlor sich in der Ferne ... Sie hatte Maskenbildnerin werden wollen, träumte davon, eines Tages berühmte Filmstars zu schminken, in Hollywood vielleicht. Statt dessen war sie bei den Toten gestrandet, und der feurige Felipe war aufgetaucht, um den stellvertretenden Geschäftsträger des Konsulats im Bleisarg nach Buenos Aires zu verfrachten. Sie mußte das Gesicht des armen Teufels, der sich eine Kugel in den Mund geschossen hatte, zurechtformen.

Schon bald war aus ihren geschäftlichen Zusammentreffen mehr geworden. Felipe Javera versprach ihr die Heirat, nahm sie mit auf seine Hazienda in den Pampas, stellte ihr eine Stelle als Make-up-girl beim argentinischen Fernsehen in Aussicht. Und sie dumme Gans glaubte, Aschenbrödel zu sein, und machte, was ihr Prinz von ihr verlangte.

Sie flogen dann noch mehrere Male wie die Fürsten erster Klasse nach Südamerika und zurück. Dann schnappten sie Felipe in Genf. Vor ziemlich genau einem Jahr. Sein Gepäck wies doppelte Böden auf. Auch die Golfschläger, die Sabine im Gepäck hatte, waren hohl. Doch die Zöllner waren auf der Hut. Wer brachte denn schon Golfschläger von Argentinien nach Genf? Überall fanden sie Stoff: reines Kokain.

Sabine schüttelte sich, als ließen sich so die Erinnerungen vertreiben. Sie sah Bath resigniert an: »Wenn ich mich weigere, habe ich die Verfahren wieder am Hals, der Staatsanwalt hat mich nach wie vor im Griff.«

Zögernd wagte Bath die Frage: »Bist du dem Staatsanwalt gefällig? Ich meine, gehört das auch zur Abmachung?«

Sabine lachte. »Am Anfang dachte ich, er habe ein sexuelles Interesse an mir, weil er plump versuchte, das Gespräch auf dieses Thema zu lenken. Bis er mir gestand, daß er rote Unterwäsche trüge!«

Bath lachte befreit.

Sabine grinste. »Ich dachte, er sei vielleicht nur verklemmt, und lud ihn zu einem Drink in meine Wohnung ein. Ich würde ihn gerne in seinen roten Stücken sehen, sagte ich. Aber das war ein Fehler. Der Mann hat echte Probleme. Seither schikaniert er mich, ruft mich mitten in der Nacht ins Präsidium, verlangt, daß ich ihm Maniküre und Pediküre mache. Gestern schickte er mich wieder in den Knast, um einen seiner Sträflinge auszuhorchen.« Angewidert schüttelte sie den Kopf: »Oh, ich habe die Nase so voll, Bath!« Sie schob sein Hemd auseinander und strich mit der Hand zärtlich über seine behaarte Brust. Dann legte sie ihre Wange auf die Stelle, wo sein Herz pochte.

Das Telefon auf dem Arbeitstisch klingelte. Sabine fuhr erschrocken hoch. »Die Polizei?« Bath schüttelte überzeugt den Kopf, ließ es einige Male läuten und hob ab. Die Stimme im Hörer tönte wie aus dem Grab: »Bist du es, Silberblick?«

Bath starrte ungläubig auf den Hörer.

»Hallo, ich bin es, kennst mich wohl nicht mehr?« beharrte die Stimme am anderen Ende.

Bath führte den Hörer zögernd ans Ohr zurück. »Du?« hauchte Bath und setzte sich auf den Drehstuhl. »Du bist nicht tot?«

»Sag keinen Namen, Silberblick«, warnte die Stimme. »Wir sehen uns später. Bleib schön zu Hause, bis ich komme.« Im Hörer piepste es, dann brach die Verbindung ab.

»Das war Martin Deuber«, sagte Bath tonlos und legte langsam den Hörer auf.

14

Martin Deuber kam lange nach Mitternacht. Der helle, metallene Ton des fischförmigen Türklopfers riß Bath im Arbeitszimmer aus seiner Grübelei. Er eilte zur Tür.

»Guten Abend, Silberblick«, grüßte Deuber mit einem breiten Grinsen im Gesicht und trat rasch ein. Bath schloß ebenso rasch ab, drehte sich um und musterte den Besucher von oben bis unten. Deuber trug eine schwarze Segeljacke mit breiten Taschen, Jeans und ein kariertes Hemd. In die Stirn über den listig funkelnden Augen hing eine Strähne blonden Haares.

»Du hast dich nicht verändert, Mensch.« Bath versetzte ihm einige Boxhiebe auf die Brust. »Immer noch dasselbe Schlitzohr. Los, komm rein.«

Sie betraten das Arbeitszimmer. Deuber ließ sich in die Couch fallen und schaute sich um. Im Kamin loderten die Flammen. Die Tür zum Schlafzimmer war zugeschlossen, auf dem PC war die Menü-Seite *Neueste Nachrichten* geöffnet.

»Du hast dich hübsch eingerichtet«, kommentierte Deuber und nahm die Bierdose entgegen, die ihm Bath hinhielt.

»Du bist ein theologisches Phänomen«, sagte Bath und nahm bedächtig einen Schluck Bier.

»Der Philosoph bist du«, grinste Deuber. »Ich brauche die Unterlagen von damals. Darum bin ich hier. Aber was meinst du mit Theologie?« Er nahm ebenfalls einen bedächtigen Schluck.

»Du bist von den Toten auferstanden. Schau mal ins Internet.« Bath trat zum Bildschirm und drückte eine Taste. Ein schwammiges Bild nahm Gestalt an und entpuppte sich als das Gesicht von Martin Deuber. Daneben meldete die Schlagzeile: MARTIN DEUBER BEFREIT – UND TOT!

»Alles nach Plan«, winkte Deuber ab, und nach einer Pause sagte er: »Hör zu: Du steckst jetzt mit mir in dieser Sache drin, und ich brauche dich, Silberblick.«

Baths Augen umfaßten das Foto auf dem Bildschirm, die Schlafzimmertür, Deuber, die Bierdose, die Schwärze des Sees. »In welcher Sache?« fragte er schließlich mit rauher Stimme.

Das sei augenblicklich nicht der Hauptpunkt, wimmelte Deuber ab, der nun langsam das Zimmer abschritt, während er weiterredete. Er habe einen Plan, den nur sie zwei ausführen konnten. Doch benötige er zunächst die Unterlagen, die er Bath kurz vor seiner Verhaftung zur Aufbewahrung anvertraut habe. »Du hast das Papier hoffentlich noch?« Deuber blieb vor der geschlossenen Schlafzimmertür stehen.

»Sicher«, bestätigte Bath und dirigierte Deuber geschickt von der Tür weg. »Hier«, er griff nach einem Band auf dem mittleren Regalbrett. »Im ›Leben des Galilei‹ ...«. Bath zog ein gefaltetes Blatt heraus. Dann schaute er näher auf eine Stelle der aufgeschlagenen Seite. »Hör zu, weißt du, was eine Hypothese ist? Hier erklärt es Galilei: *›Das ist, wenn man etwas als wahrscheinlich annimmt, aber keine Fakten hat.‹*«

»Na schön, aber nun laß Brecht Brecht sein und hör mir lieber zu«, brummte Deuber ungeduldig. Sie setzten sich, öffneten noch ein Bier, Deuber studierte das Blatt und nickte zufrieden. »Genau das, was ich erwartet habe.« Nun rückte er mit seinem Plan heraus: Die Schweizerische Nationalbank habe vor ein paar Jahren Gold, Schmuck und andere Wertgegenstände in beträchtlichem Umfang von verschollenen Bankkunden aus dem Zweiten Weltkrieg in eine festungsähnliche Anlage verschoben.

»Ein Endlager für Holocaust-Gelder im Alpengneis?« wagte Bath zu fragen.

Deuber nickte und sagte ernst: »Weißt du, da sind Dinge gelaufen, von denen die heutige Generation keinen blassen Dunst hat. Die Nazis hatten 1940 das Gold der Belgischen Staatsbank geraubt. Verstehst du? Millionen! Dann hat es die Deutsche Reichsbank über unsere Nationalbank in Zürich verkauft. Unglaublich, nicht? Oder das viele Gold, das die SS den Juden in Auschwitz abgenommen hatte.«

»Was geschah damit?«

»Gelangte auch in die Schweiz, klarer Fall. Wurde in massive, pure Goldbarren umgegossen, die jetzt vermutlich im Winkelmaß geschichtet in unserem Bunker ruhen!«

»Woher weißt du das?« Bath verschränkte die Arme.

Deuber machte mit den Händen eine fahrige Geste, als wollte er sagen, er wisse es eben. Man müsse nur die Augen offenhalten, meinte er dann geheimnisvoll. Er habe noch vor seiner Verhaftung das Sicherheitssystem der Anlage überprüft und an dessen Verbesserung gearbeitet. Es sei eine reine Software-Angelegenheit in Verbindung mit elektronischen Sensoren gewesen, und nur gerade zwei Personen hätten sich damit beschäftigt. Er habe die hochgeheimen Daten kopiert – er wies auf das Blatt. Wie Bath wisse, hätten sie ihn eine Woche später wegen der anderen Sache geschnappt. »Mit diesen Daten gelange ich heute ins System der Nationalbank und kann die Sicherheitsanlage der Festung knacken, kapiert, Silberblick?«

»Und du weißt, wo die Anlage liegt?« fragte Bath.

»Darauf kannst du Gift nehmen«, bestätigte Deuber. »Ich war damals drin, als die Festung noch als militärischer Kommandobunker benutzt wurde.« Er legte das Blatt auf den Tisch. Eine Weile blieb es still. Nur das Kaminfeuer knackte ab und zu. Im Nebenraum knarrte es. Alarmiert fragte Deuber: »Du bist doch allein?«

Bath senkte die Augen und machte eine beschwichtigende Handbewegung: »Nur der Fußboden. Die Balken biegen sich wahrscheinlich wegen deiner Auferstehung.« Dann fragte er nach dem Namen des Ortes.

»Gstaad«, eröffnete ihm Deuber. »Weltdorf des Jetset, der großen Chalets und feinen Gesellschaften. Nobelkurort erster Güte. Die unterirdische Schatzkammer liegt hinter dem *Palace Hotel.* Ein teurer Schuppen, wo die Reichen und Schönen verkehren: Liz Taylor, Becker, Roger Moore, Sandra Bullock, Jil Sander, Kashoggi, die Flicks, Kanzler Kohl, Julie Andrews und Sharon Stone – nichts als Prominenz. Und bald wird die Liste erweitert um unsere Namen: Deuber und Bath! Die Festungsknakker!« Er streckte lachend den Arm mit geballter Faust zur Decke.

»Um wieviel geht es?« fragte Bath, als wieder ein Geräusch aus dem verschlossenen Zimmer drang.

»Hältst du dir Gespenster«, ulkte Deuber, trank sein Bier aus und verlangte Nachschub.

Als Bath mit zwei schäumenden Gläsern aus der Küche zurückkam, stand die Schlafzimmertür offen. Unter dem Türrahmen starrten sich Deuber und Sabine entgeistert an. »Die Nutte aus dem Knast«, rief Deuber empört und trat zwei Schritte zurück. »Was soll die Scheiße, Bath, die arbeitet für die Bullen. Das fehlte gerade noch!« Seine Stimme klang bedrohlich, das vergnügte Grinsen war einer verbissenen Wut gewichen.

»Sabine ist in Ordnung«, wehrte sich Bath und trat schützend dazwischen. »Sie ist meine Freundin, wenn du es genau wissen willst.«

Deuber höhnte: »Hure und Schielauge, schöne Bescherung.« Bath stellte die Gläser ab und packte ihn aufgebracht am Kragen. »Sag das nicht noch einmal, Martin. Nicht noch mal! Sie gehört zu mir, verstanden?« Seine Augen glühten auf einmal eigenartig – gefährlich. Deuber schreckte zurück, und Bath war mit zwei Schritten am Tisch und schnappte sich das Blatt. »Du läßt Sabine in Ruhe, oder du kannst deine Geheimdaten vergessen«, drohte er kalt.

»Schon gut, von mir aus, wenn ihr ›Die Schöne und das Biest‹ spielen wollt«, gab Deuber nach. Bath legte das Blatt zurück.

»Aber, Silberblick, sie ist ein Risiko!« Sabine hatte sich nicht vom Fleck gerührt. »Sie ist der Spitzel vom blutigen Gaston. Was glaubst du, wer mich im Knast besucht hat, um herauszufinden, wo die Kröten sind? Wer wohl?« Er zeigte auf Sabine, die jetzt leichenblaß war.

Bath schaute sie fragend an.

»Es stimmt«, gestand sie. »Ich kenne Deuber. Ich besuchte ihn im Knast. Ich bin vielleicht eine Hure, aber ich bin kein Spitzel. Ich hasse die Polizei, hasse, hasse diese Schweine ...«, sie verbarg ihr Gesicht in den Händen und schluchzte.

Bath kratzte sich verlegen am Kopf, Deuber hatte plötzlich eine Pistole auf Sabine gerichtet. »Sie hat alles mitgehört; wenn sie redet, bin ich geliefert, unser Plan ist im Eimer, und das Gold können wir vergessen.«

»Das eben ist eine Hypothese«, widersprach Bath ruhig. »Du nimmst an, daß sie redet, hast aber keine Fakten dafür. Warum soll sie reden, wenn sie mit von der Partie ist? Was gewinnt sie, wenn sie redet? Vielleicht ein höhnisches Dankeschön; wenn's hoch kommt, eine Belohnung. Aber ihr Leben ändert sich nicht, sie bleibt in der Gosse. Wenn sie mitmacht, nehmen wir sie mit nach Brasilien.« Er griff nach seinem Glas und leerte es in einem Zug.

Deuber ließ die Waffe sinken. Sabine schaute mit glänzenden Augen zu Bath auf, der selber nicht wußte, wie ihm diese Worte eingefallen waren.

»Brasilien ...« Plötzlich sprang sie geschmeidig wie eine Katze nach vorn und drehte Deuber blitzschnell den Arm so heftig ins Kreuz, daß er mit einem Schmerzensschrei die Waffe fallen ließ.

»Das Blatt hat sich gewendet«, keuchte Sabine und stieß Deuber mit dem Lauf der Pistole nach vorne. »Umdrehen, Hände hoch!«

Deuber gehorchte und stierte mit gesenktem Kopf böse vor sich hin. Die Frau wußte mit einer Waffe umzugehen, das sah er auf den ersten Blick.

»Höher! So. Und jetzt rufen wir den blutigen Gaston an!« Sabine angelte sich das Telefon und begann, langsam eine Nummer einzutippen. »Der wird Augen wie ein abgestochenes Kalb machen.« Der Pistolenlauf wich keinen Zentimeter von Deubers Gesicht.

Baths Augen blitzten vor Verzweiflung. Das Glas zerbrach in seiner Faust.

»Noch eine Zahl, und es läutet«, sagte sie mit zusammengekniffenen Augen. »Entweder bin ich mit dabei, oder ich rede mit dem Staatsanwalt, überleg es dir, Deuber!« Sie drückte auf die letzte Zahl. Der Rufton summte. Die Luft knisterte vor Spannung, Baths Augen bohrten sich in die Laufmündung, als am ändern Ende die Stimme sagte: »Barrelet, hallo ...? Hallo?«

Sabine zog fragend die Brauen hoch. Deuber nickte resigniert. Sie legte auf.

»Teufelsweib.«

Wortlos öffnete Sabine die Verandatür, ergriff die leere Schnapsflasche und stellte sie auf das Holzgeländer der Terrasse. Dann sprang sie unter die Schlafzimmertür zurück, ging plötzlich mit einem Schrei in die Hocke, riß die Arme hoch und feuerte. Die Flasche zerbarst in tausend Stücke. Die Männer glotzten wie vom Donner gerührt.

Der Knall tat ihr gut. Wie eine Erlösung vom Leid der letzten Jahre wirkte der Schuß. Sabine war am Ende gewesen. Sie hatte vor dem Nichts gestanden. Hatte niemanden, der sich um sie kümmerte, kein Zuhause.

»Ihr braucht mich, ihr Stümper«, stieß sie hervor. Der Pulvergeruch peitschte ihre Lebensgeister auf. »Laßt euch von einem Frauenzimmer übertölpeln und wollt einen Goldbunker ausnehmen! Ich kann nützlich sein, kenne die Polizei, kann Gesichter schminken, Haare färben, aber ich laß mich nicht noch mal auswringen und zum Trocknen aufhängen!«

In der Stille, die folgte, starrte Bath auf die blutverschmierten Scherben, Deuber hob die Patronenhülse vom Boden auf und drehte sie nachdenklich zwischen Daumen und Zeigefinger. »Akzeptiert, Sabine«, sagte er. »Du bist mit von der Partie.« Er reichte ihr die Hand, während Bath mit triumphierendem Grinsen die Tür wieder schloß.

15

Die zwei Männer, die sich im Billardraum der Villa am kleinen Salontisch gegenübersaßen, hatten den Schuß aus dem Bootshaus nicht gehört. Die Tür war verschlossen, das Licht gedämpft, die Wand mit einem weichen hellgrünen Stoff bespannt.

Professor Knocher brachte mit einem ärgerlichen Knopfdruck Beethovens Achte zum Verstummen und lehnte sich, das Glas Bourbon in der Hand, zurück.

Erich Felgen, von schlanker Statur, mit schwarzem, kurzgeschnittenem Haar, musterte mit seinen grün-braunen, giftig schimmernden Augen die verspannte Physiognomie des weißhaarigen Gelehrten. Für einen kurzen Augenblick blitzte die Falschheit des Schakals in seinem Blick auf.

Wichtige Besprechungen verlegte der Professor stets ins Untergeschoß der geräumigen Villa, die er vor fünfundzwanzig Jahren in der Absicht gekauft hatte, seine eigene Privatklinik einzurichten. An den Billardraum grenzte eine Flucht unterirdischer, von der Tageslichteinstrahlung völlig abgeschirmter Zimmer, die mit Ausnahme des kleinen Operationssaals und des Labors kaum noch benutzt wurden.

Knocher hatte die Sprechzeiten seiner gutgehenden und von weither aufgesuchten Augenpraxis in den letzten zehn Jahren zum Leidwesen vieler Patienten drastisch zurückgeschraubt, um sich ganz seiner Forschungsleidenschaft hinzugeben. Ab und zu nahm er in diesem Zusammenhang noch Eingriffe vor. Genauer gesagt, er pflanzte ausgewählten Versuchspersonen ein Siliziumplättchen auf die Stelle der Netzhaut, wo sich die durch die Linsen fallenden Lichtstrahlen zum Brennpunkt bündeln, um die Wahrnehmung des Auges ans Gehirn weiterzuleiten. Die letzte mikrochirurgische Operation dieser Art lag einige Zeit zurück; am Sonntag sollte ein Patient aus Nebraska eintreffen. Felgen spürte, daß der Professor wie auf Kohlen saß.

Die Ankunft des Amerikaners konnte einen allerdings aus der Ruhe bringen. John Metzger gehörte wahrscheinlich zu den vom FBI am schärfsten beobachteten Subjekten in der rechtsextremen Szene der Staaten. Zwar konnte ihm die amerikanische Bundespolizei nicht viel mehr vorwerfen, als daß er die zersplitterten Kräfte der weißen, rassistischen Bewegung Amerikas gesammelt und zur schlagkräftigen Dachorganisation *Weißer Stolz Weltweit* zusammengeschweißt hatte, doch hier vermutete das FBI zumindest die geistige Urheberschaft der Attentate und Bombenanschläge der letzten Jahre, so auch die völlige Zerstörung des Bundesgebäudes in Oklahoma, wo ungefähr zweihundert Menschen in den Trümmern ums Leben kamen. Die Reise John Metzgers nach Genf, wo er sich von Professor Knocher das Siliziumplättchen auf die Netzhautkerbe setzen lassen wollte, konnte für das FBI durchaus ein Grund sein, sich näher für den illustren Professor zu interessieren.

»Die Befreiung Deubers war ein Fehler«, sagte der Professor. »Früher oder später haben wir die Polizei am Hals. Schon begibt sich dieser Schnüffler Vongunten nach Genf, und zu allem Übel schickt das FBI auch noch den besten Agenten in die Schweiz!« Knochers Zähne knirschten.

»Die Befreiung Deubers lief wie am Schnürchen. Besser hätte die heikle Mission nicht ablaufen können«, hielt Felgen dagegen.

Daß nicht alles nach Plan verlaufen war und ein paar Menschen umgekommen waren, konnte den Stasi-Totschläger Felgen nicht erschüttern. Am Ende zählte nur das Ergebnis. Von den Unstimmigkeiten, die bei der Durchführung des Plans aufgetreten waren, brauchte der alte Herr ja nichts zu wissen.

Dieser schien im Moment mit seinen Gedanken in weiter Ferne zu sein. Nach dem Krieg hatte Knocher die Verbindung mit dem Prizzi-Clan rasch zu Ansehen und Reichtum gebracht:

In jener Silvesternacht 1965, als der Weltkurort Gstaad unter meterhohen Schneemassen begraben lag, hatte ihn der Sizilianer im *Palace* in eine ruhige Ecke des Baccarat-Saals geführt, um ihm zu eröffnen, daß er in den USA ein Standbein brauche.

Die etwas marode *Novapharm* bot sich als Beute an. Die von Carl Weideling beherrschte Chemiefirma führte an der Ostküste der Vereinigten Staaten eine Reihe mittelgroßer Tochtergesellschaften, die im Zweiten Weltkrieg als Zulieferer der Rüstungsindustrie ein enormes Wachstum erfahren hatten und zu Beginn der sechziger Jahre noch immer nicht recht wußten, was sie mit den prall gefüllten Kassen anfangen sollten. Carlo Prizzi witterte bereits den Vietnamkrieg und preßte Knocher in den Übernahmepoker hinein.

Während der Sizilianer die gewaltige Entwicklung in der Waffentechnologie voraussah, ließ sich der Professor vom enormen Forschungspotential der *Novapharm* blenden. So sah Weideling sich plötzlich überrumpelt, als die Minderheitspakete an den Technologiefirmen zu Prizzi wechselten. Die Familie willigte wenig später ein, vierzig Prozent der Aktien an den Sizilianer zu verkaufen. Im Gegenzug erhielt sie eine stolze Summe, die ihren Erbschaftsstreit beerdigte. Mit Knochers Berufung in den Aufsichtsrat fand dann die längst fällige Blutauffrischung statt.

Felgens Gedanken waren in die gleiche Richtung gegangen. Ihn beunruhigte nämlich die aus Übersee eingetroffene Information, daß die FBI-Zentrale in Quantico die Schweizerische Bundespolizei gegen die *Novapharm* aufgehetzt habe. Felgens Vertrauensperson bei der Bundespolizei hatte am Nachmittag unter Angabe von Ort und Zeit bestätigt, daß Kommissar Vonguten zu einem geheimen Treffen mit Staatsanwalt Barrelet nach Genf reisen würde. Die Entwicklung gefiel ihm überhaupt nicht. Es galt, mit allen Mitteln zu verhindern, daß der »blutige Gaston« Amok lief. Erich Felgens Killerinstinkt signalisierte Scherereien, und seine kampferprobte Ausbildung in der Vergangenheit gebot ihm, den Anfängen sofort mit brutalem Durchgreifen zu wehren. »Mir behagte die Sache von Anfang an nicht«, sagte der Professor und schob ärgerlich die weiße Tischvase mit dem gelbroten Strauß zur Seite.

Es dauerte eine Weile, bis Felgen vage einwarf: »Wir bewahren also ruhig Blut, nicht wahr?« In zwei Tagen würde die *Novapharm* mit einem Paukenschlag im Gstaader *Palace* vor der versammelten Weltpresse den Sigmund-Knocher-Augenchip auf den Markt werfen. Ein Weihnachtsgeschenk! Die Aktienkurse würden sich verdoppeln. Falls der Professor gute Chirurgenarbeit leistete, würden sie am 23. Dezember über neue, todbringende Augenchipträger verfügen. Und wenn Martin Deuber schließlich hielt, was er versprach, wären sie nach dem dreiundzwanzigsten eine halbe Milliarde US-Dollar reicher.

»Dann gehen wir den Prizzis an den Kragen«, schloß Felgen seine Überlegung ab und schnitt mit den Handflächen durch die Luft. Doch der Professor bremste warnend: »Die Edeltraut in München ist gefährlicher als alle anderen, Felgen! Und warum stochert dieser Israeli auf einmal in alten Wunden herum?«

»Ihre Vergangenheit holt Sie ein, Professor«, erwiderte Felgen kühl. »Jemand hat ein Interesse, die alte Geschichte von Vater und Sohn Bouhler auszugraben.«

»Tot ist tot«, grollte Knocher.

»Der Israeli ist sicher hinter Philipp Bouhlers heimlichem Vermögen her. Ihre alte Nazigeschichte hängt wie Blei an unseren Füßen«, erklärte Felgen emotionslos. Der Professor wog den unbeweglichen Gesichtsausdruck seines Sicherheitschefs ab – konnte er ihm noch trauen? Erich Felgen erhob sich und blickte verächtlich auf den weißen Scheitel hinunter. Den zierlichen Kürbis könnte er mit bloßer Faust zertrümmern, schoß ihm fast genüßlich durch den Kopf.

»Sie treffen die erforderlichen Maßnahmen. Haben wir uns verstanden, Felgen?« sagte Knocher, während er sich ebenfalls erhob, da ihn das Gefühl beschlich, sein Untergebener betrachte sich bereits als Chef der Organisation. »Sind Sie auch sicher, daß es klappen wird?«

»Jawohl, mein Standartenführer«, grinste Erich Felgen, und der Professor packte in einem Wutanfall plötzlich die Blumenvase und warf sie wuchtig gegen den Spötter. Felgen duckte sich behende; das Porzellan zersplitterte am Türrahmen.

Als Erich Felgen wenig später im Obergeschoß unter der heißen Dusche seinen muskulösen Körper in der Spiegelwand zufrieden musterte, heckte er bereits Pläne aus. Die Lust am Verbrechen peitschte ihn auf, während er sich einseifte und den scharfen Wasserstrahl genüßlich auf sein anschwellendes Glied lenkte. Der Gedanke ans Töten geilte Felgen heftig auf. Immer schneller glitt seine Hand hin und her, die Finger spielten mit der

Eichel, während die Todesliste unerbittlich Gestalt annahm. Wie starb ein Staatsanwalt? Im Gerichtssaal? Nein, im Angesicht von Freund und Feind! Die Edeltraut? Ein Nadelstich zwischen die Beine! Der Israeli? Natürlich an den Eiern aufhängen! Ein prikkelndes Gefühl rieselte nach vorne; Felgen massierte kräftiger. Ken Custer? Die Hand verkrampfte sich. Der FBI-Mann Custer müßte bei vollem Bewußtsein qualvoll sterben. Ja! Felgen setzte mit zuckenden Stößen zum Finale an. John Metzger würde seine wahre Freude ... haben, Custer ... zu durchbohren ... John Metzger ...; Felgen beugte sich stöhnend nach vorne.

Später lag er im seidenen Bademantel auf dem Bett und rief über die Gegensprechanlage den Libanesen zu sich. In den folgenden zwei Stunden besprachen sie detailliert die Einzelheiten der nächsten Aktion, während sich Martin Deuber, nur einen Steinwurf entfernt, im Bootshaus breitbeinig vor einer Skizze aus Packpapier, die am Büchergestell klebte, aufstellte und den Überfall auf den geheimen Tresor der Nationalbank erläuterte.

16

Sabine hatte die Spannung entschärft, indem sie sich wieder ganz weiblich gab und ihren gemeinsamen Haushalt für die nächsten Tage plante. Eine gute Stimmung im Haus hing nicht zuletzt davon ab, daß sie bequem einquartiert waren. Sabine schickte Bath in die Küche, um etwas zum Essen zu richten, während sie das Wohnzimmer in Ordnung brachte. Deuber kommentierte ein entsprechendes Ansinnen von Sabine mit einem ironischen Grinsen, griff sich die Rolle Packpapier und versuchte nun, mit farbigen Filzstiften den Einsatzplan einfach und klar darzustellen.

Als Bath Thunfischsalat, Brot, Käse und Rotwein auftischte, lockerte sich die gespannte Atmosphäre merklich. Nach dem Kaffee zündeten sich die Männer Zigarren an, und Deuber holte die Skizze herüber.

»Gstaad ist ein Dorf mit Bahnstation. Das *Palace Hotel* liegt am Hang, wo sich auch die luxuriösen Chalets der Promis befinden. Hier, neben den feudalen Prizzi-Villen, befindet sich der Eingang zur Anlage der Nationalbank.« Deuber zeigte mit einer abgebrochenen Fischerrute auf eine rot umrandete Stelle. »Die schmale Straße, die zur Felsenkammer führt, windet sich wie eine Girlande den Hang hinauf. Am Südhang liegt das Chalet Prizzi Nummer drei. Der kleine Anbau gehört der Nationalbank, die die Bunkeranlage von der Armee übernommen hat.« Deuber strich auf dem Plan über eine weitere Markierung. »Im Gegensatz zur Armee, die sich auf das Nötigste beschränkte, ließ die Nationalbank einen Korridor mit Lift in den Fels hauen, der den Chalet-Anbau mit dem Felslager verbindet. Dieser Zugang ist geheim und mit einer elektronischen Sperr- und Überwachungsanlage ausgerüstet. Die Zufahrt mit kleinen Lastwagen ist bis zum Platz vor dem gesicherten Portal möglich.« Deuber legte die Zigarre hustend in den Aschenbecher und trank einen Schluck Wasser. »Auf der Ostseite, in Richtung der Villa Springer, liegt der Parkplatz, der über die breite Oldenhornstraße zu erreichen ist. Neben den Parkfeldern verbirgt sich der Notausgang.«

Sabine, die als Beifahrerin im Lastwagen vorgesehen war, wollte den genauen Standort wissen.

»Er ist in dem kleinen Gebäude zwischen Wohnhaus und Garagenboxen versteckt. Wenn du genau hinschaust, bemerkst du in den Boden eingelassene Gitter von Luftschächten.«

»Wer bewacht die Anlage?« fragte sie.

»Die Wache ist harmlos. Angestellte der Nationalbank. Sie sitzen hinter dem Portal in einem Vorraum. Nachts, wenn wir zuschlagen, ringen sie mit dem Schlaf. Ihre Aufgabe besteht darin, Besucher am Portal zu identifizieren und das Gittertor zu öffnen. Wir kommen von oben, vom Chalet Prizzi Nummer drei.«

Die eigentliche Schwierigkeit lag in der Sicherheitsanlage im Verbindungskorridor, doch eine halbe Stunde Zeit sollte ihnen genügen, um den Zugang zu öffnen. Dann würden sie hinuntersteigen und die zwei Wächter ausschalten; der Tresorraum sei elektronisch verriegelt – aber Deuber kannte die Zugriffsprogramme. Einmal drinnen, würden sie ausräumen, was das Zeug hielt. »Und am Schluß löschen wir das Licht und fahren auf und davon.« Ein fast jungenhaftes Grinsen überzog sein Gesicht.

»Wir sollten die Ware über den Notausgang hinausbringen«, schlug Sabine vor, die den Ortsplan studiert hatte. Vom großen Parkplatz hinter dem Berg zweigten breitere Straßen ab. Notfalls könnten sie sich durch die Senke davonmachen. Vorne, am Ende der Girlande, steckten sie dagegen in der Sackgasse.

»Ich werd's mir überlegen«, antwortete Deuber, um nicht gleich nachzugeben.

»An Weihnachten ist in Gstaad ganz schön was los«, gab Bath mit der Zigarre zwischen den Zähnen zu Bedenken. Der Troß der High-Society ziehe mit viel Pomp und massenhaft Gepäck ein. Die Hotels und Chalets seien gerappelt voll, die Hauptstraße hoffnungslos verstopft. Auch die Schüler und Lehrer des internationalen Internats am Genfer See zieht es dann nach Gstaad hinauf.

Deuber notierte knurrend auch diesen Punkt. Dann wollte Sabine wissen, wann die Sache steige. Deuber schaute nachdenklich auf seine Uhr und sagte: »In drei Tagen – am dreiundzwanzigsten.«

»Warum gerade am Montag?« fragte Sabine.

Am 23. Dezember gehe im *Palace* die Präsentation der *Novapharm* über die Bühne, erklärte Martin Deuber, indem er die erloschene Zigarre in die Hand nahm. Anschließend gebe der Professor einen Empfang. Für beide Anlässe müsse er einiges vorbereiten, auch Bath werde gebraucht; ihre Fahrt nach Gstaad habe also einen perfekten Deckmantel.

»Beziehst du Quartier im Chalet *Wildhorn*?«

Deuber lächelte: »Sicher, tout confort!«

»Wer ist im *Wildhorn*?« wollte Sabine wissen.

»Professor Knocher. Er hat das Luxus-Chalet total renoviert – mit allem Drum und Dran«, lachte Bath. »Alle Kopfkissen sind mit Edelweißsträußchen bestickt, das Licht im Zimmer geht an, wenn du mit dem Finger schnippst, und das Wasser im Badezimmer gehorcht deiner Stimme aufs Wort: an, aus, heiß, kalt!«

»Im Getümmel der Prominenz wird uns außerdem kein Mensch beachten«, fügte Deuber noch an.

»Wo nehmen wir den Lastwagen her?« fiel Bath ein. Ja, das war der wunde Punkt. Deuber gestand ein, daß weder Fahrzeug noch Fahrer bereitstünden. Er wollte die Organisation nicht aufblähen. Er schlug deshalb vor, einen Dreieinhalb-Tonner zu mieten und ihn selber zu fahren. Bath fand die Idee schlecht, denn Deuber durfte sich nicht mit einem Chauffeursjob die Hände binden. Ihm fiel das Knacken der Sicherheitsanlage zu.

Sabine war noch nie Lastwagen gefahren. Das war zu riskant. Sie zerbrachen sich den Kopf.

»Schwab! Wir fragen Schwab«, rief Bath plötzlich.

Deuber sah ihn fragend an.

»Schwab ist der Besitzer vom Dorfladen. Er hat im Schuppen einen Militärlaster stehen, den er letzten Frühling aus Restbeständen der Armee ersteigert hat.« Deuber war skeptisch. Schwab sei ein Querulant, wußte Sabine. Er habe vor einiger Zeit einen Polizisten zusammengeschlagen, als sie seinen Laden schließen wollten.

»Schwab hat ihm die Fäuste auf die Ohren geschmettert«, präzisierte Bath stolz die Leistung seines besten Abnehmers. »Der Bulle blieb auf einem Ohr taub und mußte den Dienst quittieren. Schwab hat ein paar Monate eingesessen. Schwere Körperverletzung.« Bath warf ein Holzscheit ins Feuer und fügte hinzu: »Er hatte recht.«

»Warum?« fragte Deuber, und Bath erzählte die Geschichte, wonach Schwab vor langer Zeit eine Genehmigung erhalten hatte, um Laden und Scheune aufzustellen. Die Bewilligung war allerdings auf zehn Jahre befristet gewesen, weil der Laden auf einem Planungsgebiet stand. Nach Ablauf der Frist hatten die Bürokraten aus der Stadt Schwab den Abbruchbefehl zugestellt und für den Fall der Zuwiderhandlung die polizeiliche Räumung angedroht.

Schwab, ein Kerl von der Statur eines Bud Spencer, hatte der Staatsgewalt getrotzt, indem er den Dorfpolizisten verdrosch. Das Fernsehen, rechtzeitig zum Tatort gerufen, filmte die Szene. Der rebellische Dorfladenbesitzer stieß in der Öffentlichkeit auf Verständnis, und sein Anwalt boxte ihn durch alle Instanzen. Dadurch konnte er den Abriß der Gebäude vier Jahre hinausschieben. »Letzte Woche erhielt er Bescheid vom Bundesgericht«, setzte Bath den Schlußpunkt. »Er muß abbrechen! In diesem Gebiet liegt ein Grundwasseranschluß. Schwab hat nie eine Chance gehabt.«

»Sein Problem«, zuckte Deuber mit den Achseln.

»Sicher. Aber Schwab ist außer sich vor Wut, weil die Elektronikfirma gegenüber bleiben darf. Die Bude steht sogar zu zwei Dritteln auf der Schutzzone, aber der Besitzer ist der Schwager des Bürgermeisters.«

Sie schwiegen. Deuber konzentrierte sich auf sein Bier, Sabine kuschelte sich in das Ledersofa. Bath entschied: »Ich rede morgen mit Schwab. Und wo nehmen wir die Waffen her?«

»Du verfehlst ja ein Scheunentor auf zehn Meter Entfernung mit deinem schiefen Blick«, lachte Deuber und warf die Zigarre ins Kaminfeuer. »Du bekommst von mir keine Kanone.«

Sabine wollte widersprechen, doch Bath winkte ab. »Schwab ist ein guter Schütze«, meinte er nur.

»Dann frag ihn, welche Knarren er besitzt. Vielleicht paßt eine in unser Arsenal. Wir sollten uns zur Tarnung auch noch Kampfanzüge der Armee besorgen.«

»Bist du eigentlich so sicher, daß du überhaupt in das Chalet reinkommst?« fragte Bath.

»In den Bunker?« Deuber grinste. »Ich habe zufällig das Sicherheitsprogramm geschrieben.« Und er erwähnte in aller Bescheidenheit, daß er einsame Spitze gewesen war. Die Banken rissen sich demnach in der Tat um dieses Computergenie.

Am Projekt der Nationalbank in Gstaad arbeitete Deuber praktisch allein. Sie teilten ihm einen Bundesbeamten als Anstandsdame zu – ein anständiger, etwas naiver Kerl mit Bernhardinerblick. Deuber schrieb nur zwei Kopien des Programms. Eine für sich, eine für die Nationalbank. In die Programmkopie für den Hersteller der Anlagen pflanzte er ein Virus ein und programmierte die »Falltür«; sie sprang sechs Monate später auf und ließ gewisse Daten abstürzen. Der Beamte mit dem Bernhardinerblick begriff bis zum Schluß nicht, worum es ging, und konnte die Software nicht rekonstruieren. Zudem hatte Deuber ein »Protokoll« eingebaut, das ihm später jede Änderung der Zugriffscodes und der Paßwörter mitteilte.

So genau hatte Bath Martins Geschichte allerdings nicht gekannt. »Respekt«, nickte er. »Und wie genau kommen wir rein?«

»Von oben«, sagte Deuber.

»Wachablösungen?«

»Keine. Die Nachtwache hat von neun Uhr abends bis sechs Uhr morgens Dienst. Gefährlich sind nur die Sensoren, die den elektronischen Alarm auslösen.«

»Was passiert im Alarmfall?«

»Die Polizei und der Bereitschaftsdienst des Festungswachtkorps müßten anrücken.«

»Müßten?«

»Na ja, soviel ich weiß, haben die noch nie einen Alarm durchgespielt. Man rechnet nicht damit.«

»Und die Festungswächter?«

»Da haben wir es mit Profis zu tun. Die Burschen sind im Anti-Terror-Einsatz geschult. Gefährliche Nahkampf- und Zerstörungsspezialisten. Mit denen dürfen wir uns nicht einlassen.«

»Und die zwei Wachen im Innern?«

»Wie gesagt, Bankangestellte mit einem Schnellkurs im Schießen und ein bißchen Funkerschulung. Mehr Einbildung als Ausbildung. Ihre Aufgabe ist das Melden von besonderen Vorkommnissen. Die gähnen schon, wenn sie nur daran denken. Die meiste Zeit schauen sie fern. Am dreiundzwanzigsten findet übrigens ein Eishockey-Spiel statt, Spengler-Cup!«

»Und der Alarm?« fragte Bath.

Deuber sah ihn fast mitleidig an. »Den Alarm schalte ich aus.« Dann erklärte er die Tresortür: »Alles ist computergesteuert. Ein kompliziertes Zugriffssystem. Aber ich habe die Unterlagen. Der Datenpfad stand auf dem Blatt aus deinem ›Galileo‹.«

»Klingt mir alles zu einfach«, meldete Sabine Bedenken an.

»Ein guter Plan muß einfach sein«, konterte Deuber etwas überheblich. »Aber keine Angst, Fallstricke gibt es genug.«

Bath sann vielmehr darüber nach, wie er seine Termine koordinierte: Am Montag abend sollte im *Palace* die Show für die Presse steigen, und Bath spielte dabei eine zentrale Rolle. Wenn sie ihren Coup um Mitternacht landen wollten, mußte er sich rechtzeitig verdrücken. Auch Martin Deuber hatte ja offenbar in Gstaad noch zu tun. Was machte er eigentlich für den Professor? »Traust du Knochers Leuten?« tastete Bath sich vor.

Deuber blickte verwundert auf: »Dem Libanesen?«

»Nicht nur. Auch Felgen und den anderen Sklaven.« Deuber sah Bath ernst an. »Ich traue keinem. Felgen und der Libanese sind Killer. Halte deine Augen offen, Bath. Sei vorsichtig in Gstaad. Ohne dich ist ihre Show im Eimer. Sie brauchen dich unbedingt. Aber wer weiß, wie lange noch. Laß dich nicht verscheißern.«

17

Bath hatte bis zum Morgengrauen kein Auge zugedrückt. Unruhig warf er sich hin und her. Kurz nach sieben stand er auf und hielt den Kopf unter kaltes Wasser. Deuber lag auf der Couch und schlief wie ein Stein.

Das Thermometer auf dem Holzdeck zeigte fünfzehn Grad über Null. Bath warf einen prüfenden Blick nach draußen. Die Regenwolken hatten sich entgegen der Wetterprognose verzogen. Eine im Sonnenlicht glänzende Verkehrsmaschine zog einen weißen Kondensstreifen über den klaren Morgenhimmel. Der Schweif blieb lange sichtbar – ein gutes Zeichen: Der Föhn hielt die Schlechtwetterfront in Schach. Der Tag versprach sonnig und mild zu werden, aber der Winter lauerte noch; Bath konnte es riechen, als er sich auf das alte Militärvelo schwang.

In Schwabs Lagerschuppen schnitt er sich die benötigte Länge Tau von der Rolle ab und hob einen klappbaren Anker vom Regal. Er prüfte Mechanismus und Gewicht, dann legte er Tau und Anker auf eine Kiste.

Der laubgrün angestrichene Militärlaster schloß auf der gegenüberliegenden Seite den Lagerraum ab. Bath strich neugierig um das martialische Fahrzeug herum und entdeckte die halboffene Schiebetür. Vorsichtig zwängte er sich hindurch und gelangte in einen separaten Verschlag. Eine Neonröhre beleuchtete flackernd das schwarze Armeesturmgewehr, das neben drei aufeinandergestapelten Magazinen auf der Werkbank lag. Ein alter Autositz lehnte an einem halb geöffneten Container in der Ecke. Bath ergriff das oberste Sturmgewehrmagazin, das mit Patronen gerappelt voll war. Neben einer Pistole mit Flecken von Grünspan lag ein ringförmiger, grau angestrichener Gegenstand. Bath studierte die runde Öffnung in der Mitte, als er hinter sich einen Luftzug spürte.

Schwab stand in der Schiebetür, eine Flasche unter den Arm geklemmt. Die Hand umfaßte zwei Gläser. In der anderen hielt er eine Schrotflinte mit abgesägtem Lauf. »Sprengstoff«, sagte er trocken. Bath setzte das dosenähnliche Objekt erschrocken ab, und Schwab stellte Flasche und Gläser auf die Werkbank. »Aus Armeebeständen«, sagte Schwab und zeigte auf den runden Sprengkörper. »Trink einen Schnaps.«

»Was willst du damit?« fragte Bath und kippte den Schnaps hinunter.

»Schau, du nimmst eine HG«, erklärte Schwab, griff unter die Werkbank in eine Kiste und holte eine Stielhandgranate hervor, »dann schraubst du sie in die Öffnung, und schon hast du eine *Großmutter*. Die Sprengwirkung ist enorm.«

»Wieso *Großmutter*?« fragte Bath.

»Militärjargon für geballte Ladung«, antwortete Schwab.

»Hast du Militärdienst geleistet?« wollte Bath wissen.

»Sicher. Panzergrenadier.«

Bath zeigte fragend auf die Benzinkanister an der Wand neben dem Container.

»Ich gebe diesen Schuppen nicht kampflos auf, Bath. Ich brenne alles nieder und setze diesen bescheuerten Arschfickern die *Großmutter* unter die Eier. Dann eröffne ich das Feuer aus der Stellung hinter der Mauer, tatatatata ...«

Bath wühlte schweigend in den Kleidern im Container, der nach dem aufgeklebten Etikett von einem *Army & Ranger Store* aus Texas stammte.

»Armeeuniformen, Mützen, Stiefel. Würden sich gut verkaufen, Sehen aus wie die Unsrigen. Aber jetzt hat alles keinen Sinn mehr. Das Zeug wird auch gut brennen, wie der Lastwagen«, stieß Schwab grimmig hervor, leerte das Glas in einem Zug, schenkte nach und sank in den alten, dunkelroten Autositz. Die Schrotflinte legte er auf die Oberschenkel und starrte zur Decke.

»Ich muß mit dir reden, Schwab«, begann Bath.

»Hör auf, es hat keinen Sinn, mein Entschluß steht fest«, winkte Schwab ab.

»Es geht um einen großen Coup.«

»Wovon redest du?«

Sie gingen hinaus ins Freie und nahmen den Weg zur sanften Kuppe mit den alten Birken. Sie brauchten für das kilometerlange Wegstück bis zur Baumgruppe fast eine Stunde. Dann setzten sie sich hin, schauten auf den See hinaus und schwiegen. Sie waren sich einig geworden.

18

Als Bath mit der Abmachung in der Tasche zum Bootshaus zurückfuhr, hatte er keine Ahnung von Alex Sadykov. Der Russe schaute entspannt auf das glitzernde Band des Rheins hinunter, als die Tupolev des Nonstop-Fluges SU 265 aus Moskau auf die Landebahn von Zürich-Kloten einschwenkte.

Er stellte die goldene Rolex auf 12 Uhr Lokalzeit, als die Tupolev ruppig landete und die Triebwerke aufheulten. Alles Routine für Sadykov, der zweimal die Woche nach Zürich flog. Er prüfte seinen Reiseplan, blickte erneut auf die Uhr und nickte zufrieden. Die Maschine nach London startete um 14.30 Uhr.

Der Flugkapitän rollte die Maschine zum Standplatz im Terminal B, während ein Flugbegleiter das Gepäckabteil öffnete und Alex Sadykov die schwere Reisetasche aus feinstem Leder herunterholte.

Sadykov verließ das Flugzeug als erster und folgte den Hinweistafeln *Transit*. Den Weg kannte er auswendig. Im Terminal A, immer noch in der Transit-Zone, trat er an den Schalter der *Kreditanstalt*, stellte die Tasche auf den Tresen und stapelte der Kassiererin exakt gebündelte Einhundertdollar-Noten vor das Glasfenster. In jedem Bündel befanden sich einhundert ungebrauchte, brandneue Scheine, die ein Streifband der *Federal Reserve Bank, Manhattan, New York* zusammenhielt. Die *Kreditanstalt* erhielt heute zweihundert Packen. Die Angestellte zählte die Scheine maschinell nach und stellte dem Überbringer eine Kassenquittung über zwei Millionen US-Dollar aus.

Dann verabschiedete sich Sadykov freundlich lächelnd, ging zur Wand mit den Telefonapparaten, zog die Kreditkarte durch den Schlitz, wählte und führte ein kurzes Gespräch. Anschließend setzte er sich an einen Ecktisch im Transit-Restaurant, wo ihn die ältere Kellnerin mit einem freundlichen Lächeln begrüßte und die übliche Bestellung entgegennahm. Zürcher Geschnetzeltes, dazu einen gut gekühlten weißen Lavaux.

19

Ungefähr zur gleichen Zeit, als der Russe Sadykov in Zürich-Kloten den Weißwein kostete, schritt Kommissar Vongunten in Genf zügig den Kai entlang zum Yacht-Club. Er hatte am Bahnhof einen Bus genommen und sich entschlossen, auf der Höhe von Genfs Wahrzeichen, der Wasserfontäne, auszusteigen, da ihm noch genügend Zeit bis zum Mittagessen zur Verfügung stand.

Als Berner besaß er eine Vorliebe für die welsche Schweiz, doch in Genf beschlich ihn immer das Gefühl, als steifer Alemanne belächelt zu werden. Staatsanwalt Gaston Barrelet hatte den Yacht-Club, in dem er regelmäßig verkehrte, als Treffpunkt vorgeschlagen. Man könne sich dort in diskreten Nischen in aller Ruhe unterhalten und das Essen sei auch ganz passabel, hatte er am

Telefon wissen lassen. Daß die Staatsanwaltschaft einen Weihnachts-Aperitif offerierte und der Club von Richtern und Justizbeamten in Ferienstimmung wimmeln würde, verschwieg er.

Einige der Bootsplätze standen leer, Möwen stachen im Tiefflug herab, und der Dunst über dem See hüllte das gegenüberliegende Ufer in dumpfes Dunkelgrün.

Barrelet stand in seiner ganzen Länge mit dem Rücken zur Bar. »Nehmen wir doch noch einen Aperitif«, schlug er vor, als Vongunten zum Tisch in der Nische strebte.

Kurz vor zwölf trudelten die ersten Gäste ein, mehrheitlich Männer. Sie begrüßten den Staatsanwalt respektvoll, der es sichtlich genoß, die Parade abzunehmen.

»Habt ihr Wahlen in Genf?« fragte Vongunten mürrisch und bestellte einen trockenen Martini.

Barrelet winkte einem kleinen Rundlichen zu. »Das ist Péruquin, der Untersuchungsrichter.«

Vongunten studierte die Glatze des Vorbeigehenden. »Der mußte Haare lassen«, spielte der Kommissar auf den Fall Barschel an, der die Genfer Justiz in ihren Grundfesten erschüttert hatte.

Vongunten nahm einen Schluck und kam zur Sache: »Ich wollte dir nichts schicken, die Sache ist zu heikel. Wir können uns keine Indiskretionen leisten.« Der Staatsanwalt nickte und winkte schon wieder gutgelaunt einem Bekannten zu: »Ein Funkamateur ... Entschuldige, was hast du gemeint?«

»Ich habe gesagt, Informationen seien bei euch so sicher wie Wasser im Sieb«, antwortete der Kommissar. Sie setzten sich an den Tisch in der Ecke und bestellten Fisch und eine Flasche Weißen.

»Die Amerikaner haben Hinweise auf Knocher«, setzte Vongunten an. »Er wohnt gegenüber am See. Augenprofessor. Er soll mit dem organisierten Verbrechen zu tun haben.«

Vongunten unterbrach; der Kellner brachte Brot und den Wein.

»Salute«, Barrelet hob sein Glas. »In welchem Zusammenhang?« fragte er dann.

»Computerdelikte. Mißbrauch von Datenverarbeitungsanlagen.«

Barrelet hob die Brauen.

»Die *Novapharm* hat in Nordamerika Forschungsfirmen aufgekauft und Patente zur Verbesserung des Seh- und Denkvermögens angemeldet. Die amerikanische Gesundheitsbehörde meldete, daß Versuchspersonen kleine Computerchips in die Netzhautkerbe eingepflanzt bekamen, die es offenbar ermöglichen sollen, Computerbefehle auszusenden.«

»Wirklich unheimlich«, bemerkte der Staatsanwalt. »Herr Professor Knocher genießt hier einen guten Ruf.«

Der Kellner brachte die Fischfilets mit Kartoffeln. Kommissar Vongunten starrte auf den pompösen Tranchierwagen neben ihrem Tisch, der offensichtlich am falschen Ort stand, und erklärte, Knocher sei auch mit dem Finanzier Eibenknecht verbunden. Sie wollten die Bankunion übernehmen.

Das wisse er, murmelte der Staatsanwalt kauend.

»Am Hauptsitz in Zürich ist die Kontenführung seit heute morgen zusammengebrochen. Man befürchtet, daß andere Filialen betroffen werden.«

»Ein Virus?«

»Die Bank verhält sich zugeknöpft. Aber offenbar handelt es sich um ein Virensystem, das fortlaufend die Operationen lahmlegt.«

Untersuchungsrichter Péruquin lief vorbei und nickte unterwürfig. Der Staatsanwalt winkte ihn heran und flüsterte ihm etwas zu.

»Was hast du ihm gesagt«, wollte der Kommissar wissen.

»Nur ein Einfall. Das Sanitätsdepartement soll die Klinik auf ihre Hygiene untersuchen.«

Der Kommissar machte große Augen. »Welche Klinik?«

»Knochers private Augenklinik. Wir nehmen sie unauffällig in Augenschein«, erklärte der Staatsanwalt.

Der Kommissar seufzte und wandte sich dem Fisch auf dem Teller zu. Morgen steht es in der Zeitung, dachte er bitter. Der Kellner schob endlich den Tranchierwagen zur Seite. Ein Gast am übernächsten Tisch hatte Braten bestellt.

Vongunten fragte den Staatsanwalt, ob er im Bild sei, wie die Gefangenenbefreiung gestern abgelaufen sei.

Es entstand eine peinliche Pause, in der das Gesicht des Staatsanwalts einen gequälten Ausdruck annahm. »Der Justizminister ist für die Knäste verantwortlich«, verteidigte sich Barrelet schließlich, »aber ich habe den Bericht gelesen.«

Warum es überhaupt gestattet sei, mit einem Helikopter in die Nähe zu fliegen, wollte Kommissar Vongunten wissen, und der Staatsanwalt erläuterte schmatzend, daß der richtige Transporthelikopter mit dem Baumaterial eine halbe Stunde nach der Befreiung eingetroffen sei. Die Maschinen waren für die Wärter nicht zu unterscheiden. Im übrigen sei das Zuchthaus schließlich nicht mit Fliegerabwehr ausgerüstet. Theoretisch könne jederzeit eine Maschine den Hof überfliegen. Und als der schwere Betonklotz auf das Stahlnetz niedersauste, habe es zuerst nach einem Unfall ausgesehen.

»Tollkühner Handstreich«, stellte der Kommissar bewundernd fest. »Wie lange hat Deuber gesessen?«

»Nur ein knappes Jahr. Sie hatten ihn zu zehn verknackt. Warum fragst du? Der Fall ist doch abgeschlossen. Die Verbrecher sind tot, zu Fischfutter zerstückelt auf dem Grund des Sees«, lachte Barrelet gekünstelt. Der Kommissar begutachtete kritisch das Stück auf seiner Gabel, ließ die Hand sinken und schob den Teller von sich.

»Deuber war Programmanalytiker, eines dieser Computergenies, Augenblick ...«, er kramte aus der Rocktasche ein Notizbuch hervor und schlug es auf.

»Ich bin zu alt für diese Dinger, früher war die Kriminalität noch ehrlich im Vergleich zu heute.«

Der Staatsanwalt lehnte sich zurück, griff zum Glas und schaute nachdenklich auf den Berner; ein anderer Kellner schob schon wieder diesen Tranchierwagen mit der silbrigen Brathaube in ihre Nähe, stellte er mit halbem Auge fest.

»Hier, ich hab's«, fuhr der Kommissar fort, »Deuber Martin, fünfundzwanzig, geboren in den Staaten, Software-Tester, dringt in Systeme ein, um Fehler aufzufinden.«

»Ja, und ...?« fragte der Staatsanwalt etwas unkonzentriert.

»Nun, er ist der einzige bekannte Spezialist, der den Virus in die Bankcomputer einschleusen konnte. Verstehst du, was ich meine?«

»Sicher – aber Deuber ist tot. Abgestürzt.«

»Tja ...«, Vongunten nickte vage. »Wer untersucht übrigens den Helikopterabsturz? Die Franzosen?«

»Die Franzosen«, bestätigte der Staatsanwalt und winkte den Kellner mit dem Wagen genervt zur Seite.

»Ich habe da eine Vermutung«, sagte Kommissar Vongunten. »Die Befreiung Deubers war das Werk von Profis. Respekt. Aber dann diese unerklärliche Explosion des Helikopters über französischem Staatsgebiet. Das paßt doch irgendwie nicht zusammen. Der Absturz ist nach meiner Meinung ein perfektes Täuschungsmanöver.«

Der Staatsanwalt schaute verdutzt zum Kommissar, der nun auch versuchte, den aufdringlichen Kellner zu verscheuchen. Da öffnete der Kellner die silbrige Brathaube, zog einen Revolver hervor, schoß dem Staatsanwalt in den Kopf, feuerte dann zweimal auf Kommissar Vongunten, der sich zur Seite geworfen hatte, schmiß die Waffe in die Brathaube und rannte am erstarrten Chef de Service und an den zu Tode erschrockenen Kellnerinnen vorbei durch die Flügeltür hinaus.

Motorengeheul durchbrach kurz darauf die Stille im Saal, löste die Erstarrung der Gäste und des Personals. Einige sprangen jetzt auf, jemand schrie »Polizei«. Hinter der Bartheke starrten der Koch und ein tamilischer Küchenjunge entgeistert herüber. Ein rundlicher Gast kroch unter dem Tisch hervor. Es war der Untersuchungsrichter Péruquin. Kreideweiß im Gesicht wankte er in einem Bogen um den Tisch der Erschossenen. »Nichts anfassen«, stammelte er, obwohl sich niemand von der Stelle rührte, stieß mit dem Chef de Service zusammen und schnappte ärgerlich: »Das Telefon, ich muß telefonieren.«

»Jawohl ... draußen ... im Flur«, stotterte der Oberkellner zurück.

Der Staatsanwalt lag auf dem Fisch, die Flasche Weißwein war umgefallen. Kommissar Vongunten war auf den Fußboden gesunken. Ein Kellner bemerkte endlich sein Stöhnen. Er kniete neben ihm nieder und rief zur Theke, man solle eine Ambulanz rufen.

Stimmengewirr setzte ein, einige Gäste setzten sich wieder. Der Appetit war jedem vergangen, aber etwas zu trinken konnte man jetzt weiß Gott gebrauchen. Eine Frau mit silbrigen Haaren trat vor, sagte, sie sei Ärztin und begutachtete den Staatsanwalt: »Tot«, stellte sie fest, dann kniete sie horchend neben den Schwerverletzten: »Rasch, bringt Tücher und Wasser.«

In Zürich-Kloten suchte Alexander Sadykov, nachdem er noch einen Café creme getrunken und der Kellnerin ein nobles Trinkgeld hingelegt hatte, das Transitdeck der Swissair auf und checkte sich für den Flug SR 804 nach London ein. Da er noch genügend Zeit hatte, erstand er im Duty-free-Shop zwei Flaschen Wodka, die er in seine Reisetasche steckte, und glitt langsam auf dem Laufband zum Ausgang A 83, wo die Swissair-Maschine schon bereitstand. Seit seiner Landung waren jetzt zwei Stunden verstrichen. Alex Sadykov hatte keine Paß- oder Gepäckkontrolle passiert. Für die Schweizer Grenzbehörden existierte er überhaupt nicht.

In Gstaad erteilte Serenella Prizzi der *Kreditanstalt* Zürich-Flughafen die telefonische Anweisung, einen größeren Betrag in Schweizer Franken an die Treuhandfirma in Genf zu überweisen. Die restlichen Dollar aus Moskau ließ sie für achtundvierzig Stunden on-call anlegen.

Dann rief sie ihren sechsundneunzigjährigen Großvater an. Der alte Carlo Prizzi, der immer noch einmal in der Woche eine Zigarre paffte, hielt sein Mittagsschläfchen. Serenella ließ ihm ausrichten, daß die Russen gezahlt hätten.

20

Als die Swissair 804 in Zürich-Kloten über die Startpiste donnerte, um nach London abzuheben, starrte in Bern, nur drei Häuserzeilen von der Zentrale der Schweizerischen Bundespolizei entfernt, Emil Bodmer durch die dicken Gläser seiner Hornbrille auf das Aktenbündel mit der Aufschrift *Loewenherz*.

Dem kleingewachsenen Bodmer sah man seine fünfundfünfzig Jahre an, wenn er sich, wie in diesem Augenblick, mit bekümmerter Miene und in sich zusammengesunken durch die spärlichen grauen Haare fuhr. Emil Bodmer war für die *Nachrichtenlosen Vermögen* zuständig. Die brisante Frage nach dem Ausmaß dieser Vermögen in den Banktresoren der Schweiz hatte in letzter Zeit Anlaß zu neuen Spekulationen gegeben. In der Presse las man von einer Milliarde Franken. Bodmer wußte, daß diese Zahl nach dem Kriegsende gestimmt haben mochte – damals waren die Banktresore randvoll mit Vermögenswerten von Ausländern, die vor und während des Krieges Wertpapiere, Gold, Schmuck und Kunst in die Schweiz gebracht hatten. Viele Kontobesitzer kamen im Krieg um, meistens ganze Familien, vor allem jüdische, so daß nach Kriegsende sich niemand mehr um die Vermögen kümmerte.

Auch die Nazis schafften tonnenweise Geld und Gold in die Schweiz; vieles davon fand später seinen Weg nach Argentinien oder Paraguay. Oft gelang es den hinterbliebenen Angehörigen erst nach vielen Jahren, die Rechtmäßigkeit ihrer Ansprüche zu beweisen und die Vermögen der Opfer mit Zins und Zinseszins an sich zu ziehen. Bodmer wußte freilich, daß viele Kontoinhaber aus Angst vor Repressalien nicht einmal ihre nächsten Angehörigen über geheime Vermögen in der Schweiz unterrichtet hatten.

Fünfzig Jahre nach Kriegsende öffneten sich die letzten Archive in den ehemals kriegführenden Ländern. Sogar in Moskau fanden sich Hinweise auf das Schicksal ganzer Familien, verschleppter Juden und geflüchteter Nazis.

Bodmer seufzte. Die Schweizer Banken mußten sich ein weiteres Mal gegen den Vorwurfwehren, sie horteten Milliarden von Holocaust-Geldern, die seit über fünfzig fahren kein Mensch beansprucht hatte.

Jüdische Kreise verlangten eine klare Informationspolitik, und Bodmer stand als Chef der *Abteilung Nachrichtenlose Vermögen* in der Schußlinie. Einen dümmeren Zeitpunkt hätte er sich für die Kandidatur zum Präsidenten der Bankenkommission nicht ausdenken können. Ein kleiner Fehler, Informationen, die durchsickerten, und schon würden die nach Enthüllung gierenden Medien den Skandal genüßlich ausschlachten.

Die Vorstellung, sein Bild in der »Sonntags-Zeitung« unter fetten Schlagzeilen zu finden, jagte Bodmer einen kalten Schauer über den Rücken. Die Landesregierung würde selbstverständlich seine Wahl im neuen Licht betrachten und am Ende seinen Gegenspieler, den vom verhaßten Finanzier Eibenknecht vorgeschlagenen Kandidaten, auf den Posten heben.

Der Anruf des Kriminalkommissars der Bundespolizei versetzte ihn beinahe in Panik. Zuerst hatte Bodmer daran gedacht, die Existenz der Akten zu leugnen, aber dann gewann doch sein besonnenes Wesen die Oberhand. Die Bundespolizei könnte das Dossier hier im Haus auch ohne ihn finden, überlegte er, und dann säße er vollends in der Tinte.

Nach reiflicher Überlegung hatte sich Bodmer deshalb entschlossen, dem Kommissar die Kopien der Akten zu schicken – allerdings ohne die Papiere über Mengele.

Bodmer hatte seine Sekretärin informiert, daß er nicht gestört werden wollte. Zur Sicherheit schloß er noch die Tür ab, dann schnürte er das Aktenbündel auf. Sorgfältig studierte er ein Blatt des Dossiers nach dem anderen. Die Tatsachen ergaben ein klares Bild: Der berüchtigte KZ-Arzt und NS-Kriegsverbrecher Mengele galt gegenüber der Bank seit 1944 als rechtmäßiger Besitzer des Vermögens, das damals hauptsächlich aus Gold und Anlagen in US-Dollars bestand. Bodmer blätterte zurück. Ende 1944 zeigte die Depotbewertung der Bank einen Wert von 3 682 346 Dollar. Von 1945 bis 1955 gelangen Mengele sage und schreibe jährliche Bezüge von hunderttausend Dollar.

Bodmer stand auf und schüttelte ungläubig den Kopf. Wieder fühlte er Panik aufkommen. Der BUPO-Kommissar mußte einen Verdacht hegen, sagte sich Bodmer, denn Ermittlungen der Bundespolizei verhießen nichts Gutes. Das Dossier war Dynamit und mußte verschwinden, entschied Bodmer. In der Ecke seines Büros stand ein Aktenzerhacker, den er selten benutzte. Er packte das Bündel, überlegte, ließ es wieder auf die Tischplatte fallen und sank resigniert in den Sessel. Die Akten waren registriert; es würde ein Leichtes sein, ihn als letzten Benutzer zu identifizieren.

Was konnte er dafür, grollte Bodmer, daß die Banken im Krieg bedenkenlos Nazigelder entgegennahmen. Nichts, gab er sich die Antwort, aber als künftigem Bankkommissionspräsidenten würde ihm kein Mensch verzeihen, daß er dieses trübe Kapitel nicht schonungslos aufgeklärt hatte. Er müßte eigentlich über das Gold im geheimen Tresor in Gstaad informieren und vorschlagen, die rund achthundert Millionen Franken verheimlichter Nazivermögen dem Jüdischen Weltkongreß oder einer ähnlichen Organisation zu übergeben. Aber Bodmer wußte nur zu gut, daß er sich mit einem solchen Schritt dem Verdacht eines reumütigen Komplizen aussetzen würde, der vor spätestens einem halben Jahr in der Pressekonferenz klaren Wein hätte einschenken müssen. Doch damals ließ er verlauten, die Banken hätten keine Kenntnis von Geldern aus Kreisen des Nationalsozialismus seit 1945.

Die Verlagerung der nachrichtenlosen Vermögen aus den Banktresoren in das Felslager in Gstaad war Bodmers genialer Einfall gewesen. Dadurch gewannen die Banken Distanz zu diesem heißen Thema und konnten erklären, sie hätten keine dubiosen Gelder aus dieser Zeit in Verwahrung; die Angelegenheit sei unter Kontrolle der Nationalbank, der die Anlage schließlich gehörte. Und mehr als fünfzig Jahre nach Kriegsende würde kein Mensch mehr opponieren, wenn das Geld ohne Aufhebens in die geplagte Staatskasse fiele.

Bodmer beschloß, das Dossier *Loewenherz* nach Gstaad zu verlagern, wo es auch hingehörte. Offensichtlich hatten seine Vorgänger den Zusammenhang mit dem NS-Kriegsverbrecher Mengele übersehen, sonst müßten die Akten bereits in Gstaad liegen.

Hätten die Idioten damals nicht geschlampt, fiel es Bodmer ein, hätte der Kommissar überhaupt keine Akte *Loewenherz* erhalten; denn über den Inhalt des geheimen Tresors im Berginnern von Gstaad wußte die Bundespolizei zum Glück nichts.

Bodmer nahm den Hörer ab und wählte die Garage an. Während er auf die Verbindung wartete – die Kerle saßen vermutlich schon wieder beim Kaffee –, schnürte er das Aktenbündel wieder zusammen und steckte es in den metallenen Behälter.

»Ja?« Endlich! – Er gab die Anweisung, die Limousine vorzufahren, einen Chauffeur brauche er nicht.

Bodmers Mission war heikel: Er würde das Dossier *Loewenherz* persönlich im Alpentresor der Schweizerischen Nationalbank ins Regal stellen. Während er die elektronische Identifikationskarte aus dem persönlichen Wandsafe nahm und seiner Sekretärin beschied, er sei bis zum nächsten Morgen verreist, nahm er sich vor, im Alpentresor die Registratur nach anderen interessanten Namen Verschollener abzusuchen.

21

Serenella Prizzi

Es lag Jahre zurück ... Gaston Barrelet spürte, wie die Müdigkeit der letzten Semestertage auf dem Seminar lastete. Die schwüle Hitze, die seit Wochen über der Stadt lag, trug dazu bei, daß nur gut die Hälfte der Plätze besetzt war. Die drei Zugpferde unter den Studenten glänzten durch Abwesenheit, und Barrelet kam nur mühsam voran. Der Dialog wollte nicht in Gang kommen.

Barrelets Seminarübungen erfreuten sich sonst unter den Studenten großer Beliebtheit. Der junge Untersuchungsrichter hatte sich an der Universität rasch den Ruf eines brillanten Rhetorikers geschaffen, der seine Fallbehandlungen methodisch geschickt aufbaute und praxisbezogen unterrichtete. In Genf galt Barrelet als leuchtender Stern am Himmel der Strafjustiz: Energisch, temperamentvoll und integer, hatte er sich seit seinem Summa-cum-laude-Abschluß rasch zur Autorität im Strafrecht gemausert. Die sozialistische Partei hatte ihn für den Herbst als Staatsanwalt vorgeschlagen. Der kometenhafte Aufstieg verursachte den Liberalen Kopfzerbrechen. Ihr Kandidat, ein bereits als gesetzt gehandelter Richter am Strafgericht, sah sich plötzlich in Bedrängnis.

Natürlich hing die gedämpfte Stimmung auch mit den Fällen zusammen. An diesem heißen Juninachmittag, kurz vor Beginn der Ferien, wollte sich niemand so richtig am Thema der Sexualdelikte erwärmen. Nur eine einzige Studentin folgte in der hintersten Reihe apathisch der Diskussion; den anderen Seminarteilnehmerinnen war die Erörterung der Vergewaltigung offensichtlich völlig zuwider.

»Wie hat sich die Reform des Sexualstrafrechts auf die Organisation der Gerichte ausgewirkt?« schallte die Frage Barrelets laut über die schläfrigen Köpfe des Rumpfseminars. Niemand regte sich. »Denken Sie an die Zusammensetzung der Richter in bezug auf Geschlecht ...«, suggerierte Barrelet, aber die Köpfe blieben gesenkt.

Da ging die Tür auf, und Serenella Prizzi trat ein. Mit ihr strömte eine Woge des Wohlgeruchs ins muffige Seminar, die Häupter schnellten hoch, bewundernde Blicke schossen auf die südländisch üppige Frau, auf ihren straffen Busen und die phantastischen, von einem luftigen Rock nur knapp bedeckten Beine.

Barrelet erstarrte für Sekunden. Seine geheime Liebe, seine Angebetete, die anzusprechen er viel zu scheu, viel zu verklemmt gewesen war, die er in Träumen gesehen, wegen der er hundertmal masturbiert hatte, stand plötzlich in seinem Seminar. Es verschlug ihm die Sprache.

»Nun«, rettete Serenella die Situation, »ich finde, das Sexualstrafrecht sollte abgeschafft werden«, knallte ihre Tasche auf die Bank und setzte sich geräuschvoll in die erste Reihe.

An diesem denkwürdigen Sommertag änderte das Schicksal des strebsamen, braven Juristen Barrelet seine Bahn. Zunächst verabredeten sie sich zum Abendessen, dann spazierten sie zur Rue St. Leger, wo Barrelet wohnte. Vor dem Reformationsdenkmal umschlang Serenella ihren Begleiter leidenschaftlich und zog ihn hinab auf die Mauer des Wasserbeckens. Sie küßten sich leidenschaftlich und fielen lachend ins seichte Becken. Plötzlich saß Serenella auf ihm. Ihr klatschnasses Kleid verbarg nichts mehr. Sie öffnete seine Hose, nahm sein erigiertes Glied heraus und sog daran. Barrelet hatte noch nie im Leben auf diese explosive, sinnliche Weise verkehrt. Er war wie von Sinnen; von tief unten schoß die Lust in alle Poren, das Gehirn, das Rückenmark, die Beine, die Lenden zerflossen, als sein Samen zum steinernen Antlitz Calvins emporspritzte.

Vor den Pforten seiner Alma mater, im Anschluß an sein Seminar über Sexualstrafrecht, hatte nur das Vorspiel stattgefunden; in seinem Apartment legte sich Serenella auf den Schreibtisch und zog ihn an sich. Für den asketisch erzogenen Untersuchungsrichter brach eine Welt auseinander. Die Lust eroberte seinen Körper, berauschte seine Sinne. Serenella machte ihn verrückt.

Barrelet wurde im Herbst zum Staatsanwalt gewählt, und als ihm Serenella zwei Tage später mit ernster Miene eröffnete, sie sei schwanger, zögerte er keinen Augenblick. Wohlbehütet aufgewachsen und in der strengen Moral Calvins erzogen, gab es für den Kavalier Gaston Barrelet keine andere Wahl, als die geschwängerte Geliebte zu heiraten.

Großvater Carlo Prizzi sandte einen Scheck, die Hochzeit wurde geplant. In Palermo. Die Genfer Öffentlichkeit nahm kaum Notiz von der Heirat; das Paar lebte zurückgezogen. Nach ein paar Monaten traf Gaston Barrelet die schwere Nachricht, daß seine Frau das Kind verloren habe. Er vergrub sich in seiner Arbeit. Das Leben mußte weitergehen.

Es wäre ein Sohn gewesen, hieß es. Barrelet hatte eine Erklärung unterzeichnen müssen, die den Arzt ermächtigte, das Geschlecht des Embryos zu bestimmen. Als gewissenhafter Jurist hatte Barrelet gezögert, weil das Blatt nicht ausgefüllt war, aber Serenella war es peinlich, daß er den Juristen hervorkehren wollte. Also unterschrieb er blanko.

Das war der erste entscheidende Fehler. Der zweite folgte kurz darauf, als ihm Serenella Vollmacht über ihr kleines Bankkonto einräumte, auf das ihr Großvater die Mitgift überwiesen hatte. Barrelet, im Rausch der Flitterwochen, hatte unterschrieben und sich nicht weiter um das Konto gekümmelt.

Gut ein Jahr nach seiner Wahl zum Staatsanwalt führten sie ihm den Film vor: Die farbige Videoaufnahme zeigte die sterile Atmosphäre einer Klinik. Weiße Wände, weiße Tücher, hellgrüne Kittel der Ärzte. Eine Frau lag mit gespreizten Beinen im Gynäkologenstuhl. Der Arzt führte eine Zange in ihre Vulva ein. Die Kamera schwenkte zum Monitor, wo sich der sechs

Monate alte Fötus mit dem Kopf nach unten im Uterus kugelte. Sein Herz pochte. Dann drang die Zange ein und packte zu. Der Arzt drehte den Fötus und zerrte ihn an den Beinen heraus. Die Kamera schwenkte auf den kleinen Körper des Kindes, das bis zum Hals aus dem Mutterleib ragte.

Jetzt setzte der Arzt eine Nadel an den Nacken des Winzlings. Das Körperchen zuckte plötzlich zusammen. Der Arzt vergrößerte die Einstichstelle am Nacken mit einer Schere und setzte ein Röhrchen an. Dieses war mit einer Pumpe verbunden, die der Arzt in Betrieb setzte. Das Gehirn des Neugeborenen wurde abgesogen, der Winzling erschlaffte, der Arzt zog den leblosen Körper zur Gänze aus dem Mutterleib. Die Kamera schwenkte hoch und zeigte das Gesicht von Serenella Prizzi.

»Sie haben der Abtreibung schriftlich zugestimmt«, erklärte Schwager Raffaelo Prizzi gelassen und zeigte dem leichenblassen Barrelet die Erklärung mit seiner Unterschrift.

Am nächsten Tag zeigten sie Barrelet die Auszüge aus dem Bankkonto seiner Frau. Seit der Heirat waren über 95 Millionen Dollar darauf geflossen, und am Ende des Jahres belief sich das Guthaben auf satte 60 Millionen.

»Bestimmt ist dir entgangen, dieses Vermögen und das Einkommen deiner Frau in der Steuererklärung zu deklarieren. Du warst auf diesem Konto zeichnungsberechtigt, und sicher bist du dir bewußt, daß Steuerbetrug kein Kavaliersdelikt ist«, drohte Raffaelo Prizzi.

In diesem Augenblick brach der sonst überlegene, selbstgerechte und loyale Staatsanwalt Gaston Barrelet zusammen. »Was wollt ihr von mir? Was hast du gemacht, Serenella?« stammelte er, und seine Frau wandte sich angewidert ab.

Raffaelo sprach für die Familie: »Entweder du arbeitest für uns, oder wir lassen dich hochgehen«, erklärte er ruhig. Barrelet blieb kaum eine Wahl. Das berufliche »out«, die Ächtung durch die Kollegen, die Universität, die Bestrafung wegen illegaler Abtreibung eines sechsmonatigen Fötus, Steuerdelikte in gewaltigem Ausmaß. Entweder gab er sich die Kugel, was er ohnehin nicht fertigbrachte, oder er spielte mit, in der Hoffnung, seinen Kopf später aus der Schlinge zu ziehen. Doch die Organisation hielt die Zügel straff, und seit dem verhängnisvollen sexuellen Exzeß im Bassin des Reformators war Gaston Barrelet, Staatsanwalt der Republik und des Kantons Genfs, Ehemann der attraktiven Serenella Prizzi, der Organisation hörig: ein willenloses Werkzeug, eine Marionette an den Fäden der bedeutendsten Waffenhändlerorganisation an der Schwelle zum 21. Jahrhundert. Und Genf schlummerte ahnungslos weiter. Die Justiz waltete beflissen ihres Amtes, verhaftete, verhörte, verurteilte ab und zu einen Unschuldigen. Die Welt war für die Rhônestadt in Ordnung. Calvin blickte streng, aber zufrieden auf seine Schäfchen herab.

22

Die Wahl von Barrelet als Informant erwies sich für die Organisation als genialer Schachzug. Wie Serenella Prizzi bald herausfand, vertraute sich ihr Gaston keinem einzigen Freund an. Fest überzeugt, alles im Alleingang bewältigen zu können, gestand sich der selbstgerechte Barrelet Fehler grundsätzlich nicht ein.

Von viel größerem Nutzen als diese Charakterschwäche sollte sich allerdings seine Leidenschaft für den Amateurfunk herausstellen. Schon als siebzehnjähriger Jüngling hatte Barrelet heimlich einen unentgeltlichen Funkerkurs der Armee in der Kaserne der Stadt besucht. Seine Kameraden hätten ihn lauthals verhöhnt, wäre sein Interesse für die militärische Nachrichtenübermittlung herausgekommen, denn anno achtundsechzig galt die Armee unter den jungen Intellektuellen so ziemlich als die verachtungswürdigste aller Institutionen, gegen die die Welle der Auflehnung am heftigsten brandete. Zudem fand sich in der Rhônestadt auch vor und nach 1968 nie eine Mehrheit, die für die Armee einstand. Barrelet mußte also auch diese Leidenschaft unterdrücken.

Als Untersuchungsrichter saß er dann später nächtelang vor seinem Breitband-Kurzwellensender und suchte die Frequenzen nach interessanten Gesprächspartnern ab. Ein Hauptmann der Sicherheitspolizei, der sich durch das technische Interesse des Untersuchungsrichters geschmeichelt fühlte, zeigte Barrelet einige Tricks, brachte ihm die Peiltechnik und die Störmethoden bei.

Als Barrelet zum Staatsanwalt aufstieg, verfügte er zu Hause über ein beträchtliches Arsenal modernster Übermittlungsgeräte, Scanner, Decoder, kurz, bestes High-Tech-Polizeimaterial, das ihm der Hauptmann leihweise zur Verfügung gestellt hatte.

Die teuren Geräte standen auf der Bestandsliste der technischen Abteilung der Kantonspolizei, aber niemand überprüfte sie.

Die Forderungen der Organisation hielten sich zum Glück im erträglichen Rahmen. Ab und zu mußte Barrelet Auskünfte über die Fahndungslisten erteilen, einen zur Verhaftung Ausgeschriebenen davon absetzen oder die Freilassung eines an der Grenze angehaltenen Mitglieds der Organisation anordnen. Die Interventionen fielen aber so gemäßigt aus, daß sich Barrelets Gewissen peu à peu anpaßte.

Er genoß in dieser Zeit besonders den Amateurfunkverkehr mit dem Spanier Conde, der ihn in aller Herrgottsfrühe eines Sommertags mit dem Namen »El Jefe« aufgerufen hatte. Conde entpuppte sich als Berufskollege, und Barrelet fand den unerwarteten Kontakt mit dem spanischen Kriminalisten äußerst spannend. Sie tauschten nach anfänglichen Freundlichkeiten Erfahrungen im Nachrichtenwesen der Polizei aus, erörterten Fahndungsmethoden und zum Erstaunen von Barrelet auch die Sicherheit von Gefängnissen.

Ein paar Nächte später lobte »El Jefe« die Ausbruchsicherheit spanischer Strafanstalten, hob die strenge Zucht der Sträflinge hervor und sagte einen Rückgang der Kriminalität dank abschreckendem Vollzug voraus. »El Jefe« trug nach Barrelets Geschmack zu dick auf, denn die miesen Zustände in den spanischen Kerkern waren allgemein bekannt. Eine Woche lang herrschte zwischen den beiden Funkstille, und Barrelet hatte Zeit, eine angemessene Replik vorzubereiten. Er pries dann bei der nächsten Verbindungsaufnahme während einer stürmischen Novembernacht die Vorzüge der modernen Genfer Strafvollzugsanstalt, hob die verschiedenen Sicherheitszonen hervor, erwähnte den Einzelhaftkomplex, den geräumigen Spazierhof und die Werkstätten, um aufzuzeigen, daß in Genf auf die Wiedereingliederung der Sträflinge großes Gewicht gelegt werde.

»El Jefe« bemerkte anerkennend, er habe von der Musteranstalt schon viel gelesen, und fragte dann nach einigem Hin und Her, ob sie gegen Befreiungen aus der Luft gewappnet seien. Barrelet brachte zunächst kein Wort hervor, »El Jefe« hörte nur Rauschen und glaubte schon, die Verbindung sei abgebrochen, als Barrelet seine Beklemmung fortlachte. Daran habe er noch nie gedacht, gestand der Staatsanwalt durch den Äther, aber die Flugsicherung von Genf-Cointrin habe dieses Problem bestimmt im Griff, ohne Flakgeschütze einsetzen zu müssen. Haha!

Die Renovierung des Ostflügels werde bald beendet sein, fügte Barrelet noch an und verband diese Information mit einer Einladung an »El Jefe«, ihn anläßlich der Einweihung doch zu besuchen.

Serenella Prizzi hatte in jener verhängnisvollen Nacht ihren Auftritt in Barrelets Dachkammer zeitlich hervorragend abgestimmt. Vornübergebeugt, den Kopfhörer übergestülpt, redete Gaston mit funkelnden Augen auf das Mikrophon ein, als sie ihm den Schuh auszog, die Socke abstreifte und an seiner großen Zehe zu lutschen begann. Sie streckte dabei wie damals im Bassin unter Calvins finsterer Miene ihren Hintern frech in die Höhe, und Barrelet bemerkte sofort, daß sie die schwarzen Strapse mit dem roten String trug. Ihre Fingerspitzen strichen elektrisierend über seine Beine nach oben und tasteten neckisch seine pralle Wölbung ab.

Barrelet unterbrach den Funkkontakt ziemlich abrupt, zog Serenella an sich und Richtung Schlafzimmer. Die Prizzi wollte es aber im Funkraum auf dem Kartentisch tun. Der Staatsanwalt fühlte sich nicht nur wahnsinnig erregt, sondern seit langem wieder voller Hoffnung. Die Beziehung zu »El Jefe« schien sich zu einer echten Freundschaft zu entwickeln, und Barrelet nahm sich fest vor, den Spanier bei seinem vorgesehenen Besuch in Genf einzuweihen: Möglicherweise fänden sie zusammen einen Ausweg aus dem Klammergriff der Organisation, auf deren einzigen erfreulichen Aspekt Barrelet in diesem Moment mit lüsternem Blick starrte, als sich die köstlich feuchte Knospe der Prizzi über seine Lippen legte.

Eine Stunde später saßen sie an einem breiten Holztisch und traktierten einen achtpfündigen Hummer, während der Kellner Chardonnay in die Gläser fließen ließ.

»Es ist ein Männchen«, sagte Barrelet und brach ein Hinterbein auseinander.

»Die munden besser«, entgegnete Serenella.

»Prost«, Serenella hob das Glas. »Worüber hast du mit El Jefe gefunkt?«

»Mit El Jefe? Oh – über den Knast«, lachte Barrelet und nahm einen Schluck. »Er spricht ein köstliches Englisch.« Er schnitt eine Grimasse: »*We in Spain do not drink water, do you know why? Because fish fuck in it.*«

Serenella lachte schallend, so daß die Leute an den Nebentischen entgeistert herüberstarrten, und Barrelet schüttete den Wein in einem Zug hinunter.

»Was interessiert dich eigentlich am Fall Martin Deuber?« Serenella angelte ein Stück weißes Fleisch aus dem Hummerbein.

»Martin Deuber?« staunte Barrelet.

»Ja, die Akte Deuber lag auf dem Sender. Hast du mit El Jefe über ihn gesprochen?«

Barrelet legte das Besteck aus den Händen und griff zum Glas. Deuber interessierte ihn brennend. Nicht nur, weil er nicht darüber aussagen wollte, wo das Geld verborgen war. Deuber gehörte zu den wirklichen Genies unter den Verbrechern, die die Netzwerksysteme beherrschten. Barrelet war in der drahtlosen Übermittlung sattelfest, doch quälte ihn das Bewußtsein, daß ihm Deuber einige Nasenlängen voraus war. »Deuber ist ein Phänomen. Ein gefährlicher Gangster und skrupelloser Rechtsbrecher. Und ich komme ihm nicht bei.«

»Weiß dein stolzer Spanier darüber Bescheid?« ließ Serenella nicht locker.

»Nein, er weiß nichts von Deuber«, antwortete Barrelet. »Ich redete zwar mit ihm am Funk über Hacker und andere Computer-Wunderkinder. Doch er konnte mir nicht weiterhelfen. Das sei nicht sein Gebiet.«

»Was machst du jetzt?« fragte Serenella. Der Staatsanwalt schob den Teller zur Seite und zuckte mit den Achseln. Der Kellner legte die Dessertkarten auf den Tisch und räumte die abgenagten Hummer ab. Barrelet dachte an Sabine, seine IM, aber wollte darüber nicht mit Serenella reden. Sabine und »El Jefe« könnten ihm vielleicht helfen, sich aus dem Griff der Organisation zu befreien. »Ich weiß nicht. Wir lassen ihn seine Jahre absitzen, vielleicht singt er eines Tages. Prost!« Der Staatsanwalt kippte den Rest des Weins hinunter und stand auf. »Komm, packen wir's.«

Sie verließen die Hummerbar in aufgeräumter Stimmung, Barrelet wankte leicht und mied die vielbegangenen Gassen mit möglichen Bekannten.

Zu Hause öffnete er eine Flasche Brouilly und erzählte Serenella alles über seinen Disput mit »El Jefe«, erklärte ihr das Hochsicherheitsgefängnis, zeigte ihr die kopierten Blaupausen, die Einsatzpläne der Wachmannschaften und erhob keinen Einwand, als sie die Papiere einrollte und zur Seite legte. Dann preßte sie ihr Knie in seinen Schritt, verkrallte sich derb in seine Hinterbacken und flüsterte ihm obszöne Laute ins Ohr. Sie ließ sich ins Schlafzimmer zerren, legte sich auf den Rücken und schlug ihre Beine um ihn. Er nahm sie, als könne er damit die ganze verdammte Organisation bezwingen.

Barrelet hatte von einem Conde schon in der Kriminalistischen Gesellschaft gehört. Sollte es sich bei seinem Funkpartner um diesen Conde handeln, würde er ihn gern auf seine Arbeiten ansprechen, beschloß Barrelet. In der Zeitschrift fand er einen Artikel über Strafvollzug und die dauernde Verwahrung von Sexualtätern. Mit diesem Postulat lag Conde genau auf der Linie des Staatsanwalts, der Triebtäter im tiefsten Inneren beneidete und sie aus diesem Grunde am liebsten hingerichtet hätte.

»El Jefe« war geschmeichelt, als ihn der Genfer Staatsanwalt auf das Thema ansprach, und gab ihm weitere Textstellen an. Barrelet überprüfte die Hinweise und fand heraus, daß Conde nebenbei an der Universität praktische Kriminalistik lehrte. Der Spanier, schien es Barrelet, war ihm buchstäblich aus dem Äther in den Schoß gefallen.

Er sann darüber nach, ihm zu schreiben, um die Konstellation zu unterstreichen. Doch der Kodex der Amateurfunker verpönte brieflichen Gedankenaustausch, und Barrelet wollte nicht die Etikette verletzen. Auch verwarf er aus Vorsicht eine offizielle Einladung Condes durch das Genfer Justizdepartement. Er wollte »El Jefe« allein empfangen, um mit ihm über seine Schwierigkeiten unter vier Augen zu reden.

Zu seiner Erleichterung stieß der private Charakter des Besuchs beim nächsten Funkgespräch auf uneingeschränkte Zustimmung. Der Spanier meinte, er sei sogar froh darüber, denn über einen offiziellen Besuch müßte er nur einen Bericht schreiben, und er hasse nichts so sehr wie Bürokram. Sie legten das Besuchsdatum fest, und Barrelet begann heimlich mit den Vorbereitungen für das bedeutende Treffen. Serenella verriet er kein Wort. Auch in der Staatsanwaltschaft wußte niemand davon; der Direktion der Strafanstalt wurde der Name des Besuchers nicht bekanntgegeben. Entschlossen, zum Gegenangriff anzutreten, hielt Barrelet die Zügel straff in den Händen.

Am Tage danach traf er Sabine im Bus nach Carouge. Sie standen hinten im Heck, während die übrigen Passagiere Platz genommen hatten. Bevor das Gespräch in Gang kam, bremste der Bus plötzlich scharf. Sie verloren den Halt, und als der Lastwagen den Bus rammte, wirbelten sie nach vorne.

Der Staatsanwalt lag gekrümmt auf dem Fußboden, blutete am Oberschenkel, der Fuß war unter einer Sitzbank eingeklemmt. Sabine riß ihm die Hosen herunter und band die Blutung mit seiner Krawatte behelfsmäßig ab. Sie fand nichts dabei, nur hatte sie nicht erwartet, daß der gestrenge Herr tatsächlich rote Unterwäsche trug.

23

Wir sind in einem Kriegsspiel«, entschuldigte sich der General, als sie im Lift in den vierten Stock fuhren. »Paßt zum Thema«, antwortete Ken Custer. »Wie schlimm ist es?«

»Das Kriegsspiel?«

»Nein, das Leck in Spanien.«

Der General zeigte mit dem Daumen abwärts, sein Gesicht entsprach dem gräßlichen Regenwetter, das seit Tagen über Washington niederging.

Custer hatte am Morgen im Weißen Haus von der Gefahr eines Einbruchs in das Informationsnetz der Vereinigten Staaten erfahren. Die Männer um den Präsidenten, allen voran der Direktor der CIA, der Nationale Sicherheitsberater und Libicki, der Infokriegsexperte im Pentagon, hatten die gleiche trostlose Miene wie der General aufgesetzt.

Im spanischen Nato-Netzwerk mit dem Decknamen COAST gab es eine undichte Stelle, die, glaubte man Libicki, die nationale Sicherheit bedrohte. Der Verräter stammte angeblich aus dem engen Kreis der fünf Eingeweihten, die in jedem Nato-Land die geheime, nationale COAST-Informationszelle bildeten.

Das Leck geriet in doppelter Hinsicht zum Alptraum: Das skandalgeschüttelte Spanien stellte seit einiger Zeit den NATO-Generalsekretär. Eine weitere Affäre fehlte gerade noch. Aber vor allem waren die verratenen Geheimnisse nach Ansicht der versammelten Experten höchstbrisanter Sprengstoff.

Worin die Brisanz lag, hatten sie Custer heute morgen nicht erklärt. Die Männer standen unter großer Anspannung, und Ken Custer vom FBI schien den großen Strategen sowieso fehl am Platz. Keiner sprach darüber, aber es lag in der Luft, daß man ihn für eine Fehlbesetzung hielt.

Doch Custer dämmerte die Bedeutung seiner Mission, als ihn der Präsident am Schluß des Meetings zur Seite nahm. »Sie kennen sich in Europa aus, Ken. Der Direktor vom FBI will Sie in Bern stationieren.«

Custer hob überrascht die Brauen.

»Er wird Sie ins Bild setzen. Das Pentagon glaubt an ein militärisches Komplott mit dem Iran als Drahtzieher. Möglich. Das FBI verfügt über Anhaltspunkte, daß sich das organisierte Verbrechen das Arsenal unserer neuesten Infowaffen aneignen und dem Feind verkaufen will. Sie wissen, dieser High-Tech-Schnickschnack steht unter dem Ausfuhrembargo.«

Custer überlegte, dann sagte er: »CIA und FBI laufen somit aufgetrennten Schienen? Verstehe ich das richtig?«

»Goldrichtig, Ken. Und wir wollen es so beibehalten. Sie berichten nur an Ihren Direktor, notfalls an mich.«

»Noch eine Frage, Mister President, wenn Sie gestatten.«

»Nicht so formell, Ken, schießen Sie los.«

»Warum gehe ich nach Bern und nicht nach Madrid?«

Der Präsident streckte seine Hand in die Richtung aus, wo er das FBI-Gebäude vermutete. »Fragen Sie Ihren Boß, Ken.

Das FBI weiß von einer heißen Spur, die bis in die Schweiz führt.«

Die Lifttür glitt auseinander, und der General führte Custer in einen großen Raum. Das Gebäude diente bis vor kurzem als Zeughaus der Marine, war dann umgebaut und im vierten Stock für die neue Dienststelle bereitgehalten worden, die den bürokratischen Namen *Einsatzgruppe für Zwischenfälle in automatisierten Systemen der Armee* trug.

Der Blick aus dem Fenster fiel auf den weitläufigen Arlington-Militärfriedhof, dahinter zeichneten sich unscharf die Umrisse des Pentagons ab. Das Treiben im Saal bot das Bild einer militärischen Stabsübung. In der Ecke, auf die der General zustrebte, stand als ruhender Pol ein ovaler Tisch. Der Weg dorthin führte durch ein Wirrwarr von Monitoren, Kabeln, Lagekarten, Stühlen, Tischen mit Druckern und jeder Art Übermittlungsgeräten. Und dazwischen schwitzten und gestikulierten Männer und Frauen.

Custer ließ sich in einen Armsessel fallen und betrachtete das Schema, das sie ihm am Morgen in die Hand gedrückt hatten.

Die *Einsatzgruppe* stand in Verbindung mit der DISA, dem neuen Bundessicherheitsamt für militärische Computersysteme in Slidell im Bundesstaat Louisiana.

Custer nickte nur kurz, als sich ein junger Captain zu ihm setzte, und las weiter: *Iran, im Begriff Saudi-Arabien in die Knie zu zwingen, griff zu den subversiven Waffen des Infokriegs, statt die aussichtslose Konfrontation im Wüstensand zu suchen. Mit einem Stromausfall in Kairo fing die Krise an, dann brachen die Telefonsysteme in den Bundesstaaten Pennsylvania und New Jersey zusammen. Im Militärstützpunkt Fort Bragg brach das Telefonsystem zusammen, nachdem über das Internet ein Massenanruf organisiert worden war. Kaum war die erste Sitzung des Nationalen Sicherheitrats beendet, raste der Hochgeschwindigkeitszug New York – Washington in einen fehlgeleiteten Güterzug. In der Ölraffinerie nahe Dhahran in Saudi-Arabien löste Computersabotage eine heftige Explosion aus, während in London Scotland Yard vor einem Virus warnte, das den Zahlungsverkehr im Bankensystem lahmlegen könnte. Schließlich meldete CNN, daß der Iran russische Computerexperten und indische Programmschreiber verpflichtet hatte, um das wirtschaftliche Räderwerk des Westens empfindlich zu stören. Die Börsenkurse in New York und London purzelten in den Keller.*

Custer seufzte und legte das Blatt auf den Tisch.

»Unheimlich, was? – Gary Lafranchi, Pentagon Central Command«, stellte sich der Captain vor.

»Angenehm.« Custer schüttelte ihm die Hand. »Halten Sie das Szenario für realistisch, Captain?«

»Das ist nur der Anfang, Sir.«

»In einem Kriegsspiel ist alles möglich, nicht wahr?«

Der Captain neigte nachdenklich den Kopf zur Seite: »Wir haben hier eine erstaunliche Häufung brisanter Vorfälle. Das Spiel haben die blitzgescheiten Köpfe der *Rand Corporation* konzipiert, wobei das wissenschaftliche Verteidigungskomitee des Pentagons den Ablauf für durchaus plausibel hält.«

Custer durchlief ein kalter Schauder. »Ich glaubte, wir seien für den Informationskrieg gewappnet.«

Im Saal strebten die Leute plötzlich zu einem Punkt in der Mitte; das Stimmengeschwirr schwoll an. Der Captain behielt die Bewegung im Auge, ging jedoch auf Custers indirekte Frage ein: »Unsere Computer sind gegen den Einsatz von Waffen im

Ernstfall gesichert; diverse ausländische Nachrichtendienste haben schon umsonst versucht einzudringen.«

Der Regen fiel dichter; der Militärfriedhof verschwand hinter einem trüben, grauen Schleier. Blitze zuckten.

»Verletzlich sind wir hingegen in zwei Bereichen«, erklärte der junge Captain. »Erstens befinden sich die Computersysteme der militärischen Logistik, also Transport, Ersatzteile, Reparaturdienst, in dürftigem Zustand. Sie werden noch von veralteten Programmen gesteuert.«

»Dann sind also die meisten großen Systeme wie Kraftwerke, Banken, Telefongesellschaften und Flughäfen in Amerika schlecht geschützt. Elektronische Invasoren, die gut organisiert sind und über Geldmittel verfügen, könnten verheerende Sabotageakte lancieren. Genau wie im Übungsszenario. Kommen Sie, schauen wir es uns mal an.«

Das Central Command im Pentagon hatte die Verlegung von Truppen in den Nahen Osten angeordnet, um die Saudis zu stützen. Doch die gestaffelte Truppenverschiebung mit Zehntausenden Tonnen von Ausrüstung, Munition, Waffen, Lebensmitteln, Brennstoff ging drunter und drüber, als ein Computer-»Wurm« im Programm die Daten auffraß.

Aus Deutschland traf am Nachmittag die Hiobsbotschaft ein, daß die Geldautomaten der Deutschen Bank und der Commerzbank Amok liefen. Alle deutschen Banken reagierten mit der Schließung ihrer Geldautomaten. Panik verbreitete sich, als die Leute in München, Frankfurt und Berlin die Bankschalter stürmten, um ihre Guthaben abzuheben.

Ein leitender Angestellter der *Rand Corporation* gesellte sich zu ihnen: »Wir trainieren die höheren Führungskräfte im Pentagon und im Weißen Haus«, erklärte er gelassen.

»Wann fallen die ersten Entscheidungen«, wunderte sich Custer und überblickte das Tohuwabohu im Saal.

»Wir lassen noch einiges laufen«, grinste der General. »Kommen Sie, ich zeige es Ihnen.« Ernster fügt er hinzu: »Einiges von dem, was wir hier durchspielen, hat sich in den letzten drei Jahren tatsächlich ereignet. Wir üben den Ernstfall.«

Custer hatte genau diesen Eindruck. Das Horrorszenario erweiterte sich um eine Flugkatastrophe in London.

Im Cockpit einer britischen Verkehrsmaschine erloschen im Anflug auf den Flughafen Heathrow um 08:33 Uhr die Lichter.

Zwanzig Sekunden später prallte sie auf die Piste. Alle 395 Passagiere kamen ums Leben. Die Islamische Befreiungsfront bekannte sich mit E-Mail an Scotland Yard zur Urheberschaft.

Gleichzeitig fanden die Briten Beweise, daß eine »logische Bombe« die Flugsicherungssoftware der Maschine infiziert hatte. Scotland Yard verhaftete danach zwei Angestellte einer Computerfirma in Manchester, die der Fluggesellschaft die letzten Programmaufwertungen geliefert hatte. Nach den Ermittlungen hatte das Täterpaar kürzlich eine saftige Zahlung von einem Schweizer Bankkonto mit iranischer Verknüpfung erhalten.

Darauf fielen die Telefonverbindungen in Washington aus. Der Nationale Sicherheitsrat hatte Mühe, sich zusammenzufinden, beschloß aber schließlich auf Empfehlung des Central Command, einen massiven Präventivschlag gegen den Iran, der seine Panzerverbände gegen die Saudis aufmarschieren ließ.

Inzwischen standfest, daß unbekannte Cybergangster einen umfassenden Infokrieg gegen die USA ausgelöst hatten. Die Computer der meisten amerikanischen Militärbasen waren weltweit betroffen, indem sie streikten oder ganz abstürzten. Unheil verkündete die Meldung, daß die Bildschirme der Überwachungsflugzeuge der Air Force, die feindliche Panzeraufstellungen orten konnten, zu flackern anfingen.

Die Teilnehmer am Kriegsspiel hatten sich um den General gruppiert.

»Welche Entschlüsse sollte nach Ihrer Auffassung der Oberbefehlshaber in dieser Lage treffen, meine Damen und Herren?« fragte der General.

Nach einer Pause fuhr er fort. »Ich erwarte Ihre Beurteilung in sechzig Minuten.«

Custer war fasziniert. »Das war sehr informativ und sehr beunruhigend. Vielen Dank, General. Morgen sehe ich Colonel Saint.«

»Den alten Crosby! Sagen Sie ihm schöne Grüße!«

Es regnete noch immer in Strömen, als Custer vom alten Marinezeughaus nachdenklich Richtung Stadtzentrum fuhr. Was heute noch ein Spiel mit Tastatur und Maus war, konnte schon morgen bitterer Ernst sein.

24

Ich kann Ihnen nur skizzenhafte Angaben machen«, entschuldigte sich Oberst Crosby Saint am nächsten Morgen im abgesicherten Kommandoraum des hochgeheimen Nachrichten- und Sicherheitskommandos im nördlichen Teil des Bundesstaates Virginia. Custers Augen schweiften durch den matt beleuchteten Raum und blieben unwillkürlich auf einem Plakatanschlag haften.

»Ah, unser Glaubensbekenntnis«, lachte der Oberst im kurzärmeligen Khakihemd mit einem aufgedruckten Netzwerkschema. »Die Weisung ist bereits überholt.«

Direktive TS-3600.1 des Verteidigungsministeriums vom 21. Dezember 1995
Krieg im Informationszeitalter ist eine militärische Strategie, die sich der Informationskriegsführung auf dem Schlachtfeld bedient und auch die physische Zerstörung einschließt. Ihr Ziel ist es, durch zweckmäßige Maßnahmen wie Informationsdiebstahl, verdeckte Systempenetration, Einspeisen falscher Nachrichten die feindliche Kommandostruktur zu enthaupten, sie vom Körper der kämpfenden Truppe abzutrennen und mit Datenzugriff ein feindliches Nachrichtennetz oder die Infrastrukturen total zu paralysieren.

Die Wand öffnete sich, und ein Offizier in weißer Navy-Uniform und den Schulterklappen eines Commanders nickte ihnen zu, während er sich schneidig an ein Bedienungspult setzte. Sogleich übergoß ein tiefblauer Ozean einen Großbildschirm, und als der Commander weitere Handgriffe vornahm, fuhren Raketenkreuzer und Flugzeugträger auf, die sich zu einer Angriffsformation vereinigten.

Custer starrte fasziniert auf die virtuelle Realität eines Flottenmanövers im Atlantischen Ozean.

»Die Seekriegsübung findet in diesem Augenblick statt«, belehrte der Oberst. »Das identische Bild sieht der Flottenkommandant auf seinem Bildschirm an Bord der *Enterprise.*«

Custer löste sich widerwillig vom imposanten Spektakel und folgte Oberst Crosby Saint.

»Wenn demnächst ein Diktator eines modernen Babylon, sagen wir Teheran oder Tripolis, einen amerikanischen Verbündeten bedroht, etwa Saudi-Arabien oder Israel, werden die Vereinigten Staaten nicht gleich Legionen von Soldaten und ganze Armadas von Kriegsschiffen hinschicken«, begann der Oberst, während er Kaffee in zwei weiße Becher goß und auf den kleinen, grünen Metalltisch stellte. »Washington wird statt dessen dem Diktator die modernen Plagen aus den Computern auf den Hals hetzen.« Der Oberst schlürfte Kaffee. »Am Anfang pflanzen wir dem Aggressor ein Computervirus in die Telefonzentralen seines Landes. Als Folge davon brechen alle Verbindungen großflächig zusammen. Als nächstes legen wir ihm ein paar logische Bomben, die so geschaltet sind, daß sie zu vorbestimmten Zeiten die elektronischen Steuerungssysteme des öffentlichen Verkehrs zerstören.«

»Ein Angriff auf die zivilen Strukturen?« fragte Custer.

»Nein«, widersprach der Oberst, »das Ziel sind militärische Transporte und Truppenverschiebungen.«

Custer stellte den Kaffeebecher ab und notierte weiter.

»Ungefähr um diese Zeit erhalten die gegnerischen Offiziere im Feld die ersten Anweisungen über Funk, ohne zu merken, daß die Befehle falsch sind, weil sie von uns stammen. Ihre Truppen verzetteln sich wirkungslos in der Wüste.«

Custer setzte ein breites Grinsen auf und blickte zum Bildschirm, wo im letzten Sonnenlicht ein Großraumflugzeug mit einer riesigen Satellitenschüssel auf dem Rumpf über schmutziggelben Wolken schwebte.

»Aus unseren speziell für die psychologische Kriegsführung ausgerüsteten Flugzeugen werden wir die Fernsehsender stören und unsere Propaganda, die das Volk gegen ihren Herrscher aufhetzt, einspeisen.«

»Wenn der Diktator schließlich seinen eigenen PC startet, stellt er fest, daß sich seine gehorteten Dollarmillionen auf dem Schweizer Bankkonto in Nichts aufgelöst haben. Der Mann ist geschlagen, ohne daß ein einziger Schuß abgefeuert wurde.« Begeisterung klang aus den Worten des Oberst. »Unblutige Vergeltung«, schloß er. »Wir stoppen den Krieg, bevor er anfängt.«

Custer überlegte. Nach dem Szenario des gestrigen Kriegsspiels rechnete auch Washington mit massiven Angriffen auf die lebenswichtigen Verbindungsnetze der öffentlichen Dienste. Laut sagte er: »Machen die Wunderwaffen des Informationskriegs die konventionellen Streitkräfte obsolet?« Der Oberst nickte begeistert: »Die Informationstechnologie wird das Gefechtsfeld umwälzen, wie die Panzer dies im Ersten Weltkrieg und die Atombomben im Zweiten getan haben.«

Custer hatte Mühe, dieser Version zu vertrauen; war man wirklich so weit, auf Atombomben und biologische Waffen zu verzichten, wenn man sich auf dem Wege der Informations- und Kommunikationssysteme angegriffen fühlte?

»Diese Computerbomben, die den Verkehr lahmlegen ...?« setzte er nochmals an.

»Schauen Sie«, unterbrach der Oberst und zeigte auf das Schema am Bildschirm. »Die logische Bombe wird in die Nähe des zentralen Computers gelegt. Die Flugsicherung auf dem Flughafen fällt aus. Sehen Sie. Dieses Flugzeug stürzt ab. Eisenbahnzüge mit militärischem Nachschub bleiben stehen. Das sind nur ein paar Beispiele.«

»Und was bedeutet dieses Bild?« fragte Custer und zeigte auf den Bildschirm daneben.

»Ah, das ist die Spitze«, rief der Oberst. »Elektromagnetischer Puls, EMP.«

»Ein nuklearer elektromagnetischer Puls?« fragte Custer stirnrunzelnd.

»Nein, nicht nuklear. Schauen Sie. Dieser Soldat gehört zu einem Kommando, das die feindliche Hauptstadt infiltriert und hier, neben diesem Gebäude, eine EMP-Bombe in der Größe eines Reisekoffers versteckt. Das Gebäude auf dem Bild ist die Zentralbank. Wenn der EMP zündet, frieren elektromagnetische Strahlen die Bankcomputer ein und das Finanzgeschäft des Landes kommt zum Erliegen.«

»Genial«, bemerkte Custer. »Aber Computerviren und EMP lassen sich nicht aus der Luft einsetzen. Wie gelangen Sie an die Zentraleinheiten heran?«

Der Oberst überlegte, während der Widerschein der EMP-Bombe einen roten, sternförmigen Fleck auf seine Stirn warf. »Ihnen kann ich es sagen, Sie kennen ja die Firma. Die CIA verfügt über geschulte Leute, um rechtzeitig ein Virus am richtigen Ort einzusetzen. In der Wahl der Mittel sind die Burschen nicht zimperlich.«

Custer nickte abwesend. Trotzdem zweifelte er. Er hatte lange genug draußen im Feld gestanden, um zu wissen, daß nie alles nach Plan verlief. Etwas blieb immer noch zu tun. Auch der Infokrieg würde nicht lückenlos sein können. Der Feind konnte die gleichen Mittel einsetzen und mit Hilfe vernetzter Kleincomputer, mobiler Telefongeräte und Videokonferenzen seine Kommandozentralen verschieben. Einige Befehle an die Truppen würden immer durchgehen.

»Wie sieht eigentlich der Soldat auf dem modernen Schlachtfeld aus?« fragte Custer.

Der Oberst grinste und drückte eine Taste. *Ausrüstung für den Infokrieg* stand über dem utopisch anmutenden Soldaten im Tarnanzug. »Wichtig ist der Kampfhelm«, erklärte der Oberst. »Hier empfängt der Soldat die letzten Nachrichten. Vorne hängt das Nachtsichtgerät und der Minibildschirm für den Computer, den er mit der Stimme aktivieren kann. Interessant ist dieser Teil des automatischen Gewehrs.« Der Oberst zeigte auf einen optischen Aufsatz. »Dieses Gerät sendet laufend Standbilder an das Oberkommando mit Informationen über die Gefechtslage und ...«

Custer winkte ab. »Sagen Sie mal, Oberst, wenn jeder Soldat elektronisch mit dem Oberkommando verbunden ist, braucht es Sie ja gar nicht mehr. Ich meine die Offiziere und all die Stäbe, die die Befehle nach unten weitergeben.«

»Völlig richtig«, bestätigte der Oberst. »Im Jahr 2010 haben wir das Schlachtfeld digitalisiert. Soldaten und Waffensysteme sind vernetzt. Viele Kommandostrukturen werden wegfallen.«

Der Oberst schwieg. Nach einer Pause fügte er fast traurig hinzu: »Es gibt auch Nachteile. Die Streitkräfte verlieren etwas an Schneid. Es ist einfacher als Jetpilot ein Mädchen aufzureißen, als wenn Sie am Computer eine Staffel unbemannter Dronen kommandieren.«

Custer schaute sich um. Sie waren mit dem Lift weit ins Untergeschoß gefahren. »Wie sicher sind Ihre Informationen?«

Das Antlitz des Oberst verdüsterte sich. Das Problem liege nicht in diesem Raum, nicht in Virginia oder den Vereinigten Staaten. »Europa ist das Sorgenkind. Die Nato-Streitkräfte sind an unser Infokrieg-System angeschlossen. Wir nennen es COAST.«

Aus den Augenwinkeln sah Custer über den Schultern des Commanders eine Warnung rot aufblinken: *Rufen Sie den Admiral!* und deutete belustigt hinüber.

»Der Computer analysiert laufend die Lage«, erklärte der Oberst. »In heiklen Situationen verlangt er eine übergeordnete Entscheidung.«

Custer hob staunend die Brauen und wandte sich wieder dem Oberst zu: »COAST haben Sie gesagt?«

»Ja, richtig, *COAST* steht für *Cyber Operational Attack Systems*. Die Geheimhaltung ist besonders in Ländern wie Portugal, Griechenland, Spanien erschwert. Bis jetzt ist aber noch kein Schaden entstanden. Klopfen wir auf Holz.«

»Wird gemacht«, sagte Custer und klopfte an seinen Schädel. Der vertraute Witz lockerte die Stimmung; schmunzelnd gingen die Männer zum Lift.

»Ich habe gehört, Sie fliegen noch heute nacht in die Schweiz. Falls Sie etwas brauchen, können Sie mich jederzeit anrufen.«

Der Oberst gab ihm seine Karte mit der direkten Nummer. »Zunächst fliege ich nach München«, informierte ihn Custer, als der Aufzug nach oben schoß. »Ich treffe dort mit Leuten des Bundeskriminalamts zusammen.«

25

München, Samstag, 21. Dezember

Bundeskriminalkommissar Wettländer lehnte sich in der lichten Empfangshalle des Franz-Josef-Strauß-Flughafens über den Informationsschalter im Sektor A. Die fast kahlgeschorene, pausbäckige Kriminalassistentin zog das Funkgerät aus der Lederjacke und rief das Präsidium: »Die Maschine hat Verspätung. Schicken Sie einen Wagen in die Walhallastraße. Zirka in einer Stunde.«

Wettländer fuhr überrascht herum.

»Nein. Ich gehe allein. Cut. Danke.« Sie steckte das Gerät ein.

»Sind Sie verrückt, Mensch?« Der sonst besonnene Wettländer konnte seinen Ärger nicht verbergen. Der Tag hatte ohnehin schlecht begonnen. Weigel, sein bester Fahnder, lag mit Grippe im Bett, dann meldete sich diese halbrasierte Gans, die in der »Gruppe Sexualdelikte« ihr Unwesen trieb, zum Dienst, quatschte ihm auf der ganzen Fahrt den Kopf voll mit unwichtigen Dingen und hatte schließlich vergessen, die Ankunftszeit der Maschine aus New York anzufragen. Jetzt standen sie da wie die Ölgötzen, eine satte Stunde zu früh. Und um das Maß voll zu machen, funkte der Männerschreck jetzt noch sensible Informationen in der Gegend herum.

»Ich habe um zehn einen Lokaltermin in Schwabing. Sie müssen wohl allein in die Walhallastraße. Tut mir leid.« Sie steckte ihre Hände in beide Rocktaschen. »Aber Sie haben ja diesen Amerikaner dabei.«

Wettländer beschlich ein unheilvolles Gefühl, als er zur Anzeigetafel starrte, doch vermochte er den Grund dafür nicht zu orten. Seine Assistentin quasselte schon wieder: »Dieser Buster wäre besser mit der Lufthansa geflogen. Dann könnten wir uns das Warten sparen.«

»Es gibt keine direkte Lufthansa-Maschine aus New York«, schnaubte Wettländer. »Ihrem Gestümper habe ich diese Zeitverschwendung zu verdanken.«

»Ich sehe sowieso nicht ein, wozu ihr mich heute braucht.« Grollend schob sie ihre Dienstpistole zurecht. »Ist dieser Buster vom Geheimdienst?«

»Ken Custer ist beim FBI, Frau Putz.« Wieder jagte Wettländer ein unangenehmer Gedanke durch den Hinterkopf. »Er legt Wert auf eine wirksame Unterstützung durch die Münchner Polizei.«

Wo lag die Gefahr? Seine jahrzehntelange Routine ließ ihn eine Unstimmigkeit vorausahnen.

»Ich warte draußen«, entschied die Putz und watschelte durch die Glastüren zur schnellen BMW-Limousine auf dem reservierten Parkplatz.

Die Boeing 767 des Nonstop-Flugs Delta 76 New York JFK – München befand sich zu diesem Zeitpunkt im Anflug. Ken Custer saß in der dritten Reihe am Fenster, stocherte abwesend im kalten Rührei, während er im Knocher-Report nochmals die Angaben über Erich Felgen studierte.

Das Labor in der FBI-Zentrale von Quantico hatte die Schnappschüsse von Kommissar Vongunten am Computer analysiert und war zu einem erstaunlichen Schluß gelangt. Sollte sich der Verdacht bestätigen, drohte Gefahr. Custer schaute nachdenklich zur Leinwand hinüber, wo ein Film über München lief: Die Türme der Frauenkirche ragten in den tiefblauen Himmel, Touristen lachten auf dem Marienplatz.

Das FBI hatte Erich Felgen als Teilnehmer am geheimen Treffen der *Stormfront* im Bundesstaat Nebraska identifiziert. Custer betrachtete die Teleobjektivaufnahmen genauer. Der mit einem weißen Kreis markierte Felgen überragte die Köpfe der anderen Männer in Kampfanzügen. Das nächste Bild zeigte am Rande eines verlassenen Feldes mehrere Gruppen, die mit Waffen hantierten. Die *Stormfront* gehörte nach Ansicht des FBI als paramilitärischer Arm zur rechtsextremen Dachorganisation *Weißer Stolz Weltweit*. Die daran angeschlossenen Bürgermilizen rekrutierten sich aus sehr verschiedenen rassistischen Organisationen: *Ku-Klux-Klan, Weißer Arischer Widerstand, Amerikanische Nazi-Party, Weiße Patrioten, Populisten, Posse Comitatus, Neonazi* und einem Sammelsurium von Staatsverdrossenen.

Im Werbefilm der Delta Airline 76 zeigte sich ein farbiges, fröhliches München unter strahlendem Himmel: Ein Reisebus hielt vor der alten Pinakothek, im Hofbräuhaus stießen Bierhumpen aneinander, dann schwebte die Kamera über das Olympiastadion, drehte sich um den Turm, stieß in den Englischen Garten hinunter und führte in das Haus der Kunst.

Die Maschine tauchte in dichte Wolken, Custer steckte die Papiere ein, stellte die Armbanduhr auf 8.45 und starrte in das milchige Weiß hinaus. Regentropfen zerliefen auf dem Kabinenfenster, als die Boeing 767 auf der Piste aufsetzte. Als Ken Custer nach dem Zoll Kommissar Wettländer herzlich die Hand schüttelte, rief der Israeli Harel in der Innen-Stadt gerade bei *Gomulka: Schlüsseldienst, prompt und diskret* an. Vermutlich Pole, hatte er sich notiert.

Der Israeli hatte die Wohnung von Edeltraut Stenz am Vorabend aufgespürt, mußte aber zu seiner Überraschung feststellen, daß die Eingangstür mit gelbschwarzen Bändern der Münchner Kriminalpolizei versiegelt war. Als er sich bei der Nachbarin, die durch den Türspalt spionierte, nach Frau Stenz erkundigte, griff sie achselzuckend mit saurer Miene zur Kehle und machte eine schneidende Bewegung. Dann schloß sich die Tür.

Im Hotel *Budapest* hinter dem Hauptbahnhof hatte er in den gelben Seiten nach einem Schlosser gesucht. Der erste, den er erwischte, stellte zu viele Fragen. Der Israeli hängte auf. In der zweiten Firma nahm keiner ab, es war spät geworden. Ein Schlüssel-Schloß-Service wollte wissen, ob er Mieter sei? Nein, Besitzer, schwindelte er. Name und Adresse? Harel hängte auf.

Gomulka sah die Sache zum Glück von der praktischen Seite: »250 Mark in bar«, sagte er. »Wann?«

»Gleich.«

»In Ordnung.«

Als Gomulka das Versiegelungsband sah, wich er zurück. Ohne ihn, das sei Polizeisache, bemerkte er mit Entschiedenheit.

»500 Mark?«

»1000 Mark, und wir haben uns nie gesehen«, feilschte der Pole.

»Einverstanden.«

Gomulka zog Handschuhe an. Hinter der Tür nebenan schlurften Schritte heran.

»Machen Sie schnell, bitte.«

»Ich kann das Schloß aufbrechen, aber die Spuren nicht beseitigen«, erklärte er und hob die schwere Zange hoch.

»Oder?«

»Auf die feine Art mit dem Spezial-Wendeschlüssel. Dauert etwas länger.«

Wieder das Schlurfen. Als unten im Korridor die Tür quietschte, gab der Israeli mit grimmigem Blick das Zeichen zum Aufbrechen. Gomulka setzte das Werkzeug an, die Tür stand offen.

Rafi Harel tastete sich in den dunklen Flur, fand eine Türklinke, einen Lichtschalter und blickte auf zwei rot gepolsterte Sessel vor einem dunkelbraunen Bücherregal. Gegenüber stand ein Anrichtetisch samt einer Vase und einem Fotorahmen mit der Inschrift *Italien 1963:* Drei Frauen und zwei Männer winkten fröhlich aus einer Gondel. Darüber an der Wand hing ein Bild. Der Israeli schaute es genauer an. Auf der vergilbten Fotografie standen zwei lachende Männer dicht nebeneinander auf einer breiten Treppe, im Hintergrund Säulen; der eine in der schneidigen Uniform der SS, der andere mit breitkrempigem Hut und flottem Anzug. Darunter stand in verblichener Handschrift: *Hermann und Philipp, Berlin, 1. September 1939.*

»Kriegsbeginn«, murmelte der Israeli, hängte das Bild ab, öffnete den billigen Wechselrahmen und steckte die Fotografie ein.

In diesem Moment spürte er den Luftzug und fuhr herum. »Hände hoch!« Aus der Faust des Mannes im Türrahmen glänzte die Revolvermündung. Sein Blick durchbohrte den Israeli. »Umdrehen«, befahl der Fremde und tastete ihn professionell ab, prüfte den Inhalt der Brieftasche.

Der Israeli wagte einen Blick zurück. Der Mann hatte die Waffe in die Tasche gesteckt und schaute ihn mit frostigem Blick an. »Sie liegt im gerichtsmedizinischen Institut. Vermutlich vorgetäuschter Herzanfall«, sagte der Fremde.

»Wer sind Sie, wovon sprechen Sie?« stammelte der Israeli. Draußen im Treppenhaus blieb es ruhig.

»Ken Custer, Spezialagent FBI. Wir untersuchen zusammen mit dem Bundeskriminalamt diesen Todesfall. Und jetzt kommen Sie besser mit, Herr Harel.«

Sie wandten sich zur Tür, als Custer, immer noch die Waffe in der Hand, alarmiert innehielt. Unten fiel die Tür ins Schloß.

»Bleiben Sie hier«, zischte er, stürzte aus der Wohnung und rannte die Treppe hinunter. Als er unten die Eingangstür aufriß, bemerkte er auf dem Parkplatz eine große, schlanke Gestalt am Wagen von Wettländer. Fast gleichzeitig vernahm er das unverkennbare Ploppen von schallgedämpften Schüssen. Die Gestalt duckte sich und setzte sich in Richtung der Straße ab.

Custer preschte nach vorne, um dem Killer den Weg abzuschneiden, sah ihn über die Fahrbahn rennen, sprang in Schießstellung und wollte feuern. Da fuhr ihm eine Radfahrergruppe in die Schußlinie. Custer biß sich fluchend auf die Lippen, zielte erneut, die Gestalt war auf der anderen Seite im Park verschwunden.

Wettländer lag ausgestreckt neben dem Wagen auf dem Rücken. Eine Kugel saß mitten zwischen seinen weit aufgerissenen Augen.

Der Polizei-BMW hatte kurz vor den tödlichen Schüssen am Beginn der Walhallastraße angehalten, wo die Assistentin Putz in den bestellten Wagen umstieg. Auf dem Vorplatz des Hauses, wo die Stenz wohnte, beharrte Wettländer darauf, noch zu telefonieren, um die Angaben aus der Gerichtsmedizin zu erfahren, während Custer sich im Gebäude umsehen wollte. Dann rief das Präsidium an, bei der Stenz werde eingebrochen. In diesem Augenblick wußte Wettländer, daß ihm die innere Stimme den ganzen Morgen geraten hatte, vor der Fahrt zum Flughafen die Wohnung der Stenz aufzusuchen und einen Beamten abzustellen. Weigels Ausfall und das Warten auf die Putz hatte ihn zur Planänderung verleitet. Ärgerlich öffnete Wettländer die Wagentür, als das Telefon erneut klingelte. Es war Weigel mit Informationen über Felgen.

Wie die Rekonstruktion des Tathergangs später ergab, zeigte sich Wettländer über den Anruf seines Fahnders überrascht. Es fielen kernige Sprüche, dann, um 10.12, wie Weigel zu Protokoll gab, plötzlich Schüsse. Wettländer erfuhr nie, daß Erich Felgen mit dem 1989 vor der Wende untergetauchten Stasi-Spezialagenten Franz Laskerny, dem der Bundesnachrichtendienst die Ermordung fünf seiner Agenten anlastete, identisch war.

Der Untersuchungsrichter nahm an, Wettländer habe sich durch den Anruf Weigels einen kurzen Moment ablenken lassen, was dem Killer genügte, ihn aus nächster Nähe in Kopf und Herz zu schießen.

Harel trat zögernd aus dem Hauseingang.

»Sie sollten doch oben bleiben«, fuhr ihn Custer an.

»Was ist geschehen?« fragte der Israeli atemlos.

»Jemand wollte Sie umbringen. Eine Falle«, sagte Custer.

»Wer wo-wollte wen um-umbringen?« stotterte Harel.

»Gehen wir«, befahl Custer und zerrte den Israeli unsanft zur Fahrbahn, dann nach rechts zur Wotanstraße.

»Wie kommt es, daß Sie als Sohn von Loewenherz plötzlich Harel heißen?« überschrie Custer den Straßenlärm.

»Der Name meiner Mutter«, erwiderte lauthals der Israeli, als ein Taxi anhielt.

»Hotel Vier Jahreszeiten, bitte«, sagte Ken Custer und glaubte dem Israeli kein Wort.

26

Die COAST-Informationszelle der Schweiz bestand aus drei Personen, die gemäß Nato-Standard direkt dem Generalstabschef unterstellt waren. Selbst der Verteidigungsminister, dessen Büro in Bern sieben Stockwerke über dem COAST-Kommando lag, wußte über die neue, supergeheime Informationskriegsabteilung (IKA) nur gerade, was er wissen mußte.

Der fünfunddreißigjährige Roost hatte den Lehrgang an der DISA, dem Bundessicherheitsamt für militärische Computersysteme in Slidell, Louisiana, absolviert.

Neben Roost saß Pascal Petitbeurre, dem die bekannte Keksfabrik seines Großvaters den Spitznamen »Bisquit« eintrug.

Bisquit, der kaum die militärischen Ränge unterscheiden konnte, trug am hellblauen Uniformhemd die Rangabzeichen eines Leutnants, obwohl er nur die Hälfte der Offiziersschule bestanden hatte. Nach dem Sprung von einem Hausdach während einer Nahkampfübung landete er mit einem komplizierten Beinbruch im Militärspital, wo ihm nach zwei Wochen der Generalstabschef den geheimen Marschbefehl überbrachte.

Die dritte im Geheimbund hieß Janet McCauley und war vor Jahren mit ihrem Vater, einem Physiker und späteren NASA-Astronauten, nach Kalifornien übersiedelt, um in einem Waffenzentrum der Navy an der Entwicklung einer neuen Generation von Feuerleitsystemen mitzuwirken.

Die schweizerisch-amerikanische Doppelstaatsbürgerin durchlief danach eine harte Ausbildung an der Militärakademie »Citadel« in Südcarolina, einer Männerbastion, in die sie dank glänzender Resultate bei der Aufnahmeprüfung aufgenommen worden war, ohne daß ihr Geschlecht bemerkt wurde. Nach dem umfassenden Training ähnlich dem der Marines und Ranger kehrte Janet ins Silicon Valley zurück. Inzwischen war ein gewisser Rear Admiral Nettly, seines Zeichens Leiter des wissenschaftlichen Rates im Pentagon, auf sie aufmerksam geworden und machte ihr ein Angebot.

McCauley lehnte ab und beschloß, in die Schweiz zurückzukehren. Sie erhielt in der Schweizer Armee den Grad eines Oberleutnants und bildete mit Bisquit und Roost die geheime Zelle für elektronische Kampfführung.

Die IKA genannte Operationszentrale fand sich auf keinem Organigramm der Generalstabsabteilung. In der Militärverwaltung tauchte Anfang der neunziger Jahre eine »Info-Koordinationsstelle für das Ausland« auf, über die ein Teil der Gehälter für Roost, Bisquit und McCauley bezahlt wurde.

Die IKA war online mit der amerikanischen Zentrale, dem Special Digitalized Intelligence Center (SDIC), in Virginia verbunden.

»Wir haben ein Virus«, sagte Bisquit zum zweiten Mal.

»Mhm«, brummte Roost.

Auf dem Bildschirm lagen Kampfpanzer einer Eingreifbrigade nördlich von Schaffhausen in Stellung, während Abfangjäger südwestlich von München den Raumschutz gewährleisteten. Roost schaltete um und beobachtete die Flugzeuge aus der Perspektive des Panzerkommandanten. Dann kehrte er auf die Gesamtschau des Gefechtsfeldes zurück und suchte nach der Lenkwaffen-Fliegerabwehr. Acht gelbe Symbole blinkten im weiten Umkreis der Panzerbrigade auf, und Roost klickte das mit Nummer A3 bezeichnete Symbol an. Das Gefechtsfeld erstreckte sich jetzt in seiner ganzen Breite aus der Perspektive der Lenkwaffenbatterie.

Roost wirbelte auf dem Drehstuhl herum und fragte: »Was gedenkst du mit dem Virus zu machen?«

»Ich fange ihn ein und sende ihn über das Netzwerk in unsere Bibliothek«, antwortete Bisquit.

»Wo hast du ihn entdeckt?« fragte Roost und warf einen kurzen Blick auf das Gefechtsfeld am Bildschirm.

»In der Nationalbank.«

»Seit wann ist das Virus im Computer?«

»Schwer zu sagen. Seit gestern nacht vermutlich«, antwortete Bisquit und betätigte die Maus.

Roost überlegte. Er schaltete auf die Gesamtschau des Kriegsspiels und bemerkte eine anfliegende Flugzeugformation. Eine rote Flagge mit der Aufschrift *Rufen Sie den General!* erschien. Roost drückte zwei Tasten. »Kannst du das Biest identifizieren?« fragte er.

Das System hatte vorher nie Computerviren entdecken können. Gelang es jedoch, das Virus einzufangen, konnte es definiert und unschädlich gemacht werden. Als nächstes würde ein Antivirus ans befallene System zurückgeschickt.

»Es ist eines dieser neuen Viren, das sich an den Abwehrsystemen vorbeischleicht, indem es sich an E-Mail oder gewöhnliche Internetdokumente anhängt«, erklärte Bisquit.

Diese Viren lösten unter den Computer-Sicherheitsleuten auf der ganzen Welt tiefe Beunruhigung aus. Der neue Virus-Typ nutzte nämlich einen Trend aus, Miniaturprogramme, die in der Branche als »Macros« bekannt waren, in gebräuchliche Datendokumente wie elektronische Post oder Tabellenkalkulationen einzubetten.

»Ist es gutartig oder bösartig?« erkundigte sich Roost. »Die meisten der bis heute identifizierten rund 6000 Viren sind gutartig.«

»Also hoffen wir gutartig«, meinte Bisquit. Er schob seinen Stuhl zu Roost hinüber, während das System arbeitete. »Was macht das Kriegsspiel?«

»Der Panzerbrigadekommandant hat Schwein gehabt«, nickte Roost mehrmals. »*ECR-Tornados* der deutschen Luftwaffe haben den feindlichen Verband abgedrängt. 12 Abschüsse.«

»Identifikation beendet«, meldete die Computerstimme und Bisquit rollte gespannt zum Bildschirm zurück. Einige Computerviren vermehrten sich rasant wie Krebszellen, um schließlich ein System völlig abzuwürgen. Andere waren hinterlistiger, indem sie Daten allmählich verdarben.

»Scheiße. Dieses Virus legt die Bank lahm«, rief Bisquit und bewegte hektisch die Maus, klickte und prüfte das neue Fenster. Roost war hinzugekommen.

»Die Identifikationsprüfung ergibt eine Übereinstimmung«, sagte Bisquit und drückte eine Taste. »Das ist komisch«, schüttelte er den Kopf.

»Was ist komisch?« fragte Roost.

»Das Virus ist bösartig und kam über einen Datenträger in die Bank ... ist programmiert ... ein nettes kleines Zeitbömbchen ... da! ... die Schreibweise des Programms erinnert an ... ET 426 ... Moment ... Martin Deuber!«

»Wer ist Deuber?« fragte Roost und ignorierte das Signal auf seinem Bildschirm, das wieder nach dem General rief.

»Ein Kollege«, sagte die reizend helle Stimme hinter ihnen.

Sie fuhren herum und sahen verdutzt zu ihrer Kollegin hoch. Der bunte Widerschein der Computergraphik projizierte rote Streifen auf ihre Oberlippe. Auf der Stirn leuchtete ein gelber runder Fleck. Ihre Augen blitzten, als wäre sie eine kriegsbemalte Squaw. »Martin Deuber, der Hacker«, sagte sie. »Ein großes Talent. Leider ist er tot.«

»Tot?«

»Lest ihr denn keine News, ihr Fachidioten«, tadelte McCauley und setzte sich. Die farbigen Streifen schimmerten jetzt an der Decke. »Deuber ist der, den sie mit dem Helikopter aus dem Knast geholt haben.«

»Stimmt, in Genf«, erinnerte sich Roost.

McCauley nickte. »Keine Überlebenden. Alle sofort tot. Auch Martin Deuber.«

Bisquit starrte auf den Bildschirm und schüttelte den Kopf: »Wann war das? Ich meine der Unfall. Seit wann ist Deuber tot?«

McCauley zuckte die Schultern und meinte, das hätte sie gleich. Sie trat zu ihrer Nische mit einer Wand voller Bildschirme. Das Polizei-Informationssystem ISIS schien auf, und sie wählte NEUESTE MELDUNGEN. »Vorgestern. Willst du den Bericht ausdrucken?« fragte McCauley.

Bisquit verneinte. Nur das Datum des Helikopterabsturzes interessiere ihn. Ob sie auch ganz sicher sei, daß die Zeit stimme, beharrte Roost und kratzte sich hinter den Ohren.

Wo das Problem sei, wollte McCauley wissen und Bisquit erklärte es: »Das Virus ET 426 hat Deuber sechs Stunden nach seinem Tod ins System geschleust.«

Sie schwiegen. Nur die Klimaanlage summte leise. Roost hielt die Frage gerade noch zurück, ob vielleicht jemand sich als Deuber ausgegeben hatte, denn ein Virus läßt die Handschrift seines Schöpfers erkennen. Meistens ist im Virusprogramm ein Erkennungszeichen verborgen. Wenn also Bisquit auf Deuber tippte, besaß er seine guten Gründe.

»Was ist Deubers Markenzeichen?« fragte Roost statt dessen.

»Seine Meldung: *Kiss the girls* neben einer Ikone. Wenn du sie anklickst, erscheint die zweite Botschaft. Das letzte Mal hatten wir: *Come to grief*. Küsse die Mädchen, und es bekommt dir schlecht.«

Sie schauten einander verständnislos an.

»Aber diesmal stand da: *Kiss and live twice*.«

»Küsse, und du lebst zweimal«, sagte McCauley. »Eine verschlüsselte Botschaft, daß er lebt. Aber an wen?«

»An Leute wie uns«, schlug Roost vor, der immer noch seine Gefechtsübung im Auge behielt. Zum Glück entfernte sich das Kampfgeschehen von der Schweizer Grenze.

McCauley überlegte: »Nehmen wir an, die Leute, die ihn befreit haben, wollen, daß Deuber als tot gilt. Sie brauchen ihn für einen großen Coup, dann bringen sie ihn um. Deuber muß darauf erpicht sein, daß andere wissen, daß er lebt. Aber warum gerade wir?«

Die Frage blieb im Raum stehen. Warum machte er es nicht über E-Mail? Oder brauchte er eine Rückendeckung? grübelte McCauley, während sie die Polizeimeldungen aus Genf am Bildschirm überflog. »Hört mal«, rief sie. »Leichenbergung im Genfer See. Nicht an der Absturzstelle, sondern in Ufernähe.

Auf dem Leichensack stand eine Nummer, die den Sack mit dem Hubschrauber identifizierte«, erklärte McCauley.

»Ist der Tote Deuber?«

»Nein, es ist nicht Deuber. Das steht hier ausdrücklich.«

Bisquit kam mit dampfenden Kaffeebechern herüber. Sie wußten, daß sie nichts unternehmen durften. Der IKA war als geheime Zelle verboten, mit anderen Amtsstellen oder privaten Organisationen in Verbindung zu treten.

Weder konnte McCauley die Schweizerische Nationalbank vor dem bevorstehenden Virusangriff warnen, noch war ihr erlaubt, der Bundespolizei ihren begründeten Verdacht über Martin Deuber zur Kenntnis zu bringen.

Nur in Fällen von nationalem Notstand, wenn staatliche Institutionen, Einrichtungen der Armee oder das Telekommunikationsnetz in höchstem Maße bedroht waren, durfte die IKA ihrer Zweckbestimmung gemäß in Aktion treten. Der Helikopterabsturz war Polizeiroutine, und die Abwehr von Computerviren Sache der betroffenen Bank.

»Behalten wir die Entwicklung im Auge«, riet McCauley.

»Ich orientiere mal den Boß.«

27

Die Untersuchung im Mordfall Barrelet, die im In-und Ausland auf Hochtouren lief, hatte bisher einen Aktenberg ergeben, aber von dem Täter fehlte jede Spur.

Zwei scheinbar voneinander unabhängige Vorfälle gaben der Polizei im Laufe der Ermittlungen Rätsel auf. Da lag die Mitteilung des Direktors der Strafanstalt vor, wonach Staatsanwalt Barrelet zwei Tage vor seiner Ermordung mit dem Spanier Conde das Zuchthaus besucht hatte. Die Polizei hielt es für angebracht, den spanischen Gast über den tragischen Todesfall seines Gastgebers zu benachrichtigen. Die Spanier faxten ziemlich befremdet zurück, Professor Fernando Conde kenne weder Staatsanwalt Barrelet, noch sei er jemals in Genf gewesen. Zudem habe er an diesem Tag an der Universität Barcelona Vorlesungen gehalten.

Ein junger Fahnder der Verkehrspolizei schaute am Freitag nach dem Attentat zufällig die Liste der Insassen des verunglückten Busses durch, um die Strafantragsformulare vorzubereiten, als ihm der Name Gaston Barrelet in die Augen stach. Neugierig geworden, warum der Staatsanwalt im Bus nach Carouge gefahren war, studierte er die Namen der übrigen Passagiere.

Er stieß auf Sabine und stutzte. War da nicht eine Hure aus dem Milieu, die so hieß, wunderte sich der Fahnder und rief Giles, den Feldwebel der Sittenpolizei an.

»Paß auf«, warnte der alte Fuchs und rieb sich die Schußnarbe an der Schläfe, »die Sabine hat bis hoch hinauf Verbindungen. Barrelet hat sie sicher gebraucht.«

»Gebraucht?« Der junge Fahnder schluckte.

»Sicher, warum glaubst du, wissen wir, was im Milieu läuft. Nicht weil es im Kirchenblatt steht. Nein, Huren, Zuhälter, Lumpen und Halunken, kleinere und größere Ganoven tragen uns einiges zu. Gegen kleine Gefälligkeiten, versteht sich. Aber das übersteigt das Begriffsvermögen der Verkehrsabteilung. Für euch findet Verkehr nur auf Rädern statt. Sabine hat übrigens ganz schön etwas in der Bluse.«

»Ich werde gleich meine Versetzung beantragen«, lachte der junge Fahnder. »Übrigens ist der Wunderbusen mit dem Mordopfer Bus gefahren, was nachweislich die Verkehrsabteilung ermittelt hat.«

»Schon gut«, amüsierte sich der Feldwebel. »Mach einen Rapport an die Kripo, und du wirst befördert.«

Der junge Fahnder hängte ein und schaute auf die Uhr. Bald sechs Uhr. In einer Stunde war er mit Michèle zum Nachttauchen verabredet. Eilig begann er zu tippen und druckte den Text aus. Dann schrieb er ihn neu, indem er den Satz über die »Beziehungen zu hohen Stellen« wieder löschte. Fakten zählten. Er steckte den Wisch in einen Umschlag und warf ihn in den Korb für ausgehende Post. Dann packte er zusammen und verließ das Büro. Als er die Treppe zum Hinterhof hinunterrannte, wo seine Lambretta stand, dachte er an Michèles schönen Busen unter dem nassen Taucheranzug. Das Wochenende ließ sich gut an.

Eine Sachbearbeiterin der Kripo fand den Hinweis von dem Kollegen der Verkehrspolizei interessant genug, um der Sache näher auf den Grund zu gehen.

Sie bestellte bei der Telefondirektion eine Aufstellung aller Anrufe, die Sabine in den letzten drei Monaten getätigt hatte, dann brütete sie lange über den Nummern, bevor sie sie in zwei Kolonnen aufteilte: fünf Verbindungen zu Amtsnummern des Staatsanwalts, elf Gespräche mit einem Mobilteilnehmer. Wer hinter der Münchner Nummer steckte, war rasch ermittelt, doch zu ihrem Ärger kam sie nicht weiter. Parabol SA, Genf, lautete die Mobilteilnehmerin. Im Firmenverzeichnis existierte jedoch keine Gesellschaft dieses Namens, und die Deutsche Telekom gab auf Rückfrage nur eine Postfachadresse an.

Die Sachbearbeiterin ließ nicht locker, und nachdem sie die Unterlagen von der Poststelle verlangt hatte, stieß sie endlich auf einen Namen: Messerli.

28

Samstag, 21. Dezember

Custer blickte entspannt hinunter auf das schwarz glänzende Genfer Seebecken, den in der Abendsonne glitzernden Schweif der weißen Wasserfontäne, auf das Geäder von Gassen und Dächern längs des grünlichen Flußbandes, die breiten Brükken und die Schneisen der Autobahn. Unter dem silbrigen Flügel des Airbus schoben sich die weitläufigen Parks rund um die UNO-Gebäude mit dem *Palais des Nations*, wo das Gipfeltreffen stattfinden würde, und der Sitz der Welthandelsorganisation WTO ins Blickfeld. Custer suchte nach den hellen Gebäuden der Universitätsklinik, als die Maschine aus München in die Kurve ging.

»Bis vor einigen Jahren war es noch völlig unmöglich, den Vorgang des Denkens im Gehirn zu enträtseln«, erklärte Professor Brunner eine knappe Stunde später dem amerikanischen Gast. »Das hat sich gründlich geändert. Heute können wir Wahrnehmungen oder Denkvorgänge im Gehirn sogar bildlich darstellen.«

»Wie ist das möglich?« fragte Ken Custer.

»Angefangen hat es mit Elektroden, die tief in die graue Gehirnmasse von Versuchstieren eingepflanzt wurden und Bilder aus dieser neuerforschten Welt übertrugen. Man konnte erkennen, wie ein vom Auge wahrgenommener Anblick sozusagen von der Netzhaut ins Innere des Gehirns durchtropfte.« Professor Brunner strich eine widerspenstige Strähne weißen Haares aus der Stirn. »Moderne Technologien wie Magnetresonanz-

Bilddarstellung öffnen uns heute ein Fenster ins Gehirn. Wir können buchstäblich zuschauen, wie ein Gedanke Gestalt annimmt, wir sehen den roten Schein der Angst aus der Amygdala-Struktur aufglühen oder bemerken das verräterische Zünden von Neutronen, wenn eine lang begrabene Erinnerung wieder hochkommt.«

»Blinken, Leuchten und Zischen – unser Gehirn als futuristischer Roboter«, bemerkte Custer.

»Erschreckend, nicht? Das Bewußtsein ist kein mystischer Ort mehr, sondern ganz einfach ein flüchtiges Nebenprodukt eines physikalischen Prozesses – ähnlich wie der Regenbogen durch das Zusammenspiel von Licht und Regentropfen entsteht.«

»Das Gedächtnis wäre somit nichts anderes als ein paar Tausend Neutronen, die in einer bestimmten Reihenfolge zünden«, wagte Custer den Vergleich.

»Treffend gesagt«, lobte Brunner, »und das Aufregende an der Sache ist, daß Fragen, die schon die griechischen Philosophen gestellt haben, in den Bereich der exakten Wissenschaften rücken. Nicht wahr?«

Custer überlegte, aber Brunner fuhr fort: »Plato lokalisierte den Verstand im Kopf, Aristoteles im Herz. Im 17. Jahrhundert hielt Descartes den Verstand für etwas Immaterielles, völlig losgelöst von den Geweben des Gehirns. Das Bewußtsein war für ihn der einzige sichere Beweis, daß wir tatsächlich existieren.«

»Cogito ergo sum«, zitierte Custer.

Der Professor nickte begeistert. »Das Gehirn ist ein heißes Thema für die nächsten Jahrzehnte. Dem menschlichen Genius sind keine Grenzen gesetzt.«

»Können Sie mir etwas über den Nutzen dieser Forschung für die Menschheit sagen?« fragte Custer.

Der Professor machte eine ausschweifende Armbewegung. »Wahnsinn, einfach Wahnsinn. Die Forschungsprogramme haben sich vervielfacht.«

Der Professor erläuterte einige Kerngebiete und ihre Ziele. Die gewaltigen Möglichkeiten der Gehirnforschung dienten ja nicht nur dazu, die Geheimnisse des Bewußtseins zu ergründen, sondern auch, um schrecklichen Gehirnstörungen wie der Alzheimer Krankheit beizukommen, Depressionen und Schizophrenie zu heilen, Funktionen beschädigter Gehirnteile zu erhalten.

»Was halten Sie von Professor Knocher?« wechselte Custer abrupt das Thema.

Der Professor stutzte und sah ihn einen Moment nachdenklich an.

»Nun, seine Arbeiten sind, gelinde gesagt, nicht unumstritten. Auf dem Kongreß in Genf hat sein Vortrag Verblüffung und Skepsis ausgelöst«, sagte Professor Brunner und schaute Custer unter den weißen Brauen hervor fragend an. Dann gab er ihm einen kurzen Abriß über die wissenschaftliche Kontroverse: »Die Ganglienklumpen in beiden Gehirnhälften sind für die Geschicklichkeit zuständig, während das Cerebellum am Hirnstamm die Koordination und die Reflexe lenkt. Als Sehrinde bezeichnet man den Teil des Gehirns, der von der Netzhaut des Auges über den Nervus opticus die ersten Impulse erhält.« Professor Brunner stand abrupt auf, zeigte in einer raschen Bewegung mit dem Finger auf einen blauroten Klumpen auf dem abgebildeten Hirnschnitt und setzte sich wieder, indem er weiter dozierte, daß die Sehrinde wie ein Verteilzentrum funktioniere, das eingehende Signale an die richtige Adresse im Gehirn weiterleite, wo sie verarbeitet würden. Knocher gehe davon aus, daß das Gehirn eine genaue Karte vom gesamten Körper angelegt habe und wisse, wie jeder Körperteil in bezug auf einen anderen bestehe.

»Deshalb können Sie auch im Dunkeln mit ausgestrecktem Arm ihre Nasenspitze treffen«, lächelte Professor Brunner. »Knocher behauptet, diese Eigenschaft potenzieren zu können.«

Custer hob fragend die Brauen.

»Sehen Sie – das Auge unterscheidet unbewußt: Vordergrund, Hintergrund. Bewegung, Stillstand. Senkrecht, waagerecht. Und vieles mehr. Einverstanden?«

Custer nickte.

»Das Gehirn lernt diese Wahrnehmungskonzepte, indem es sich ständig neu verdrahtet. Neuronen wachsen aus und verknüpfen sich mit anderen zu einem anspruchsvollen System. Je besser dieses Netzwerk ausgebaut ist, desto rascher, umfassender und differenzierter wird unsere optische Wahrnehmung. Jedes Neuron verbindet sich mit fünfzehntausend anderen, was Trillionen von Schaltungen ergibt.«

»Wie ein riesiger Computer«, murmelte Custer, während er die graphische Darstellung an der Wand betrachtete.

»Knocher will diese Schaltgeschwindigkeit der Neuronen vervielfachen«, erklärte Professor Brunner.

Das Telefon summte, und während der Professor das Gespräch führte, erkannte Custer, wie das dunkelrote Cerebellum unter dem optischen Gehirnlappen an der Wirbelsäule hing. Er schloß daraus, daß das Nebeneinander des Sicht- und Bewegungszentrums Knochers Potenzierungs-These durchaus plausibel erscheinen ließ. Custer wollte aufstehen, um eine Legende unter dem Bild zu lesen, als der Professor mit einem ungehaltenen Brummen auflegte.

»Was ist denn nun kontrovers an Knochers Forschung?« wandte Custer sich an ihn.

Brunner klopfte schmunzelnd seinen Kittel ab und fischte Zigaretten aus einer Tasche. »Trinken Sie etwas?« Ohne die Antwort abzuwarten, erhob er sich und angelte hinter zwei dicken medizinischen Kompendien nach einer Flasche Whisky. Aus der Schublade kramte er zwei trichterförmige Uringläser hervor und hielt sie gegen das Licht der Deckenbeleuchtung.

»Die sind sauber«, grinste er und schenkte ein.

»Also, Kollege Knocher behauptet, seine Versuchspersonen könnten über Gehirnwellen Vorgänge außerhalb des Körpers steuern. Einfach so.« Brunner hielt das Glas hoch und nahm einen Schluck.

»Ist das denn völlig unmöglich?« fragte Custer. Der Whisky brannte angenehm in der Kehle.

Brunner schüttelte den Kopf und steckte sich eine Zigarette an. »Jedes Gehirn sendet schwache elektromagnetische Signale aus. Neue Techniken in der Elektroenzephalographie ermöglichen, daß ein Mensch diese Signale bewußt einsetzen kann, um zu kommunizieren.«

Brunner fischte eine Zeitschrift aus einem dicken Stapel und setzte die schmale Goldbrille auf die Nase. »Da haben wir es. Dayton, Ohio. Wright-Patterson Air Force Base. *Wie Gehirnwellen ein Flugzeug steuern können.* Die Versuche der Amerikaner zeigen, daß die Steuerung durch Gehirnwellen längst nicht mehr in den Bereich der Utopie gehört. Die Forschung macht gewaltige Sprünge vorwärts.« Er pochte mit dem Finger auf den Artikel: »Daß eine Person mit ihren Gehirn-Signalen einen *Cursor* auf dem Computerbildschirm bewegen kann, ist schon Schnee von gestern. Wir leben wirklich in einem verrückten Zeitalter.« Brunner klopfte die Asche ab. »Für Blinde gibt es heute ein Gerät, das sogar über das tote Auge Wahrnehmungen ins Gehirn speist – Wahnsinn.«

»Worin liegt dann die Kontroverse um Knocher?« hakte Custer beharrlich nach.

»Damit Gehirnwellen etwas auslösen, müssen sie verstärkt werden. Die Amerikaner setzen Sensoren an die Schädeldecke an. Die elektromagnetischen Signale, etwa ein Millionstel Volt, laufen zu einem Verstärker, der sie an einen Computer zur Verarbeitung sendet.«

»Nun, ist doch plausibel.« Custer goß den Rest des Whiskys hinunter.

»Knocher will alles über das Auge machen. Die Impulse treten durch das Auge ein und verlassen das Gehirn durch das Auge. Er setzt also einen stecknadelkopfgroßen Chip auf die Retina.«

»Immer noch plausibel«, meinte Custer und schaute auf die Tabelle mit dem Gehirnquerschnitt. Der Professor blies den Rauch zur Decke. »Übrigens«, sagte Brunner, lehnte sich gemütlich zurück und ließ die Brille blinzelnd auf die Brust fallen, »die schweizerische Pünktlichkeit müssen Sie nicht so überaus wörtlich nehmen.«

Custer erstarrte. Aufmerksam fixierte er den Professor.

»Ich meinte nur, weil sie anrufen ließen. Dabei kamen Sie doch sehr pünktlich. Höchstens fünf Minuten später.« Brunner hatte es eher nebenbei erwähnt und war erstaunt über Custers ernste Reaktion.

»Wer genau hat angerufen?«

»Ach, was weiß ich«, winkte Professor Brunner ab. »Jemand vom Flughafen. Ob ich Sie erwarte, Sie kämen etwas später, blablabla. Warum, stimmt etwas nicht?«

Custer war aufgesprungen und blickte angestrengt zum Fenster hinaus. »Rasch, kommen Sie«, winkte er.

Wie alle guten Operateure reagierte Brunner sofort. Augenblicklich stand er neben Custer und schob den Vorhang zur Seite.

»Dort, die beiden Typen«, drängte Custer, »neben dem grauen, dunklen Wagen.«

»Der Kerl im weißen Kittel? Der andere im bunten Hemd?«

»Genau. Kennen Sie den Arzt?«

Brunner sprang mit einem jugendlichen Satz zum Pult und eilte mit einem Fernglas zurück. »Wenn das ein Arzt ist, freß ich das Uringlas.«

»Und der im Hemd?«

»Nie gesehen, sieht aus wie ein Marokkaner. Was ist los?« fragte Brunner und setzte das Fernglas ab. Unten bewegten sich die beiden Typen im Flutlicht der Vorplatzbeleuchtung auf den Haupteingang zu.

»Professor«, Custer packte Brunner bei den Schultern, »ich habe nicht anrufen lassen. Das war eine Finte. Die Männer sind hinter mir her.«

Brunners Augen funkelten. »Verstehe. Folgen Sie mir, Mister Custer.«

Brunners Eckbüro lag im dritten Stock. Der Professor rannte voraus auf die Aufzüge zu, die sich am anderen Ende des langen Korridors befanden. Custer griff nach seiner Walther PPK, 7.65 Millimeter.

»Wo gehen wir hin?« rief Custer, während er die Glastür des Fahrstuhls nicht aus den Augen ließ. Sie waren noch zwanzig Meter davon entfernt, als die Kabine hochglitt und anhielt. Durch das dicke Fensterglas der Lifttür schimmerten die Umrisse einer hellen und dunklen Gestalt.

»Die Treppe«, keuchte Brunner und riß bereits die Doppeltür auf. Als die Verfolger aus dem Lift hetzten, sah Custer gerade noch das bunte Hemd des Marokkaners, dann rannte er hinter dem Professor die Stufen hinunter. Oben hörte er die Tür schwingen. Brunner ist erstaunlich fit, dachte Custer, als sie den ersten Stock erreichten, wo eine Gruppe von Schwestern kreischend auseinanderstob. Sekunden darauf krachten Schüsse. Glas zersplitterte. Schreie.

Im Erdgeschoß keuchte Brunner: »Einer sitzt bestimmt noch im Wagen«, und zerrte Custer durch einen Durchgang ins Untergeschoß.

Die Verfolger waren verdammt schnell. Als Brunner die Tür zur Pathologie aufriß, kam der im bunten Hemd um die Ecke. Die Waffe glänzte bedrohlich im Neonlicht. Custer hechtete hinter Brunner in den dunklen Raum, als das Glas der sich schließenden Tür im Kugelhagel zerbarst.

Brunner half Custer hoch, packte ihn am Ärmel und zerrte ihn durch das finstere Labyrinth von Tischen, Stühlen und Totenbahren. Weiße Tücher schimmerten. Ein großer Zeh tauchte vor Custers Nase auf. Der Geruch von Formalin lag in der Luft.

»Die Toten mögen uns die Störung verzeihen«, preßte Brunner grimmig hervor.

Als sie gut die Hälfte der Pathologie durchquert hatten, flammte die Beleuchtung auf. Brunner duckte sich hinter einen Labortisch, Custer hechtete hinterher. Wieder krachten Schüsse. Dann herrschte Ruhe. Langsam näherten sich die Schritte der Verfolger. Die Angreifer waren Profis, eiskalt würden sie ihren Auftrag ausführen; Custer machte sich keine Illusionen.

Brunner deutete auf eine Flasche: »Alkohol 95 %«; sie stand in greifbarer Nähe. Er nahm sein Taschentuch, zerknüllte es und stopfte es in die Flasche. Dann stellte er die Flasche auf den Kopf, bis der Alkohol die Gaze durchtränkt hatte. Custer sah die Füße der Verfolger bereits zwei Tische weiter vorne. Brunner holte das Feuerzeug hervor; drückte auf den Anzünder – die Gazefackel loderte. Dann warf er die Flasche über zwei aufgebahrte Leichen hinweg direkt vor die Füße der Verfolger.

Eine gleißende Stichflamme schoß hoch, als der Alkohol explodierte.

»Los«, Brunner rannte zum Ausgang, Custer folgte rückwärtslaufend, die Waffe im Anschlag, doch der Qualm verdeckte die Verfolger. Dann standen sie plötzlich auf dem Parkplatz.

»Hierüber«, schrie Brunner. Custer versuchte, sich in der Dunkelheit zu orientierten.

»Wahnsinn«, keuchte Professor Brunner neben seinem schwarzen Porsche. Sie zwängten sich in die Schalensitze. Der Motor heulte auf. Brunner raste auf die hellerleuchtete Straße hinaus. Der Porsche schleuderte kurz, doch der Professor war offensichtlich auch ein gewiefter Fahrer; er hatte den Wagen sofort wieder in der Gewalt und beschleunigte.

Custer stieß die Luft aus. »Respekt.«

Als sie nach einer Weile die Brücke erreichten, sah Custer den Professor direkt an. »Sie reagieren wie ein Profi.«

Brunner schaltete zurück und blickte kurz herüber. »Ich war lange Stabsarzt in einer Kampfeinheit. Da lernt man einiges.« Er grinste und fuhr zügig den Kai entlang.

»Übrigens, warum haben Sie ein Fernglas im Büro?« fragte Custer.

Brunner warf ihm einen verdutzten Blick zu, dann schmunzelte er: »Gegenüber liegt das Schwesternhaus.« Gelächter löste die Anspannung.

In der Bibliothek des Professors im alten Patrizierhaus am Stadtrand von Genf nahmen sie den Gesprächsfaden wieder auf. Brunner schenkte zum zweiten Mal Whisky nach.

»Die Biokybernetik steckt noch in den Kinderschuhen«, setzte Brunner an, als wäre nichts gewesen. »Die Resultate aus Dayton sind verblüffend, zugegeben. Der Pilot konnte im Simulator das Flugzeug allein mit seinen Gedanken in die Kurve bringen. Was Knocher behauptet zu können, wäre der Vorstoß in eine völlig neue Dimension. Deshalb bin ich skeptisch.«

Custer nickte. »Könnte es sein, daß Knocher mit seinen gewagten Thesen die *Novapharm* hochbringen und verkaufen möchte?«

Brunner zuckte die Achseln und schaute ins Glas. »Die Aktien von *Novapharm* zogen schon nach dem Kongreß in Genf kräftig an. Niemand weiß, was da gespielt wird. Es ist Wahnsinn, Wahnsinn.« Sein Lieblingswort blieb eine Weile im Raum stehen, dann fragte er sachlich: »Was machen wir jetzt?«

Custer zuckte die Achseln und schritt zu dem alten Schreibtisch, wo er ein Telefon entdeckt hatte. Das Gespräch mit dem Chef der Schweizerischen Bundespolizei dauerte fünf Minuten. Inzwischen hatte Brunner aus der Küche argentinisches Rauchfleisch, Brot und eine Flasche Cabernet Sauvignon geholt.

Sie prosteten sich zu, als das Telefon klingelte. Custer nahm ab, lauschte, brummte etwas und legte auf. »Die Typen sind verhaftet. Ihre Alkoholbombe hat sie übel zugerichtet. Sie schicken einen Wagen.«

Der Professor grinste äußerst zufrieden.

»Warum verabscheuen Sie Knocher?« fragte Custer spontan. Professor Brunner schaute ihn abwägend an. Es dauerte eine Weile, bis er sagte: »Seine Forschung könnte Blinde sehend machen. Es klingt alles faszinierend. Aber ich traue dem Kerl nicht.«

»War der Pilot der Wright Patterson Air Force Base ein ganz normaler Mensch ohne parapsychische Fähigkeiten?« fragte Custer.

»Wie Sie und ich«, lachte Brunner. »Sie klebten ihm die Elektroden auf den Skalp am Hinterkopf, über dem optischen Cortex. Eine dritte Elektrode hinter dem Ohr diente als Erdung.«

»Und der Pilot berührte nicht die Armaturen?« staunte Custer.

Brunner schüttelte den Kopf. »Die Gehirnwellen des Piloten wurden verstärkt, dann vom Computerchip in eine motorische Bewegung umgesetzt. Auf diese Weise konnte er das Flugzeug im Simulator nur mit seinen Gedanken steuern und die Radiofrequenzen ändern. Professor Knocher verwendet angeblich eine ähnliche Technologie. Auf dem von ihm verwendeten Augenchip sitzen der Sensor und die Verstärkerschaltung auf einem einzigen Siliziumplättchen. Die Elektroden baut er in einen Kopfhörer mit einem breiten Trägerband ein. Heute, wo unzählige Leute mit einem Walkman herumlaufen, fällt so etwas keinem Menschen auf. Knochers Augenchip ist ein elektronisches Sinnesorgan, das chemische und physikalische Signale in elektrische Impulse verwandelt«, kam Brunner zum Schluß. »Außerdem wandelt es die Gehirnströme der Gedanken in Energie um und verstärkt sie gleichzeitig. Und ich befürchte, Knocher will seinen revolutionären Chip als menschliches Killerauge verschachern. Die Militärs aller Kontinente würden sich darum reißen. Wahnsinn!«

Custer starrte auf das dunkelrote Rauchfleisch. Nach einer Weile griff er zum Glas und sagte: »Sie meinen, er kann damit töten?«

»Wenn es gelingt, ein Flugzeug mit Gedanken zu steuern, müßte es auch möglich sein, organische Funktionen des Menschen zu lähmen. Den Herzschlag zum Beispiel.«

»Tod durch Anstarren – Wahnsinn«, echote Custer nachdenklich.

29

Während in der Pathologie der Genfer Universitätsklinik Professor Brunner mit seiner genialen Feuerbombe die Verfolger abschüttelte, preßte Bath im Untergeschoß der Villa Knocher atemlos den Rücken gegen die Wand und versuchte, einen Blick in das Zimmer zu erhaschen.

»Ich will nicht verkaufen«, wiederholte die Stimme. Entferntes Motorengeräusch drang ins Untergeschoß.

»Meine Leute brauchten mich, also habe ich die Spitze der Kolonne übernommen.«

Durch die schmale Ritze zwischen Tür und Angel erspähte Bath das Hosenbein mit dem zitternden Fuß im braun-weißen Golfschuh.

»Das Unternehmen ist alles, was ich noch habe. Mit dem Tod meiner Frau verlor ich den Boden unter den Füßen, verstehst du?«

Ein Glas knallte auf die Tischplatte. Für einen Augenblick sah Bath Knochers weißen Schädel.

»Überleg nur, wie der Club of Rome von nachhaltigem Wachstum und dem Untergang der Ressourcen quasselt. Keiner blickt im Grunde durch. Aber dieses Weibstück setzt das Geschwafel geschickt um.«

Das Geräusch von Wagentüren übertönte die erregte Stimme. Bath reckte sich in der Hoffnung, das Gesicht zu erhaschen.

»Du redest von der Journalistin?« Knocher hustete, gefolgt von geräuschvollem Schlürfen.

Der Fuß zitterte schneller, ein zweites Hosenbein kam ins Blickfeld und legte sich über das andere.

»Hör mir gut zu. Ich werde dem Weib eine Lektion erteilen. Ich will sie nicht mehr auf dem Bildschirm sehen.«

»Du meinst tatsächlich ...?« Knocher füllte plötzlich den Türschlitz aus.

»Also bitte!« entrüstete sich die Stimme. »Wie war es damals im Libanon, als sie unseren Geschäftsführer als Geisel nahmen. Alle Diplomaten schwirrten ratlos durcheinander. Da hattest du doch Erfolg mit diesem Messerwerfer, halb Jude, halb Araber. Nicht? Unser Mann kam frei, zwar verstümmelt, aber er lebte.«

Knocher starrte entgeistert auf den unsichtbaren Mann im Sessel.

»Die Zeiten haben sich geändert, Carl. Hör auf mit dem Quatsch. Das war vor zehn Jahren. Die Firma gehört nicht mehr dir allein.«

»Aber ich bin noch Partner.«

»Sicher, Carl, mit dreißig Prozent.«

»Ich will aber nicht verkaufen.«

»Ich habe an deinen Aktien ein Vorkaufsrecht«, sagte Knocher.

»Die Option gilt erst im Todesfall.«

Knocher blieb still. Der Vertrag sah vor, daß ihm die Anteile Weidelings an der *Novapharm* nach seinem Ableben gegen einen Preis zufielen, der ungefähr die Hälfte des aktuellen Kurswertes ausmachte. Dieselbe Abmachung galt natürlich auch für den umgekehrten Fall, daß Knocher vor Weideling starb. Diese abstruse Möglichkeit wies der Professor jedoch weit von sich. Am besten wäre natürlich, Weideling würde bald, sehr bald, sterben.

Wenn nach der Präsentation des Augenchips die Aktien der *Novapharm* im Wert gestiegen sein würden, hätte Weideling erst recht keinen Grund zu verkaufen. Zudem hatten die Verhandlungen mit der Bankunion nach dem Computerdesaster, das Martin Deuber nebenbei auch noch arrangiert hatte, eine dramatische Wende genommen. Das Eingeständnis der Generaldirektion, die Sicherheit der Datenzentralen vernachlässigt zu haben, rückte die größte Schweizer Bank in Griffnähe. Generaldirektor Luginbühl von der Bankunion war weichgeklopft, sein Rücktritt nur noch eine Frage der Zeit. Und wenn Weideling als Partner ausfiele, könnte Knocher auch hier den Löwenanteil einstreichen.

Weideling hatte einst einen langen Schatten besessen, und vor zehn Jahren wäre ein Kniefall ratsam gewesen. Der Industrielle hielt damals die Ressourcen in den USA für den revolutionären Augenchip in der Hand. Knocher gelang es in den folgenden Jahren, den alternden Pionier allmählich vom operativen Geschäft fernzuhalten. Heute tat er ihm fast leid. Je älter er wurde, desto häufiger erzählte er, wie sie es früher gemacht hatten. Sein Geschwafel über die Journalistin Kramer klang nach seniler Paranoia.

Außerdem war Knocher zu Ohren gekommen, daß Weideling eine große Geldsumme hatte überweisen lassen. Seine Wachhunde hatten die Transaktion genau unter die Lupe genommen: Das Geld floß auf einen Familientrust, den Weideling kontrollierte. Und übermorgen war Carl Weideling zufällig auf den Flug Zürich – Frankfurt – Nassau gebucht. »Was investiert die Firma auf den Bahamas?« fragte Knocher beiläufig.

»Bahamas?« starrte ihn Weideling an.

»Ja, Bank of Nassau, fünf Millionen US-Dollar.«

Weideling begann zu stammeln: »Ach, das ist die Beteiligung an einem Anlagefonds.«

»Fliegst du nach Nassau, um den Fonds zu inspizieren?« fragte Knocher.

Weideling schluckte, aber er hielt dem Blick stand. »Nein, ich mache Urlaub, das weißt du doch.«

Knocher wußte gar nichts von einem Urlaub; er wußte, daß Weideling entbehrlich geworden war. Seit heute abend hundertprozentig.

In der Stille hätte Bath ein Streichholz fallen hören. Der Fuß hatte aufgehört zu zittern. Das Gesicht von Professor Knocher entspannte sich, als hätte sein Gesprächspartner dem Todesurteil zugestimmt. Da ging im Obergeschoß eine Tür auf und rasche Schritte näherten sich.

Bath rannte in den finsteren Korridor hinein und öffnete hastig eine Tür.

»Ist da jemand?« rief Knocher in den Flur, als Bath gerade vorsichtig die Tür hinter sich zuzog und das Licht andrehte. Schritte und gedämpfte Stimmen näherten sich. Bath war in Panik, als er die rückwärtige Tür entdeckte, die sich zum Glück öffnen ließ. In einer raschen Bewegung löschte er das Licht, sprang über die Schwelle und zog die Tür atemlos hinter sich zu. Keine Sekunde zu früh – die vordere Tür ging auf. »Niemand! Komm, wir gehen«, sagte die ekelhafte Stimme des Chinesen, während Bath regungslos im Dunkeln verharrte. Vorsichtig tastete er nach dem Türknauf; er ließ sich nicht mehr bewegen; das Schnappschloß verhinderte die Rückkehr ins Haus.

Langsam tastete Bath die Mauer hinter sich ab und bekam eine eiserne Röhre zu fassen. Er folgte ihr und geriet nach etwa dreißig Metern in knöcheltiefes, kaltes Wasser. Zögernd watete er dem Ausgang zum See entgegen, da verlor er plötzlich den Boden unter den Füßen.

Erschrocken zog er sich an der Mauerkante wieder hoch und kroch auf allen vieren auf die trockene Rampe zurück. Dort streifte er Schuhe, Hose und Jacke ab und quetschte das Kleiderbündel zwischen Rohr und Wand. Wieder im knietiefen Wasser nahm er tief Atem und tauchte unter.

Kein Schimmer deutete das Ende der Finsternis an. Die Brust wollte ihm bersten, panisch schlug er um sich, schluckte Wasser und tauchte hustend mit schmerzenden Lungen wieder auf.

Seine Augen erfaßten einen schwarzen Koloß, keine zwanzig Meter entfernt – ein Monster auf der Lauer. Bath hielt sich knapp über Wasser und starrte auf den großen Lastkahn. Geräuschlos schwamm er rückwärts, da flammte in der schwarzen

Tiefe ein heller, grünlich schimmernder Lichtkegel auf und das Blubbern aufsteigender Luftblasen verriet den Taucher. Zu Tode erschrocken hetzte Bath nach einer jähen Wendung mit wilden Kraulschlägen zurück zum Ufer. Keuchend gewann er Abstand, schluckte Wasser, da fühlte er einen harten Griff am Bein, den Zug nach unten, drehte sich, schlug mit dem freien Bein wild aus. Ein harter Hieb in den Bauch raubte ihm die Besinnung.

30

Carl Weideling leerte das Glas und sank mit einem Seufzer in den Sessel zurück. Der alte schottische Whisky – Knocher, der Geizkragen, hatte ausnahmsweise die gute Flasche hervorgeholt – strömte wärmend in seine Brust, stieg ihm in den Kopf. »Sag mal, Sigmund, funktioniert eigentlich dein Gedankentransponder?« fragte er und sprach damit die Versuchsreihe an, über die er eigentlich nichts wissen sollte.

Der Professor blickte überrascht herüber. Merkwürdig, durchfuhr ihn der Gedanke, daß sich sein Partner ausgerechnet an diesem Abend für den Augenchip interessierte. Er hatte in den letzten Monaten mit ihm nur andeutungsweise über die Experimente mit den Gehirnströmen gesprochen, doch der alte Weideling mußte sich den Rest irgendwie zusammengereimt haben. Für die Bruderschaft war sein Wissen allerdings nicht ungefährlich. »Ja und nein«, antwortete der Professor, »wir sind auf gewisse Probleme gestoßen. Mal fallen die Versuche zu meiner Zufriedenheit aus oder übertreffen gar die Erwartungen, dann stellen sich wieder völlig unberechenbare Abwehrreaktionen des Körpers ein.«

»Du hast durchblicken lassen, daß deine Versuchspersonen mit bloßem Auge ein Tier töten können, indem sie den starren Blick in lebenswichtige Organe des Opfers bohren«, sagte Weideling und hielt bereitwillig sein Kristallglas hin.

»Hab' ich das?« fragte Professor Knocher, während er den Whisky eingoß. Er konnte sich nicht erinnern, dieses heikle Thema mit seinem Partner auch nur am Rande angeschnitten zu haben. Aber Weideling war ein alter Fuchs mit dem untrüglichen Spürsinn des erfolgreichen Geschäftsmanns, der sich auf Gesprächsfetzen, Aufzeichnungen und Versuchsanordnungen selber einen Reim machen konnte. Über die Jahre hatte er sich mit dem wissenschaftlichen Fachjargon vertraut gemacht und konnte die Vorgänge im Laboratorium richtig einschätzen. Ein Grund mehr, dachte sich der Professor, den unliebsamen Zeugen endlich kaltzustellen. »Ich zeig' dir am besten, wo wir stehen. Eigentlich hätte ich dir schon lange reinen Wein einschenken müssen«, sagte Knocher versöhnlich und griff zum Telefonhörer. »Felgen, kommen Sie doch ins Untersuchungszimmer hinunter und bringen Sie gleich Wolfgang mit. Wir machen einen scharfen Versuch ... Wie? Ja, jetzt gleich!« Der Professor legte auf, klemmte die Flasche unter den Arm und gab Weideling ein Zeichen mit dem Kopf. Als sie durch den Korridor schritten, fragte Knocher wie nebenbei: »Hast du auch schon von der Bruderschaft *Weißer Stolz Weltweit* gehört?«

Weideling murrte kopfschüttelnd: »Redest du von einer dieser rassistischen Bewegungen?«

»Ein abschätziges Vokabular«, antwortete der Professor, als sie durch die Tür traten. »Nicht daß mich das störte, nicht im geringsten, im Gegenteil. Solange die wahre Zielsetzung verschleiert bleibt, kann die Bruderschaft in aller Ruhe ihre Vorbereitungen treffen. Setz dich doch in den bequemen Stuhl, Carl!«

Weideling schaute sich im spärlich möblierten Raum um und setzte sich leicht benommen in den Stuhl, der in der Mitte des Zimmers unter einer großen runden Halogenlampe stand und einem Behandlungsstuhl beim Zahnarzt ähnelte. Knocher trat unterdessen zur Anrichte an der Wand und holte zwei Kristallgläser hervor, in die er Whisky goß. »Hier nimm, führen wir uns noch einen zu Gemüte«, meinte er. Weideling brummte wohlig und nahm einen kräftigen Schluck, als Felgen und der untersetzte Wolfgang hereinkamen, dem Seniorpartner freundlich zunickten und ihm gegenüber auf Klappsesseln Platz nahmen.

»Du sprachst eben von geheimen Vorbereitungen.« Weideling starrte dumpf in sein Glas.

»Ach ja, die Bruderschaft *Weißer Stolz Weltweit,* eine tolle Sache«, antwortete Knocher und warf Felgen einen vielsagenden Blick zu. »Es handelt sich um die Nachfolgeorganisation der NSDAP, du weißt schon, damals am Kriegsende mußten die besten Köpfe das verratene Deutschland verlassen, flüchteten nach Südamerika, aber auch in die USA. Gelehrte, Wissenschaftler, Parteigrößen. Sie hielten im Exil zusammen, pflegten das alte Gedankengut, gaben es an ihre Kinder und Enkel weiter. Sympathisanten kamen hinzu, und zusammen bildeten sie den harten Kern, um den sich viele neue Organisationen scharten. *Weißer Stolz Weltweit* ist heute die schlagkräftigste Nazibewegung der Welt ...«

»Was hat das mit uns zu tun? Wieso weißt du darüber Bescheid?« Weideling richtete sich im Stuhl auf. Felgen erhob sich und trat zu ihm.

»Wir betreiben geheime Trainingslager in den Bergen von Montana, in Nebraska und anderen Orten in den Staaten«, erklärte Knocher unverblümt. »Heute besteht unsere Reihe aus einer stolzen Elite von Ingenieuren, Psychologen, Industriellen und einflußreichen Persönlichkeiten, die alle dasselbe Ziel verfolgen: die Errichtung des Vierten Reichs.«

»Du bist von allen guten Geistern verlassen, Sigmund. Das kann ja nicht dein Ernst sein!« rief Weideling empört und machte Anstalten aufzubrechen, aber Felgen legte ihm väterlich die Hand auf den Arm. Der Senior sank zurück und schloß die Augen.

»In den USA besitzen wir unser finanzielles Machtzentrum. Von dort aus pflegen wir die Verbindungen zu den Naziorganisationen auf der ganzen Welt. Wir haben unsere Freunde in den großen Industrien, in den Medien, die – wie viele andere – genug haben von Juden und Ausländern, Türken und Negern ...«

»Man sagt Farbige heute ...«

»Meinetwegen, alles Ratten ... Vergiften!« Wolfgang drehte seinen kantigen Schädel mit der blonden Bürste erwartungsvoll zu Felgen, der mit der Hand Abwarten signalisierte.

Carl Weideling leerte das Glas und stand abrupt auf. »Du widerst mich an, Sigmund, ich gehe. Gute Nacht!« Er kam nicht weit. Erich Felgen packte den Wankenden an der Schulter, setzte ihn nicht unsanft in den Sessel zurück und legte ihm die Hände auf die Schultern.

»Was zum Teufel soll das? Nehmen Sie Ihre Pfoten weg, Felgen«, entrüstete sich Weideling.

»Ich widme mein wissenschaftliches Werk der Bruderschaft«, fuhr Knocher unbeirrt fort. »Übrigens auch eine beträchtliche Summe Geld aus der Firma! Ich bin das Gehirn ...«

»Du hast mich nie um meine Zustimmung gebeten. Das schlägt ja dem Faß den Boden aus. Die *Novapharm* unterstützt Neonazis!« Erneut versuchte Weideling sich hochzurappeln, aber der feste Griff Felgens vereitelte jeglichen Widerstand.

»Die Überweisung von fünf Millionen Dollar auf die Bahamas hast du mir auch verheimlicht, Carl. Wir sind also quitt. Aber das spielt jetzt keine Rolle mehr.«

»Warum denn nicht?« fragte Weideling. Angst kroch auf sein bleiches Gesicht. Unsicher tanzten seine Augen zwischen dem Professor und dem kaltäugigen Wolfgang hin und her. »Weil wir tatsächlich das Killer-Auge entwickelt haben, Carl. Und die Bruderschaft *Weißer Stolz Weltweit* ist entschlossen, es als todbringende Waffe einzusetzen.« Knocher machte eine Pause, trat näher heran: »Wolfgang besitzt das tödliche Auge, Carl.«

Weideling erstarrte, sein Gesicht verzerrte sich, mit großen Augen stierte er auf Wolfgang, während der Whisky wie Blei in seinen Gliedern lag. »Was ... habt ihr vor?«

Von weit weg vernahm er die monotonen Erläuterungen von Sigmund Knocher: Erich Felgen unterstehe als Operationsleiter direkt dem Kommandanten in der geheimen Zentrale in Nebraska. Zu seinen Aufgaben gehöre die Sicherheit der Organisation mit all ihren Verästelungen, in München, Moskau, in der Schweiz und anderswo. Felgen sei von seiner Herkunft und Ausbildung her geeignet, Eliminationen vorzunehmen. Ein Attentat stehe bevor, das die Welt erschüttern werde. Erstmals würde eine Persönlichkeit von höchstem Ansehen von einem anderen Menschen mit bloßem Auge getötet werden. »Ich habe den tödlichen Blick entwickelt, und Wolfgang wird ihn in ein paar Tagen in Genf abschießen!« schloß Knocher.

»Du bist verrückt, total meschugge!« keuchte Weideling.

»Wolfgang ist unser Augenkiller mit der größten Stabilitätsrate. Sein Chip hat bis heute weder versagt, noch sind bei ihm Abwehrsymptome des Körpers aufgetreten.«

»Was für Symptome?«

Einige Patienten hätten den auf die Netzhaut implantierten Siliziumchip nicht vertragen, erklärte der Professor. Es sei zu Abwehrreaktionen gekommen. Das Gehirn habe auf die erhaltenen Impulse so heftig reagiert, daß sich die Impulsfrequenz wahnsinnig erhöht habe, um den Fremdkörper im Kopf zu zerstören. Die Folge sei eine Art Explosion des Gehirns gewesen. Aber Wolfgang sei von diesen Nebenwirkungen verschont geblieben. »Wir haben den Chip auch verbessert«, meinte der Professor stolz. »Heute können wir die Impulsströme vollständig ableiten und voll durch das Auge auf ein Ziel außerhalb des Körpers bündeln.« Der Professor zeigte auf Wolfgang. »Er trägt den perfekten Chip, der die Kinderkrankheiten überwunden hat.«

Weideling hatte begriffen. Tief holte er Atem und versuchte, die schwindelerregende Mischung aus unglaublichen Enthüllungen und schottischem Whisky abzuschütteln. »Ihr wollt doch nicht *ihn* umbringen? Den Präsidenten? Sigmund, das ist heller Wahnsinn!«

»Doch, Carl. Nach Weihnachten trifft der amerikanische Präsident in Genf mit der chinesischen Führung zusammen. Das Gipfeltreffen mit Premier Li Peng findet im Palais des Nations statt, anschließend hält der Präsident eine Pressekonferenz ab. Danach will er zwei Tage in Gstaad verbringen. Wolfgang wird an der Pressekonferenz im Palais des Nations in einer der vorderen Reihen sitzen, brillant getarnt als politischer Korrespondent der Süddeutschen Zeitung‹. Alles arrangiert von unserem Sektor in München.«

»Warum den Präsidenten, Sigmund? Du bist wahnsinnig!«

»Wir setzen auf den Vizepräsidenten, als Katalysator für eine scharfe Gangart gegen die farbigen Horden. Die USA sollen an den Rand des Bürgerkrieges driften, indem wir Rassenunruhen schüren und gleichzeitig Ruhe und Ordnung durchsetzen. Und ganz nebenbei wird die Welt begreifen, daß wir jederzeit leise und überraschend zuschlagen. Ahnungslose mit einem tödlichen Blick erledigen können. Der perfekte Terror!«

Der stämmige Wolfgang stand auf, drehte den Klappsessel, setzte sich wieder und verschränkte die Arme auf der Stuhllehne. Dann stützte er sein Kinn darauf ab und fixierte mit seinen kalten Augen die Brust von Weideling.

»Wolfgang wird den Präsidenten der Vereinigten Staaten mit bloßem Auge töten, genau so, wie er das mit dir tun wird, Carl. Ich bin gespannt, wie lange es diesmal dauert ...« Eiskalt zog er eine Stoppuhr aus der Tasche und hielt den Finger auf den Sekundenknopf.

»Was meinst du? Du wirst doch nicht etwa ...?« stammelte Weideling entgeistert. Plötzlich schirmte er mit beiden Armen sein Gesicht ab.

Der Professor stülpte Wolfgang den Kopfhörer über und nickte ihm zu.

»Ich will weg hier, laßt mich gehen!« rief Weideling. »Das könnt ihr nicht machen, Sigmund. Wir sind in der Schweiz!« schrie er völlig durcheinander.

»Wir sind in Genf«, antwortete Knocher kühl. »Ich bin der wissenschaftliche Kopf der Bruderschaft ...«

»Wahnsinn«, schrie Weideling und wand sich in der Umklammerung Felgens.

»Der Wahnsinn hat Methode, Carl. Sieh mal, das Nazitum ist ein Teil der Natur geworden, die uns immer umgeben wird. Ein schwarzes Loch im Universum der moralischen Werte mit ungeheuerlicher Energie. Ich bin zwangsweise in das System gesteckt worden. Wider Willen mußte ich im Lager in die Haut eines Monstrums schlüpfen. Mein Körper sträubte sich gegen das Implantat, aber plötzlich sogen meine Fasern lang Verschmähtes gierig auf. Ich erlebte mich als Jünger des faszinierenden Bösen, der strammen Disziplin, ich sah die ungeheuren Möglichkeiten der Wissenschaft im Dienst des perfekten Systems ... dann löste sich eine bessere Persönlichkeit aus dem harten Kern.«

»Du ein Nazi? Mir wird übel«, keuchte Weideling.

»Die gescheiten Köpfe und Gralshüter unseres Gedankenguts hatten bei Hitler kein Gehör mehr gefunden«, erwiderte Knocher pathetisch. »Die frustrierte Elite setzte sich ab und baute im Ausland neue Zellen auf.«

»Das Dritte Reich und seine Propaganda sollte im Untergrund weiterexistieren«, warf Erich Felgen dazwischen.

»Verbote und Verfolgung stärkten uns«, nickte der Professor. »Wir haben aus den Fehlern der sturen alten Böcke gelernt und werden uns jetzt der modernsten Methoden bedienen, um den Sieg zu erringen. Heil Hitler!«

»Die Finanzierung des Vierten Reiches ist sichergestellt. Hunderte von Millionen Franken sind nach dem Krieg nach Südamerika und in die USA geflossen«, legte Felgen nach. »Gelder aus dem Holocaust«, unterbrach Weideling wütend. »In ganz Europa zusammengestohlen. Steck dir dein Sieg Heil hinten rein, Sigmund!«

Knocher hieß ihn mit ausgestreckter Hand schweigen. »Mit raffinierten Propagandafeldzügen werden wir unsere Feinde in Grund und Boden stampfen, mit falschen Informationen die öffentliche Meinung manipulieren. Diesmal werden wir siegen, weil uns die modernsten Waffen zur Verfügung stehen.«

Weideling schüttelte angewidert den Kopf.

»Mit dem Zugriff auf militärische und politische Informationen können wir die Nato, die Europäische Union, Regierungszentralen gezielt unterwandern. Es geht um die totale subversive Infokriegführung des Jahres 2000! Die Bruderschaft *Weißer Stolz Weltweit* wird sich über die USA nach Europa, Südafrika, Rußland und Südamerika ausbreiten nach dem Prinzip: Geld, Information, Terror!«

Professor Knocher gab Wolfgang durch Kopfnicken ein Zeichen und drückte auf die Stoppuhr.

Weideling versuchte ein letztes Mal, sich durch Flucht dem Todesurteil zu entziehen. Mit kräftigen, vom Golfspiel trainierten Armen hob er seinen Körper gegen den Widerstand Felgens an und riß sich mit einem unerwartet starken Ausschlagen des Kopfes aus der Umklammerung. Aber in diesem Augenblick traf ein stechender Schmerz sein Herz. Fassungslos starrte Weideling auf die glühenden Augen Wolfgangs, aus denen sich ein starrer, wilder, unheimlicher Blick in seine Brust bohrte. Wie die Klinge eines Skalpells schnitt der Schmerz hinauf zur Schulter, stach in den Oberarm. Weideling griff sich mit der rechten Hand an die Brust, rang nach Luft und fiel in den Sessel zurück.

Wolfgang reckte seinen Kopf nach vorne und starrte mit einem grausam stechenden Blick auf Weideling, als feuerte er den letzten tödlichen Schuß ab.

In der Tat sackte der Mann im Lehnstuhl in sich zusammen, die Augen aufgerissen, der Mund wie zum Gähnen weit offen, die Finger im Hemd verkrallt. Und ganz langsam rutschte der Körper vom Stuhl, bis nur noch die Schulterblätter die Lehne berührten, während Oberkörper und Beine in grotesker Verdrehung aus dem Sessel hingen.

»Fünfundvierzig Sekunden«, stellte Professor Knocher tonlos fest. Er vertauschte die Stoppuhr mit einem Stethoskop, das er Weideling mit regloser Miene auf die Brust setzte. »Exitus«, sagte er nach einer Weile und nahm Wolfgang die Kopfhörer ab.

»Das Opfer war besonders anfällig«, keuchte der Augenkiller, »der Alkohol hat seine Abwehrkraft geschwächt, und Ihr Gespräch mußte ihm wohl den Rest gegeben haben. Doch der Präsident wird ein paar Schuhnummern größer sein, Professor. Er besitzt Willenskraft, Energie und einen gesunden Körper.«

»Wir werden ja sehen. Nach meinen Forschungen stellt die starke physische Konstitution des Opfers nur einen unbedeutenden Hinderungsfaktor dar«, hielt der Professor dagegen.

»Ein Opfer kann allerdings mit gezieltem Einsatz von Willenskraft den Todesblick beeinträchtigen.«

Er schenkte sich gelassen Whisky ein, während Felgen und Wolfgang den toten Weideling vom Sessel hoben und an Armen und Beinen hinausschleiften.

Als sich der schwere, silbergraue Mercedes eine halbe Stunde später in die Auffahrt hineinschob, flammte die Beleuchtung an den Fassaden der stattlichen Villa auf. Das breite Garagentor öffnete sich langsam. Im Widerschein der Lichter hoben sich gespenstisch drei Gestalten im Wageninnern ab, bevor sich das automatische Tor senkte; ein zweiter Wagen hielt auf der Straße vor der Auffahrt mit abgeschalteten Scheinwerfern. Erich Felgen stieg aus dem Wagen, öffnete die hintere Tür und fing den schlaffen Körper auf. Wolfgang rutschte auf der Sitzbank herüber und hielt den Toten an den Beinen fest. Gemeinsam zerrten sie ihn sorgfältig vom Rücksitz und setzten ihn hinters Steuer. Felgen bettete den Kopf liebevoll an die Nackenstütze und schloß den Verschlag des Wagens leise. Das Weiß der aufgerissenen Augen glotzte durch das Seitenfenster, die schwarze Mundhöhle klaffte, als wäre eben der letzte Schrei daraus erstorben. Die beiden Männer öffneten das Tor, streiften die Handschuhe ab und warteten, bis sich die Garage wieder automatisch geschlossen hatte. Dann blickten sie aus dem Schatten der Büsche zum Wohnhaus hinüber, und als alles ruhig blieb, liefen sie rasch zum bereitstehenden Wagen, der sie aufnahm und geräuschlos davonglitt.

In diesem Augenblick wachte Weidelings Haushälterin auf. Es war halb drei. Mit klopfendem Herzen verharrte sie im Bett und überlegte. Was sagte ihr der schreckliche Traum? – Unten vor dem Haus war jemand herangefahren. Es war still. Es war zu still! Er müßte jetzt aus der Garage in den Flur treten, wo blieb das Türgeräusch? Sie stand auf, tappte zur Treppe und machte Licht. Alles blieb still ... Die Tür zum Schlafzimmer des Hausherrn stand weit offen. Merkwürdig! Sie schüttelte mißbilligend den Kopf, stieg die Stufen zur Küche hinunter und schlurfte zur Garage, um nach dem Wagen zu sehen. Oder hatte sie das Motorengeräusch, die Schritte nur geträumt?

Als sie das Licht andrehte und ihr Blick geradewegs auf das Seitenfenster des Wagens fiel, stieß sie einen gellenden Schrei aus. Vollkommen wirres Zeug redend taumelte sie in die Küche zurück und griff nach dem Telefonhörer.

Wenig später traf die Ambulanz mit dem Notarzt ein. Doch jede Hilfe kam zu spät. Der junge Arzt schüttelte resigniert den Kopf: »Typischer Fall von Herzinfarkt«, er deckte Weideling zu. »Es war ein schneller Tod«, versuchte er zu trösten. »Vermutlich waren Essen, Alkohol und Aufregung schuld am Herzversagen, dann kam wohl noch die Kälte hinzu, die seine Gefäße verengte.« Er legte einen Arm um die schluchzende Frau. »Leider kann ich nichts mehr für ihn tun. Die Todesursache ist eindeutig. Es besteht kein Grund, die Polizei zu benachrichtigen. Mein Beileid.«

31

Als Bath die Augen öffnete, sah er eine feuchte, rauhe Mauerwölbung, dann schob sich Martin Deuber mit seinem breiten Grinsen ins Blickfeld.

Bath spuckte ein paar Mal wütend Wasser und schaute sich um. Er lag auf dem Zementboden, der sich über die Rampe ins schwarze Wasser senkte. Im matten Licht der Mauerleuchte lagen seine gebündelten Kleider.

Deuber erhob sich und streifte seinen Taucheranzug ab. »Du bist ein Idiot, nachts da draußen herumzuschwimmen.« Er hängte den Taucheranzug an einen Haken, trocknete sich mit einem Handtuch die Haare und kämmte sich mit einem Striegel, den er aus der Mauerritze neben dem Haken hervorgeklaubt hatte.

Bath ließ seine Augen im gespenstischen Lichtschein über das Gewölbe tanzen: »Was machst du in der Villa?« stieß er unter einem Hustenanfall hervor.

»Ich rase mit dem TransAm auf dem Daten-Highway«, schmunzelte Deuber.

Bath stand mühsam auf, hielt sich die Brust und fing das ihm zugeworfene Handtuch auf.

»Ich arbeite auf dem Schiff«, erklärte Deuber nun ernst. »Dieser Tunnel ist die geheime Verbindung zur Villa. Komm mit«, sagte er.

Bath schnallte den Gürtel enger, schlüpfte in die Turnschuhe und lief geduckt hinter Deuber den Gang entlang. »Wie hast du mich draußen im Wasser bemerkt?« fragte er.

»Zufall. Ich stieg durch die Bodenluke aus, da hörte ich dich wie im Kinderbassin planschen.«

Sie gelangten zur metallenen Tür, und Bath fragte: »Und warum hast du mich in den dunklen Tunnel geschleppt?«

Deuber stieg zwei Stufen hoch und erklärte lachend, er sei aus der Bodenluke des alten Kahns ausgestiegen, als ihn sein Japsen und Gurgeln alarmiert habe. Nach dem kurzen Unterwasserkampf sei der Strahl seiner Taucherlampe auf Baths Augen, die wie Silberfische hin und her jagten, gefallen: Ein Erkennungszeichen so sicher wie Morsesignale, weshalb er ihn zum unterirdischen Gang zurückgeschleppt habe.

Deuber wandte sich einem kleinen weißen Kästchen neben der Eisentür zu: »Paß auf, ich zeig' dir den Trick.« Er drückte mit den Fingern der linken Hand auf drei Tasten und führte gleichzeitig den Strahl seiner Stablampe gegen eine kleine Aussparung am oberen Rand des Kästchens. Der Riegel summte, die Tür löste sich aus dem Rahmen, und Deuber hielt sie fest.

»Du mußt auf die *Null,* den *Stern* und das *#-Zeichen* drükken, dann aktivierst du mit einer Lichtquelle den verborgenen Sensor in dieser Kerbe. Versuch es.«

Bath nahm die Lampe und wiederholte die Griffe. Wieder summte der Riegel. Im schwachbeleuchteten Korridor der Villa huschte Bath mit einem stummen Wink die paar Stufen zur Garage hoch und verließ die Villa fröstelnd, während Deuber geräuschvoll das Labor betrat, wo sie ihm einen Arbeitsplatz eingerichtet hatten.

32

Als Bath in die Küche kam, hantierte Sabine gerade mit der Bratpfanne, Blattsalat lag gewaschen in einer Schüssel, im Topf brodelte Reis.

»Den Fisch überlasse ich dem Chef«, schmunzelte sie und küßte ihn flüchtig auf die Wange: »Was ist passiert?« Ihr besorgter Blick musterte sein blasses Gesicht, mit der freien Hand fuhr sie ihm durch den nassen, wirren Haarschopf. Bath drückte sie an sich, sog wohlig ihren Duft ein, der sich mit dem würzigen Geruch des Reises vermischte, knurrte ihr ins Ohr, daß er ins Wasser gefallen sei, und zog sie nach hinten zur Dusche.

Der Mond schien hell, und Bath meinte, das Wetter sei viel zu mild für diese Zeit, als Sabine in einer einzigen Bewegung die Bluse abwarf. Baths Augen weiteten sich, als sie seinen Gürtel öffnete und ihm die feuchte Jeans herunterstreifte. Eng umschlungen küßten sie sich unter dem kräftigen, heißen Wasserstrahl in der engen Duschkabine, seine Hände liebkosten ihre weichen Schultern, strichen über ihren Rücken zu den wunderbar festen Hinterbacken, während ihre Finger in seinen vollen dunkelblonden Haaren kraulten. Sie wusch ihn zärtlich, keinen Zentimeter Haut ließ sie aus. Bath wußte nicht mehr, wo ihm die Sinne standen.

Später lagen sie auf dem breiten Bett. Aus dem Radio klang sanfter Blues, als sie sich notdürftig anzogen und glückselig in die Küche zurückkehrten. Bath legte den Barsch in das heiße Öl und entkorkte den Weißwein.

Nach dem Essen traten sie auf das Holzdeck hinaus und schauten in den Nachthimmel. »Es riecht nach Schnee«, befand Bath und legte den Arm um Sabine. Sie fröstelte und zog ihn zurück ins Schlafzimmer.

»Übermorgen sind wir Millionäre!« lachte Bath und drückte sie sanft auf das zerwühlte Bett.

»Du bringst mir Glück«, flüsterte Sabine, während er sie zärtlich umfaßte und mit beiden Augen auf ihren ausnehmend verführerischen Mund schaute: »Wird schon schiefgehen!« Er küßte sie.

»Wir werden ein wunderbares Leben haben«, rang sie nach Luft.

»Worauf warten wir noch?«

Langsam drang er in sie ein; ihre Blicke verschwammen.

Sabine hatte Bath nicht allmählich liebgewonnen, sondern sich auf Anhieb in diesen ungewöhnlichen Mann verliebt. Sie strich durch sein widerspenstiges Haar, während sie sich langsam auf und ab bewegte. Ihr gefielen die vorstehenden Knochen in seinem kantig geschnittenen Gesicht, und mit der Zunge strich sie zärtlich über seine sinnlichen Lippen. »Deine Augen leuchten aus einer anderen Welt«, flüsterte sie atemlos, als sich ihre Erregung langsam legte.

Er senkte die Lider. »Ich bin eben ein Gestirn von einer anderen Milchstraße«, schmunzelte er und zeigte hinaus in den funkelnden Nachthimmel.

Zögernd lösten sie sich aus ihrer Verschlingung. Bath tastete nach der Bierdose. »Ah, das tut gut.«

Sabine entgegnete nichts.

»Ich meine nicht das Bier«, lachte er. »Ich bin wie neugeboren.«

Sie rieb ihre Nasenspitze an der seinen und lächelte versonnen.

»Es ist lange her, daß ich eine Frau hatte«, gestand Bath. »Du bist wunderbar.«

Sabine sah hinauf in den Nebel der Milchstraße.

»Heirate mich, Bath«, sagte sie leise.

Bath schwieg, während sich Sabine ein Kissen unter die Hüfte legte und ihn wieder auf sich zog. Sie träumte von Brasilien, als sie mit Bath einem sinnesraubenden Höhepunkt zuflog.

Die Musik im Radio wurde unterbrochen, der Sprecher verlas die Nachrichten, als sie ermattet auf der Seite lagen und sich in die Augen schauten. »Fürchterlich, dieser Mord am Staatsanwalt«, sagte Sabine, als sie im Radio bestätigten, daß die Polizei weiterhin im dunkeln tappte.

Jetzt sei sie ihn immerhin los, beruhigte sie Bath. Sabine küßte ihn sanft auf die Stirn. Er lasse sie nie mehr allein, schwor Bath und setzte schmunzelnd hinzu, außer in den nächsten Stunden, denn er habe noch in der Villa zu tun. Sabine schubste ihn lachend aus dem Bett. »Ich werde unterdessen aufräumen, und gegen zehn Uhr können wir uns in Schwabs Schuppen treffen, okay?« Sie sah ein, daß es besser war, wenn sie nicht zusammen gesehen würden. Bath küßte sie, ergriff seine Tasche und verließ das Bootshaus.

33

Martin Deuber betrachtete mit aufgestützten Ellenbogen nachdenklich die beiden goldenen Siegelringe, die zwischen Daumen und Zeigefinger im weißen Licht der Tischlampe funkelten, während im Hintergrund das Chamäleon im Käfig neben dem Waschbecken fast regungslos mit zuckenden Äuglein auf der Lauer lag.

Die zwei Ringe unterschieden sich nur durch die Steine. Auf dem rubinroten hatte Martin Deuber die Daten von *COAST*, auf dem opalblauen diejenigen der Nationalbank gespeichert.

Siliziumplättchen dienten als elektronische Datenträger, die der Besitzer an einem Computer aufladen und an einem anderen wieder entladen konnte. Im Fall von *COAST* verbarg sich im Lilienwappen der Entschlüsselungscode, um das geheime Nato-Programm zu öffnen. Auf dem Chip unter dem blauen Opal mit dem eingravierten Anker hatte Martin Deuber die Programme untergebracht, die er für die Penetration der Zentralen Datenverarbeitungsanlage der Schweizerischen Nationalbank benötigen würde.

Er legte die Siegelringe auf den Tisch, stand auf und dehnte sich vorsichtig. Er mußte sich beim Hochhangeln in den Helikopter eine Rippe gequetscht haben. Oder war es am Ende Rheumatismus, den er im feuchten Zwischenboden des muffigen Lastkahns eingefangen hatte? Er trat zum Waschbecken, drückte ein Aspirin aus dem Streifen und spülte es hinunter.

Seit der Befreiung aus dem Knast hatte Deuber fast ununterbrochen an den Projekten gearbeitet. Sie hatten ihm die gewünschte Hacker-Ausrüstung gestellt, und mit den Schlüsseldaten, die er bei Bath versteckt hatte, war es ein Leichtes gewesen, den Zugang in das Nationalbank-System, zu finden. Den Wurm ins Nervenzentrum der Bankunion einzupflanzen, war für Deuber ein Kinderspiel. Er hatte sich den regen E-Mail-Verkehr des Generaldirektors Luginbühl mit seinem amerikanischen Freund am MIT, dem *Massachusetts Institute of Technology*, zunutze gemacht. An Luginbühls kürzlichen Besuch in Boston anknüpfend, ließ er ihm per E-Mail einen Ausschnitt aus dem »Boston Globe« zukommen, wo Luginbühl als Gastreferent der Management-Tagung groß im Bild erschien. Das Virus hatte Deuber dem übermittelten Text angehängt, und als Luginbühl erwartungsgemäß den schmeichelhaften Bericht in seinem Büro abspeicherte, erwachte der Wurm zum Leben und kroch behende in die neuen Jagdgründe, indem er sich gierig und unerbittlich durch die definierten Daten der Bank vorwärtsfraß.

Deuber schaute mit zusammengekniffenen Augen auf das Chamäleon, pickte mit der Pinzette aus dem Glas neben dem Käfig eine Heuschrecke heraus und setzte sich auf den schwarzen Hocker.

Die als geheim klassifizierten Zugriffsdaten für das Nato-Programm mit dem Decknamen *COAST* hatte ihm Erich Felgen auf einer schwarzen Diskette vor die Nase gehalten und ihn dabei mit haßerfülltem Blick gemustert, als wären sie Todfeinde. Dann hatte er mit einem sadistischen Flackern in den Augen gesagt: »Acht Leichen hängen an diesem Stück, Deuber. Ich will von Ihnen einen erstklassigen Job!«

Felgen war ein Ekel, dachte Deuber und hielt die Pinzette vor die Gitterstäbe. Die Zunge des Chamäleons schoß hervor, packte die Heuschrecke und verschwand mit der Beute im Rachen des archaischen Geschöpfs.

Felgen war gefährlich. Mit dem »erstklassigen Job« hatte er das zweite Projekt gemeint, bei dem es darum ging, in den nächsten Tagen in den Bunker der Nationalbank einzudringen, um illegal eine astronomische Geldsumme zu transferieren. Dazu würde Deuber den blauen Siegelring verwenden. Das Problem, das er noch lösen mußte, bestand darin, daß Felgen unbedingt mit von der Partie sein wollte, wenn er in den Bunker von Gstaad eindrang. Deuber begriff natürlich, daß der Ex-Stasi ihm nicht über den Weg traute und die brisante Geldtransaktion persönlich überwachen wollte, aber wie sollte er so den Coup an Bath und Konsorten vorbeischaukeln?

Deuber setzte sich seufzend an den Tisch und drehte den blauen Siegelring nachdenklich zwischen den Fingern, als Bath mit der dicken Sporttasche unter dem Arm hereinplatzte. »Bist du bereit?« fragte er, nachdem die Tür ins Schloß geknallt war.

Er habe noch zu tun, er solle schon vorgehen, sie würden sich bei Schwab um zehn treffen, entgegnete Deuber unwirsch, indem er die Hand schützend über die beiden Siegelringe hielt. Bath, der die farbigen Schmuckstücke blitzschnell erfaßt hatte, zuckte mit den Schultern, ging zum Käfig hinüber, wo er das Tier mit der Fingerspitze aufscheuchte, und wandte sich zum Gehen, als der Professor und Messerli hereinkamen. »Noch nicht abgereist?« Knocher runzelte die Stirn.

Er sei schon unterwegs, antwortete Bath, indem er rückwärts durch die Tür stolperte. Er habe noch die Winterreifen für Gstaad auf den Plymouth montiert, rief er in den Raum hinein, und werde sich morgen pünktlich zur abgemachten Zeit mit Messerli im Chalet treffen.

Messerli schaute ihm mißtrauisch nach, aber der Professor redete bereits mit Deuber, den er heute Bath nur als Martin vorgestellt hatte, und die beiden Freunde hatten sich in einer filmreifen Szene steif begrüßt, als hätten sie sich zum ersten Mal gesehen.

»Gehen wir doch zum Billard hinüber«, sagte der Professor.

Sie waren am Nachmittag im großen Mercedes zum Einkaufszentrum gefahren, der Professor hinten auf dem Rücksitz zwischen Bath und Deuber, letzterer mit dunkler Brille und schwarzer Wollmütze gegen neugierige Blicke abgeschirmt.

Sein Augenchip funktioniere auch als Decoder von Kreditkarten, hatte Knocher auf der kurzen Fahrt erklärt, bevor der Libanese den schweren Wagen in ein leeres Parkfeld vor der Bank lenkte.

Nebenan hatte sich eben eine chic gekleidete Frau aus einem italienischen Nobelcoupe gezwängt, und Knocher hatte dem Libanesen ein Zeichen gegeben. Dieser hatte sich dann im Cash-Center der *Kreditanstalt* in der Warteschlange hinter die Dame gestellt und sie in ein Gespräch über ihren Lamborghini verwikkelt. Als sie schließlich an die Reihe gekommen wäre, war die Frau verwirrt stehengeblieben, dann kopfschüttelnd aus der Reihe getreten, um ihre Handtasche erneut gründlich zu durchstöbern. Darauf waren die Männer zum Automaten getreten, der Libanese hatte Deuber augenzwinkernd die Kreditkarte der Schönen unter die Nase gehalten, um sie gleich darauf durch den Schlitz der Maschine zu ziehen. Der Bildschirm hatte nach dem vierstelligen Code gefragt. Bath hatte sich auf Drängen des Professors nach vorne gebeugt, die Arme auf die Maschine gestemmt und die Augen hatten einen funkelnden Strahl auf die Mattscheibe mit dem Dialogfenstergeschossen. Deuber würde nie vergessen, wie Bath aus der Erstarrung plötzlich in sich zusammengesunken war und dem Professor die Kennzahl zugeflüstert hatte.

Die Zahl war natürlich richtig gewesen. Der Libanese hatte sich anschließend gebückt und der ratlosen Frau die Karte hingestreckt, als hätte er sie eben auf dem Fußboden gefunden. Fünf Hundertfrankenscheine aus dem Automaten steckten in seiner Tasche.

Martin Deuber stieß die weiße Kugel an und fragte: »Seit wann hat dieser schielende Kerl den Augenchip?«

Die Kugel traf die rote und beförderte sie schräg zum Loch in der Ecke.

»Der Winkel stimmte nicht«, sagte der Professor, als die Kugel an der Bande abprallte und ins Feld zurückrollte. »Sie meinen Bath? Bath ist ein Prototyp der Natur. Er hat keinen Chip im Auge. Seine erstaunlichen Fähigkeiten brachten mich erst auf die Idee des Augenchips. Bath ist ein Pionier.«

Deuber traf die rote Kugel, die mit einem satten Knall zwar ins Loch fiel, doch die weiße kollerte hintendrein und kippte über die Kante. »Der Tisch ist nicht im Blei«, knurrte er.

»Sie zielen schlecht«, lachte der Professor. »Genau darum dreht es sich.«

»Worum dreht sich was?« Deuber bestrich die Queue-Spitze mit blauer Kreide.

»Daß der Körper genau macht, was ihm das Auge befiehlt«, antwortete der Professor und setzte zum Stoß an.

»Zum Beispiel?«

»Zum Beispiel die Billardkugel ins Loch knallen.« Knocher führte den Stoß sorgfältig aus. Die weiße Kugel traf den berechneten Punkt an der Bande und stieß auf dem Rücklauf die rote ins Loch. »Oder einen elektrischen Schaltkreis in Gang setzen.«

Messerli lag teilnahmslos im Fauteuil und glotzte in den Fernseher, während der Professor erklärte, wie er seine Erfindung der Natur abgeluchst hatte. Er sei auf Baths phänomenale Augen gestoßen, als er sich mit der Erforschung des Auges des Chamäleons befaßt habe. Daß ein Mensch mit seinem Verstand Materie bewegen könne, sei bekannt. Es gebe in dieser Sphäre Naturtalente, fuhr der Professor begeistert fort, während Messerli erneut den Kanal wechselte und nun ein Eishockey-Spiel verfolgte. Ein Israeli könne zum Beispiel mit bloßen Gedanken Kompaßnadeln bewegen, Löffel biegen und Computerdateien löschen.

Deuber hielt das alles für faulen Zauber.

»Unglaublich für Laien«, erriet der Professor den stummen Einwand. »Die Fähigkeit des Israeli wird als Telekinese bezeichnet.«

»Showbusineß«, meinte Deuber und zielte auf die schwarze Kugel.

»Keineswegs. Natürlich suchen die meisten Leute stets nach einer rationalen Begründung. Für sie existiert nicht, was der Verstand nicht erklärt.«

»Auch meine Meinung.« Deuber traf die schwarze Kugel zu spitz, sie prallte gegen die blaue, die prompt ins Loch fiel. Messerli hatte zu CNN gezappt und starrte teilnahmslos auf die Wetterkarte.

»Sie leugnen eine epochale Dimension der Gehirnentwicklung«, sagte der Professor, indem er die blaue Kugel aus dem Netz angelte und auf der Tischmitte plazierte. »Kennen Sie die Redensart *Wenn Gedanken töten könnten*?«

Deuber nickte.

»In den Augen spiegelt sich die Seele, ein Blick spricht Bände«, geriet der Professor in Fahrt. »Man unterscheidet böse, zornige, warme, eisige oder begehrliche Blicke.«

Deuber legte sich über den Tisch, fuhr mit dem Queue in raschen Bewegungen hin und her, zielte.

»Der Blick einer Frau läßt den Mann dahinschmelzen. Des Mannes Blick durchfährt das Weib wie ein heißer Strahl. Das sind Wirkungen unserer Gedanken, die elektrischen Strömen gleich aus dem Hirn abgefeuert werden, um einen anderen zu treffen, einzuschüchtern oder zu verführen ...«

Deuber rieb sich die schmerzende Stelle an der Brust, dann beugte er sich vor.

»Meine Forschung hat eine Geheimwaffe hervorgebracht«, sagte der Professor stolz.

»Geheimwaffe?« provozierte Deuber mit zweifelnder Stimme. Messerli legte die Füße auf den Marmortisch, während Bilder vom Tatort im Genfer Yacht-Club über den Schirm liefen.

Der Professor richtete sich auf. »Vergessen Sie die Atombombe, die chemischen und biologischen Kampfstoffe. Ich habe Leute, die können mit bloßem Auge töten.«

Einen Augenblick lang war nur das Knattern des Helikopters zu hören, der das Genfer Gefängnis aus der Luft filmte. Deuber schaute mit einem Auge hin, während sich der Professor über den Tisch legte, um die rosafarbene Kugel ins Visier zu nehmen. Wenn er sie fein schnitt, konnte er sie im rechten Winkel nach rechts ins Loch schieben.

»Habe ich Sie richtig verstanden? Leute, die den Knocher-Chip im Auge haben, können mit Gedanken töten?«

Die Kugel fiel mit sattem Knall ins Loch. Der Professor nickte und legte das Queue auf den Tisch. »Es geht nicht um Züchtung, wie in der Tierwelt, es handelt sich auch nicht um Gentechnologie. Stellen Sie sich einen Lautsprecher vor.« Ein Lautsprecher verstärke die zarteste Stimme zum Donnergrollen, dozierte der Professor, und der Augenchip funktioniere eben wie ein Verstärker, der Gedankenimpulse wie ein Laser tausendfach bündle. Der Blitz aus den Augen werde Tatsache.

»Klingt für mich wie eine ferne Vision«, gestand Deuber, aber der Professor hatte bereits ein Beispiel zur Hand: Wenn Deuber auf der Straße hinter einer schöngewachsenen Frau hergehe, schlage seine Phantasie beim Anblick der reizvollen Formen Purzelbäume. Seine Augen würden bewußt wie unbewußt flehen: Dreh dich um, Süße!

»Und sie dreht sich um«, sagte Deuber.

»Eben. Gedankenübertragung. Eine alte Geschichte.«

Knocher lief jetzt an der Tischkante auf und ab. Sie hätten dieses Experiment mit einer männlichen Testperson gemacht, fuhr er fort. Die Phantasie des Mannes sei derart pervers gewesen, daß die von hinten angestarrte Frau entsetzt herumgefahren und schreiend davongerannt sei. Der Kerl habe sie wahrscheinlich in Gedanken vergewaltigt.

»Vielleicht nur Zufall«, wandte Deuber ein, griff nach einer Kugel und bemerkte, daß zehn Uhr längst vorüber war.

Messerli hatte eine Kassette in den Videorecorder geschoben, und plötzlich erfüllte lustvolles Stöhnen den Raum. Messerli schaltete den Ton zurück und starrte geil auf die Nahaufnahmen.

»Morgen werde ich im *Palace Hotel* für die Medien eine kleine Demonstration durchführen. Bath spielt dabei die Hauptrolle«, erklärte der Professor unbeirrt.

»Sie wollen die Geheimwaffe enthüllen?« fragte Deuber alarmiert.

»Nein, um Gottes willen«, wehrte Professor Knocher ab. »In Gstaad demonstriert die *Novapharm* die friedliche Anwendung des Augenchips im Alltag, in der Technik und vor allem als Hilfe für die Blinden und Sehschwachen. Die Aktienkurse werden in schwindelerregende Höhen steigen. Von einer Waffe kann und soll nicht die Rede sein.«

Deuber verabschiedete sich kurz darauf unter dem Vorwand, er müsse sich vorbereiten. Er fing an, das Spiel zu durchschauen. Wenn es nur um die friedliche Verwendung des Augenchips ginge, hätten sie ihn kaum mit Riesenaufwand aus dem Knast geholt. Eine ganz große Sache mußte anstehen, und Felgen spielte in diesem tödlichen Spiel mit dem zur Menschheitsbedrohung gewordenen Augenchip mit Sicherheit die erste Geige.

34

Schwabs Schuppen lag abgeschlossen im Dunkeln. Aus dem Wirtshaus schräg auf der anderen Seite drang Grölerei herüber. Schwere Motorräder mit gewaltigen Chromlenkstangen überhäuften den Parkplatz neben der Eingangstür. Bath überquerte Böses ahnend die Straße und spähte vorsichtig durchs Fenster in die Gaststube. Schwab befand sich offensichtlich in schwerer Bedrängnis. Noch stand er wie ein Fels in der Brandung und wehrte mit einem Stuhl den Haufen anstürmender Randalierer ab. Bath, die Hände in der Jackentasche, betrat das Lokal, als Schwab zwei Kahlgeschorene an den Ohren packte und ihre Schädel gegeneinander knallte. Den Dritten riß er am Haarschopf heran, drehte ihn und versetze ihm einen Stoß, daß er über den Tisch an die Theke krachte. Ein Hüne mit enger Lederjacke zog das Messer, während sich sein Kumpel mit einer Kette wirbelnd von der anderen Seite Schwab näherte. Die wenigen Gäste hatten sich vor der Schlägerei in die Küche geflüchtet, wo sie auf den Wirt einredeten. Die Kahlgeschorenen rappelten sich hoch, schlugen Bierflaschen an der Tischkante ab und kreisten Schwab mit drohenden Gebärden ein. Der Kettenwerfer holte zum Schlag aus, als Bath warf. Der Golfball traf genau die rechte Schläfe, der Getroffene sackte zusammen. Der mit dem Messer starrte ungläubig auf die rollenden und blitzenden Augen Baths, während Schwab die Verblüffung nutzte und denen mit den abgebrochenen Flaschen einen Tisch vor die Füße warf. In diesem Augenblick drehte ihm der Hüne in einer raschen Bewegung den Arm auf den Rücken und setzte ihm die Klinge an die Kehle. Die Meute grölte, und die Stammgäste starrten entgeistert von der Küche herüber.

Niemand achtete auf Bath, als er den zweiten Ball schmiß. Das harte Geschoß traf das Handgelenk des Hünen mit voller Wucht. Ein Aufschrei ertönte. Das Messer fiel zu Boden. Schwab drehte sich blitzschnell und landete auf der schmerzverzerrten Fratze des Hünen einen gestreckten Kinnhaken. Der Kerl wirbelte krachend über die Theke in das Flaschenregal.

Der dritte Golfball verfehlte sein Ziel ebensowenig. Der Skinhead jaulte auf und preßte die Hände zwischen die Beine. Der Kampf war entschieden.

»Darauf trinken wir einen«, ächzte Schwab, als er Minuten später in der Geborgenheit des Schuppens aufatmete und Bath die Schnapsflasche hinhielt. Während er für den zweiten Schluck ein paar Gläser spendierte, ließ ein Zischen aus dem Dunkeln beide erschrocken herumfahren. Angestrengt starrten sie in die Finsternis. Da ging das Licht an, und Martin Deuber blickte grimmig über den abgesägten Lauf der Schrotflinte. Hinter einem Container tauchte mit blassem Gesicht Sabine auf.

»Das hatte gerade noch gefehlt. Seid ihr total bescheuert?« fluchte Deuber.

Nach der Erwiderung Schwabs, er sei immer noch hier zu Hause und lasse sich nicht von einem Sträfling abkanzeln, erzählte Bath ruhig, wie es zur Schlägerei gekommen war. Sabine schenkte aus einem mitgebrachten hohen Krug mit Henkel heißen Kaffee aus.

»Schnaps ins Glas oder in den Kaffee?« fragte Schwab versöhnlich.

»Kaffee«, brummte Deuber und schlug trocken vor, sie sollten die Vorbereitungen besser so rasch wie möglich hinter sich bringen, bevor die Polizei ihnen helfen wollte. Für einen Augenblick war nur Schlürfen zu hören, dann steckte er eine Kassette in das Videogerät unter dem verstaubten Fernsehapparat. Der Bildschirm flimmerte.

»Das ist die Anlage«, kommentierte Deuber das erste Bild und zeigte gleichzeitig mit der Schrotflinte auf den Plan, den Sabine inzwischen an die Wand geheftet hatte. »Diese Straße hier schwingt sich zum *Palace Hotel* hoch und ist die einzige Zufahrt zum Bunker. Hier erkennt man die Chalets, die in unmittelbarer Nähe der Anlage liegen. Hier seht ihr das Chalet Prizzi mit dem erwähnten Anbau. Genau hier werden wir eindringen.« Die Kamera folgte einer Straße. »Da unten am Wiesenrand wohnen die Leifheits, links davon führt ein Weg hinunter zur Hauptstraße.« Nach der Biegung erschien ein Park mit zwei dunklen Chalets. »Die Erben Axel Springers«, erklärte Deuber. »Und jetzt aufgepaßt: Hier, nach der Villa Flick, führt die Straße hinauf zum Treffpunkt, da!« Ein schneebedeckter großer Parkplatz kam ins Blickfeld; den Hintergrund bildeten schwarze Tannen am Hang des Bunkerhügels. »Merkt euch das Chalet Aquilotto.« Die Kamera schwenkte zurück. Vor der breiten Garage stand ein grüner 2-CV, darüber thronte das alte

Holzhaus. »Ein Treffpunkt für den Notfall«, sagte Deuber. »Ich kenne Mock, den Chauffeur.«

Bath trat brummend ans Fenster und spähte zwischen den Vorhängen hinaus, während das Videoband zurücklief. »Die Scheißtypen vom Restaurant sind draußen«, sagte er tonlos. Die anderen traten nun auch vor das kleine Fenster, wo Bath die als Vorhang dienende Plane eine Handbreit zur Seite geschoben hatte. Mindestens fünfzehn Kahlköpfe in Lederjacken und Stiefeln standen im Halbkreis vor Schwabs Laden und schwangen Knüppel oder Ketten; zwei in der Mitte hielten Repetiergewehre unter dem Arm.

»Die machen mir alles kaputt«, sagte Schwab grimmig, schob ein volles Magazin ins Sturmgewehr und lud durch. »Moment«, besänftigte Deuber mit erhobenen Händen. Der Hüne mit der *Pump-Action* unter dem Arm winkte seine Leute vorwärts.

»Heh, was wollt ihr?« rief Deuber und trat hinaus. Gelächter.

»Was wir wollen? fragt der Wichser, hört ihr das?« Der Hüne hob bedrohlich das schwarze Gewehr mit dem Repetierschaft. Schlagringe blitzten im Licht der Straßenbeleuchtung auf.

»Geht auf den Platz zurück. Wir bereden die Sache«, rief Deuber.

Der Anführer feuerte. Der Schuß zerfetzte das Schaufenster, keine zwei Meter von Deuber entfernt. Die Bande rückte bedrohlich näher. Eine Flamme loderte auf und flog als flackernder Schweif in die Schaufensterauslage. Eine Stichflamme schoß hoch und leckte am Karton der Reklametafeln für Zigaretten. Der Wind nährte die züngelnden Flammen. Die Bande grölte, der Hüne zeigte mit ausgestrecktem Finger mehrmals zum Schuppen, und drei Skinheads lösten sich aus dem Haufen.

Das Feuer griff auf die Verpackungen über. Bath rannte mit einem roten Feuerlöscher heran, riß den Bolzen heraus und richtete den Strahl auf den Flammenherd, als ein Kanister spritzend durch das zerbrochene Schaufenster wirbelte. Er schlug gegen das Regal der Reinigungsmittel. Ein Flammenmeer loderte auf; Bath wich schreiend zurück.

Da preschte der massige Leib Schwabs an ihm vorbei, schob Deuber ruppig zur Seite und pflanzte sich breitbeinig in den Türrahmen.

»Ihr Schweine!« schrie er und drückte ab. Die Feuerstöße aus dem Sturmgewehr wirbelte die beiden Anführer rückwärts zu Boden. Schreie. Die Bande rannte auseinander. Schwab feuerte nach rechts und links, wo er die Kerle in der Deckung vermutete, bis ihm Deuber in den Arm fiel, das schnaubende Schwergewicht zurückriß und die Tür verriegelte. »In den Schuppen, Türen zumachen!« befahl er.

Das Feuer fand widerstandslos Nahrung. Im Trommelfeuer barsten Behälter mit Reinigungsmitteln; Gebälk krachte, knisternd leckten die Flammen an der Kunststoffdecke. Autos hielten auf der Straße, die Fahrer standen im Widerschein des Infernos hinter halbgeöffneten Wagentüren, als vier Glatzköpfe nach vorne rannten, die verletzten Anführer an Armen und Beinen packten und hinter die Mauer in Sicherheit zerrten.

Im Schuppen kletterten Bath und Sabine auf die Ladebrücke zwischen die Berge von Ausrüstungen und zurrten die Plane fest. Deuber öffnete die Beifahrertür des dreiachsigen Pinzgauers und suchte ungehalten nach Schwab, der sich im hinteren Teil am Boden zu schaffen machte. Das Feuer tobte gegen die Tür des Schuppens. Qualm biß ihnen in die Augen, als Schwab endlich heranschnaufte. Deuber winkte nervös und fing das Sturmgewehr auf, das ihm Schwab zuwarf.

Die Bande hatte sich um die blutüberströmten Anführer geschart, als der Militärlastwagen mit grellen Scheinwerfern und aufheulendem Motor durch das Scheunentor brach. Überrumpelt glotzten die Kahlköpfe auf die Szene. Wie aus der Hölle entwichen donnerte Schwab vor dem gespenstischen Flammenmeer auf die vier Motorräder zu und rammte sie erbarmungslos in den Boden. Der Lastwagen schüttelte sich nur, als die schweren Räder die Gestänge zerquetschten, schlitterte in die Kurve zur Hauptstraße und ließ das Chaos hinter sich.

Auf der Ladebrücke kroch Sabine unter einem Berg von Kampfanzügen hervor und tastete nach einem Halt. Hinter dem Lenkrad atmete Schwab kräftig aus, wischte sich den Schweiß von der Stirn und prüfte die Uhrzeit: 23.51. Deuber schaute gelassen in den Seitenspiegel: Eine riesige Stichflamme sagte ihm, daß die Zündschnur, die Schwab am 100-Gramm-Trotylwürfel neben dem Benzinkanister festgemacht hatte, soeben abgebrannt war. »Jetzt stecken wir bis zum Hals in der Scheiße«, stellte er fest, als der Wagen nach dreihundert Metern die Abzweigung zur Autobahn erreichte. Blaulichter rasten aus der Gegenrichtung heran. Sirenen heulten vorbei. Schwab stoppte abrupt.

»Ich laufe zurück«, sagte Deuber und stieg aus.

Schwab hätte beinahe vergessen, daß die in der Villa ja nichts vom Plan wußten, Martin Deuber sich also auf keinen Fall mit ihm oder Sabine sehen lassen durfte. »Wir sind im *Klösterli*«, rief er ihm nach.

Das *Klösterli* lag außerhalb von Gstaad an der Straße zum Pillonpaß. Nachts herrschte im *Dancing*, einem beliebten Treffpunkt der Gstaader Schickeria, Hochbetrieb, und nicht weit vom Lokal befand sich ein Helikopterlandeplatz und Kächs Hangar. Roger Käch bot im Sommer Rundflüge, im Winter Heli-Skifahren auf den Abhängen der majestätischen Berner Alpen an. Zudem flog er um die Weihnachtszeit die Reichen vom Flughafen Genf-Cointrin direkt vor das *Palace Hotel*.

Vor Jahren hatte er seinem Vetter Schwab in unzähligen Stunden schließlich doch noch das Fliegen beigebracht, und im Hang zwischen Hangar und Klösterli hatte der Unternehmerpilot ein altes Bauernhaus erstanden, das er mit den Jahren in zäher Freizeitarbeit zu einem komfortablen Chalet umgebaut hatte. Es bot genügend Raum für Schwab und seine Freunde.

Deuber winkte, Schwab nickte zurück, legte den Gang ein und fuhr los. Es gab kein Zurück mehr. Sie saßen alle im gleichen Boot. Jetzt durfte nichts mehr schiefgehen. Der Plan mußte präzis wie ein Schweizer Uhrwerk ablaufen.

Nach einer halben Stunden Fahrt auf der *N 1* Genf – Lausanne schwenkte der Wagen auf einen einsamen Rastplatz und kam hinter der Toilettenanlage zum Stehen. Schwab stieg aus und machte die Militärnummernschilder fest, dann zogen er und Sabine die kampfgrünen Militäranzüge und die Schildmützen der Schweizer Armee über. Bath setzte sich ein schwarzes Barett auf und warf sich eine Tarnpelerine über die Schultern.

35

Der Motor brummte einschläfernd, und ein matter Lichtschein der Armaturenbeleuchtung drang in den Laderaum. »Wo hast du eigentlich die ganze Bande kennengelernt?« fragte Sabine.

Ein erstaunter Blick traf sie. »Heute lachen sie jedenfalls nicht mehr«, sagte Bath leise. »Das ist viel wert für mich.« Es war das erste Mal, daß Bath einer Frau von seiner gräßlichen Jugend erzählte. Sie quälten ihn alle damals in der Schule, weil seine Augen den Defekt hatten, weil er ein Schieler war. »Vielleicht kann er auch nicht geradeaus pissen«, keifte der Lümmel mit der Zahnlücke, und die langbeinige Rotznase vom Veterinär höhnte immerzu: »Knick in der Linse, Schwänzchen aus Binse ...« Nie würde er das Gefühl vergessen, wie sich der Blick seiner Augen haßerfüllt auf den höhnischen Fratzen festbrannte. Sie spotteten noch, als Bath die Steine wegschleuderte, zuerst links, dann rechts. Die Steine trafen wuchtig mitten auf die Stirn. Der Länge nach fielen sie um wie hohle Stöcke und blieben bewußtlos liegen. Totenstille senkte sich über den Pausenhof. Seither hatte Bath Ruhe.

Der Vorfall ließ ihn seine Fähigkeiten ahnen. Heimlich führte er Experimente durch. Urplötzlich wurden seine Augen zu seinem Markenzeichen. Sogar der Schulpräsident im Dorf, ein Rechtsanwalt, wurde auf ihn aufmerksam. Er schickte den aufgeweckten Burschen zu Professor Sigmund Knocher, um die Augen richten zu lassen, und damit erfuhr Baths Leben eine dramatische Wende.

»Der Professor sorgte gut für mich.« Für einen Augenblick leuchtete sein Gesicht im Schein überholender Autolichter auf. »Meine Stellung als Fischer, das Boot und vorher das vornehme Internat in Gstaad. Alles verdanke ich Knocher.«

»Im Gegenzug warst du sein Versuchskaninchen«, sagte Sabine.

Bath nickte. »Der Professor verhalf mir auch zur Stelle in einer Firma, die sich mit intelligenten Systemen beschäftigte.«

»Du bist ein solches.« Sie küßte ihn.

Martin Deuber habe er in dieser Computerfirma kennengelernt, berichtete Bath weiter. Martin habe dort Sicherheitssysteme konzipiert und Anti-Viren-Programme geschrieben. Er sei schon damals ein gescheiter Generalist, eine Art Universalgenie, aber auch ein Einzelgänger und Abenteurer gewesen. Man munkelte, er habe in der Fremdenlegion gedient. Übrigens spreche er fließend Amerikanisch wie ein echter Yankee.

Ein paar Jahre lang arbeiteten sie zusammen für die großen Schweizer Banken. Im Sicherheitsbereich installierten sie die neuen Systeme mit Stimmerkennung, Handeinlesung sowie knack- und hackersichere Computerprogramme. Die Großbanken beharrten trotzdem auf Paßwörtern und Torwächtern. Deuber bezeichnete diese Systeme als geistiges Abfallprodukt von Dinosauriern.

Sabine hörte nachdenklich zu.

»Was für ein Typ ist eigentlich Knocher?« wollte sie wissen. Bei seinen Kollegen stoße der Professor auf Bewunderung, vielleicht auch Neid, antwortete Bath, sicher genieße er Achtung. Der Universität Genf habe er ein ganzes Institut für die Behandlung von Augenkrankheiten gestiftet. Blinden Kindern bringe er mit einer von ihm entwickelten Methode das Skifahren bei. Ab und zu operiere er noch. Am Sonntagmorgen käme ein Amerikaner aus Nebraska unter das Messer. Knocher schere sich einen Dreck um Religionen, erzählte Bath weiter. Er hasse Juden, Muslime und Katholiken genauso wie die Genfer Protestanten.

»Ist er Kommunist?«

»Knocher ist Jude. Seine Mutter starb im Konzentrationslager. Woran er glaubt, weiß ich nicht.«

»Wieso haßt er dann die Juden?«

»Knocher glaubt nur an den medizinischen Fortschritt. Moral ist für ihn reine Mundhygiene, und Skrupel hält er für so sinnvoll wie Geld in Rußland. Er ist herzlos und zynisch. Manchmal denke ich, ein Arzt in einem Konzentrationslager müßte genau wie Knocher ausgesehen haben.«

»Knocher ist offenbar steinreich«, bemerkte Sabine, als Schwab abbremste, um die Autobahn zu verlassen.

»Gefangener seines Reichtums«, meinte Bath, der nach vorne spähte, um sich zu orientieren. »Knocher besitzt unheimliche Verbindungen, die gar nicht zu einem Arzt passen. Die Prizzis ...«

»Waffenschieber.«

»Richtig! Dann Eibenknecht, Weideling und Felgen. Ein Trio Infernale.«

»Warum?«

»Knocher erlebte einen kometenhaften Aufstieg als Unternehmer. Die berühmte *Novapharm* gehörte dem alten Weideling – bis sich Knocher an ihn heranmachte. Die beiden verstanden sich anfänglich gut. Weideling witterte Morgenluft, als der Professor sein magisches Auge entwickelte.«

»Magisches Auge?«

»Ein Sichtverstärker, der zugleich die Gehirntätigkeit beschleunigt. Der Mikro-Augenchip wird direkt auf die Netzhaut gesetzt.«

»Was geschah dann?« Sabine interessierten weniger die technischen als die zwischenmenschlichen Dinge.

»Eibenknecht und die Prizzis verhalfen Knocher zur Mehrheit an der *Novapharm.* Und plötzlich explodierten die Umsätze und Gewinne. Vielleicht ist Knocher auch nur ein Strohmann. Aber alle um ihn herum sind jedenfalls steinreich geworden. Auch Felgen.«

»Wer ist Felgen?«

»Ein mieses Arschloch«, knurrte Bath. »Ein hoher Stasi aus der ehemaligen DDR, und ich vermute, er zieht an zahllosen Fäden. Jedenfalls ist er gefährlich.«

»Warum?«

»Ich weiß nicht. Vielleicht sind es seine Augen. Er hat einen fanatischen Blick. Irgend etwas Großes läuft. Wahrscheinlich hängt alles zusammen.«

Sie mußten sich an den Seitenplanken festhalten, als der Pinzgauer durch die Kurven schlingerte und die Steigung in Angriff nahm. Die grell beleuchtete mittelalterliche Burg schimmerte durch die schmutzige Plastikscheibe der Heckwand.

»Schloß Greyerz«, sagte Bath.

»Was hängt alles zusammen?« bohrte Sabine weiter.

»Die Versuche, die ich machen muß, die Konferenz im *Palace*, das Waffengeschäft und die schrägen Vögel, die plötzlich auftauchen. Dieser Amerikaner zum Beispiel. Felgen schmiedet einen Plan, da bin ich sicher.«

»Wie wir«, lachte Sabine. »Glaubst du, es wird gelingen? Denkst du, wir schaffen es bis Brasilien, Bath?«

Er drückte sie fest an sich. Der Pinzgauer verlangsamte das Tempo und hielt vor einer Bahnschranke. Schnee fiel in dicken Flocken, deckte die Landschaft zu. Sabine richtete sich auf: »Bist du eigentlich sicher, daß uns Martin Deuber nicht im Stich läßt? Ich habe Angst, er hält so lange zu uns, wie es ihm nützt, und dann haut er mit dem Gold ab, und wir sitzen fest.«

Bath, selbst voller Zweifel und Unsicherheiten, haßte mißtrauische, pessimistische Gedanken; sie beschworen das Unheil seiner Meinung nach geradezu herauf. Obwohl er die Augen nicht vor der Realität verschloß, wies er negative Gedanken grundsätzlich weit von sich.

»Mal den Teufel nicht an die Wand!« Doch auch Bath war beunruhigt. Hinter Deuber mußte eine mächtige Organisation stehen. Sie hatten ihn aus dem Knast geholt und auf einen Lastkahn gebracht, wo ihm alle möglichen Geräte zur Verfügung standen. Aber wer diese Leute auch immer sein mochten, sicher hielten sie ein scharfes Auge auf Deuber und würden nicht zulassen, daß er nebenbei sein eigenes Spiel betrieb. Wenn die Sache aufflog, waren sie alle dran. Bath verdrängte den unangenehmen Gedanken. Irgendwie wüßte Deuber die Sache schon zu richten. Sabine mochte ihn offenbar nicht, aber sie kannte ihn schließlich kaum.

»Noch eine halbe Stunde bis Gstaad«, rief Schwab nach hinten, als der Zug vorbeibrauste.

36

Der schwarze Mercedes mit Martin Deuber, Erich Felgen und Professor Knocher hatte die Bahnschranke nur Minuten später überquert und war weiter vorne prompt auf den langsamen Militärlastwagen aufgefahren. Die Männer hatten zu Beginn der Fahrt die Organisation der nächsten Tage besprochen, dann war der Professor auf dem Vordersitz eingenickt, und Felgen hatte telefonische Anweisungen nach Gstaad durchgegeben.

Wie Deuber erfahren hatte, befand sich bereits ein Troß von Leuten an Ort und Stelle, um die umfassenden Vorbereitungen zu treffen. Felgen hatte zu Deubers Erstaunen wenig über die Organisation rund um die große Medienkonferenz der *Novapharm* im *Palace* gesprochen, dafür aber immer wieder Einzelheiten der anschließenden Weihnachtsparty im Chalet aufgegriffen, an der neben der Familie Prizzi prominente Gäste und Einkaufsagenten ausländischer Beschaffungsstellen erwartet wurden. Die Aktion im Felslager der Nationalbank hatte der nervös wirkende Felgen dagegen mit keinem Wort erwähnt – wahrscheinlich wegen des Libanesen. Nun, fahren konnte der Typ immerhin; es war ihm gelungen, den Militärlastwagen auf einem geraden, engen Straßenstück zu überholen.

»Tut mir leid wegen München, Professor«, sagte Erich Felgen, als sie nach der Ankunft im Untergeschoß des Chalets *Wildhorn* allein waren. Er setzte sich salopp in den Behandlungsstuhl, nahm vom schwenkbaren Instrumentenarm ein Skalpell in die Hand und prüfte gelangweilt die scharfe Klinge. Felgen, eine Spürnase der alten sowjetischen Schule, besaß feine Antennen. Die Reizbarkeit des Professors hatte sich in den letzten Tagen noch verschärft, wohl nicht zuletzt, weil am nächsten Morgen der Gesinnungsgenosse John Metzger in diesem Stuhl operiert werden sollte, und der Professor mochte fühlen, daß die Entscheidung unmittelbar bevorstand. Dabei gab es keinen Grund zur Aufregung, Felgen hatte den Plan unzählige Male auf mögliche Pannen hin untersucht; alles war einfach und klar:

1. *Weißer Stolz Weltweit* wird dank dem Knocher-Killer-Auge über Nacht zur gefürchtetsten Terrororganisation der Welt.
2. Knocher erhält für die Rechte an der Erfindung hundert Millionen US-Dollar.
3. *Weißer Stolz Weltweit* bezahlt den Professor mit dem Geld des NS-Kriegsverbrechers Philipp Bouhler, das in der Nationalbank als sogenanntes *nachrichtenloses Vermögen* dahinschlummert.
4. Martin Deuber dringt in den Nationalbank-Computer ein und transferiert das Bouhler-Vermögen an *Weißer Stolz Weltweit,* anschließend löscht er die Daten der Transaktion unwiderruflich aus.
5. Die Familie Prizzi erhält für die Vermittlung von Deuber den Zugang zu *COAST* und kann exklusiv in das Millionengeschäft mit den modernen Informationswaffen einsteigen.
6. Als Tarnung der Aktion dient die Präsentation des Augenchips durch die *Novapharm* mit dem Nebeneffekt einer gewaltigen Aktienkurssteigerung. Knocher und Felgen kassieren Hunderte von Millionen Franken.

Natürlich hatte Felgen ganz privat noch einen siebten Punkt im Kopf ...

»Entschuldigungen können Sie sich jetzt auch sparen«, blaffte Knocher und schaute ungeduldig auf die Uhr.

»Der Libanese hatte den Plan mit mir abgestimmt«, versuchte sich Felgen zu rechtfertigen. »Wir hatten den Israeli seit seiner Ankunft in der BRD beschattet, und der Libanese hatte sich rechtzeitig im Gebäude festgesetzt und wartete auf die Verstärkung.«

»Warum brauchte der Libanese Verstärkung, verdammt«, schnappte der Professor.

»Wir wollten den Israeli und die beiden Detektive mit einem Schlag vernichten.«

»Eine klägliche Blamage«, giftete der Professor.

Felgen blickte zu Boden. Nach einer Pause fragte der Professor: »Warum ist es schiefgegangen?«

»Es ging schief, weil die Verstärkung nicht rechtzeitig eintraf. Die Männer fuhren auf der Autobahn im Nebel in eine Massenkollision hinein.«

»Idioten«, bemerkte der Professor und deutete zur Tür. Felgen stieg vom Behandlungsstuhl herunter.

»Wir hatten erfahren, daß der FBI-Agent Ken Custer vom Flughafen direkt zur Walhallastraße fuhr. Zwei BKA-Kommissare sollten ihn begleiten.« Felgen hielt dem Professor die Tür auf; sie traten auf den mit hellgrünem Teppich ausgelegten Korridor hinaus.

»Der Libanese wartete im Versteck auf die anderen Männer, um den Job auszuführen.«

»Wer waren die anderen Idioten?« fragte der Professor, blieb vor einem *Giger* stehen und betrachtete abwesend die futuristische Maschine aus blauschwarzen Röhren und rosaroten Phallussymbolen, ein Geschenk von Serenella Prizzi.

»Ein Tscheche, Sprengstoffexperte, trainiert in Libyen, und Karl, ein Hamburger, Scharfschütze.«

»Warum hat der Libanese nicht wenigstens Custer und den Israeli erledigt?« Der Professor ging auf die Holztür am Ende des Korridors zu.

Erich Felgen schüttelte den Kopf. »Unmöglich. Die beiden trennten sich. Custer ist ein knallharter Profi, einsame Spitze, Professor.«

»Neid?«

»Nein, Respekt, Professor. Custer ist Zerstörungs-, Waffen- und Nahkampfexperte mit dem begehrten Zertifikat. Er diente außerdem lange im Secret Service.«

»Der Knabe muß in die Jahre gekommen sein«, folgerte der Professor aus diesem Steckbrief.

»Fünfzig vielleicht«, bestätigte Erich Felgen. »Aber wer in dieser Branche alt wird, muß vorher überlebt haben. Custer sagt man einen sechsten Sinn nach. Allein konnte der Libanese gegen den nichts ausrichten.«

»Also war es ein Fehler, überhaupt hineinzugehen?«

»Der Libanese hoffte auf die Verstärkung gemäß Plan, und als Custer allein auftauchte, entschloß er sich, Wettländer im Wagen zu erledigen. Dann hatte er vor, sich im Wagen des Toten hinter das Steuer zu setzen, um auf diese Weise Custer aus nächster Nähe zu liquidieren. Doch Custer muß etwas geahnt haben. Plötzlich war der Libanese der Überraschte. Ihm blieb nur eins übrig: schießen und abhauen. Ein Wunder, daß ihn Custer auf die kurze Distanz nicht erwischt hat.«

»Auf den Libanesen war bis jetzt Verlaß; in Genf hat er besser gearbeitet«, stellte der Professor fest.

Erich Felgen schwieg. Daß die tote Edeltraut Stenz in die Gerichtsmedizin gelangte, war ihm verdammt peinlich. Der Arzt vom Bereitschaftsdienst hatte den winzigen Einstich der Injektionsnadel übersehen, aber sie hatten das Pech gehabt, daß der Leichenbestatter die verfärbte Stelle in der Schamgegend der Toten bemerkte und zu seinem Schutz die Polizei anrief.

»München war ein Pfusch, Felgen«, las der Professor seine Gedanken. »Edeltraut zu töten, war ohnehin ein Fehler. Sie hätte zu mir gestanden, verschwiegen wie ein Grab. Noch eine Panne, und ich muß mir überlegen, ob Sie noch der richtige Mann sind, Felgen.« Knocher griff nach der Türklinke.

Da hielt ihn Erich Felgen mit einem harten Griff an der Schulter zurück. Als er nach einer Weile antwortete, hatte sich sein Ton verschärft. »Pfuschen Sie mir nicht ins Handwerk, Herr Knocher. Ich pfusche auch nicht in das Ihrige. Die Sicherheit der Organisation ist mein Job, klar? Ich entscheide, wer gefährlich ist. Die Stenz wußte um das Vermögen von Philipp Bouhler, und wenn ihr die Polizei zugesetzt hätte ...« Felgen zog die Augenbrauen hoch. »Kommen Sie mir ja nicht mit Vorwürfen.«

Professor Knocher starrte Felgen fassungslos an.

»Ich mache die Drecksarbeit«, zischte Felgen. »Wir besorgen Ihnen Augen, Köpfe, ganze Leichen, damit Sie sie für Ihre Versuche zerschnetzeln. Wir halten Ihnen die Penner fern, die sich für Ihre krummen Touren interessieren. Wir räumen Ihnen die Leute aus dem Weg, die uns zu nahe kommen. Was wir jetzt brauchen, ist cooles Handeln, nicht Jammern. Wir stehen kurz vor dem Ziel.«

»Was wollen Sie, Felgen?« fragte der Professor.

»Daß Sie sich raushalten, wenn es um Ihre Sicherheit geht.«

»Ist das alles?« Der Professor entwand sich aus Felgens Griff.

»Eine Überweisung ist fällig«, antwortete Felgen.

Knocher spielte den Erstaunten: »Wieviel?«

Erich Felgen hob die gespreizte Hand hoch.

»Fünf Millionen?« Der Professor schüttelte sein Haupt. »Erst wenn die Aktion über die Bühne gegangen ist.«

»Alles ist bereit, Professor«, beschwichtigte Felgen.

»Gut, ich werde die *Kreditanstalt* benachrichtigen«, lenkte Knocher ein und öffnete die Tür.

Martin Deuber schaute von seinem Laptop auf, als der Professor mit Felgen im Schlepptau das große, fensterlose, an Wänden und Decke mit Eichenholz getäfelte Zimmer betrat und am Kopf des ovalen Konferenztisches Platz nahm. Die Tischplatte aus Rauchglas ließ die gekreuzten Chromfüße matt durchschimmern sowie am anderen Ende auch Messerlis nackte Zehen und die auf den schwarzen Teppich geschleuderten braunen Stiefel mit heraushängenden Socken.

»Zur Sache, meine Herren«, rief Knocher; er haßte Sitzungen.

Zunächst referierte Felgen nochmals über den Ablauf der Pressekonferenz im *Palace,* und Messerli reichte die Liste mit den angemeldeten Medienvertretern durch.

»Sie passen die ganze Zeit auf Bath auf«, sagte der Professor, und Messerli nickte, während er versuchte, mit seinen Füßen in die Stiefel zu gelangen.

»Alles klar, Professor: Nach der Show bringe ich ihn ins Chalet. Während der Party wird er von unseren Leuten lückenlos bewacht.«

Der Professor knurrte Zustimmung, dann richteten sich alle Augen auf Deuber, der unbeirrt die Tastatur bearbeitete. »Es müßte klappen«, sagte er plötzlich und lehnte sich zurück. Nun erörterte er seinen Plan. Der 23. Dezember sei der richtige Zeitpunkt für den Geldtransfer, erklärte er und gab nach einer kritischen Frage von Felgen auch den Grund an: Am Vorweihnachtstag befinde sich das meiste Kontrollpersonal bereits im Urlaub. Die Computer würden durch das System selbst überwacht. Sollte sein Eingriff wider Erwarten eine Rückfrage auslösen, sei die Wahrscheinlichkeit groß, daß erst in der folgenden Woche darauf reagiert würde. Ferner würden über Weihnachten die Wachen im Bunker auf ein Minimum von zwei Mann reduziert.

»Ursprünglich wollten wir doch früher zuschlagen«, beharrte Felgen und beobachtete skeptisch Deubers arrogant-ironische Mimik. Er werde ihm die genaue Kontobezeichnung für den Hundertmillionentransfer erst verraten, wenn sie gemeinsam im Bunker vor dem Terminal stünden, versuchte er, Deubers Selbstherrlichkeit zu dämpfen.

»Ich brauche Zeit für meine Vorbereitungen«, gab Deuber unbeeindruckt zurück, und Felgen verspürte ein leises Unbehagen. »Ich muß die Umgebung des Bunkers, die Zufahrten und das ganze Drum und Dran erkunden. Wieviel weiß Serenella Prizzi von der Sache?«

Knocher und Felgen schüttelten gleichzeitig ihre Köpfe. »Nichts«, sagten sie unisono.

»Wann können wir die Sache durchsprechen?« fragte Martin Deuber und blickte auf den Umschlag, mit dem Felgen immer noch vor seinem Gesicht herumwedelte. Daß Felgen sich erst im letzten Augenblick mit der entscheidenden Information in die Felskammer wagen wollte, entsprach dem Sicherheitskonzept und paßte ihm im übrigen nicht schlecht in den Kram. Mit dem Stasi-Mann hatte er nichts am Hut, und je weniger er ihm im Wege stand, desto besser konnte er den schwierigen Plan ausführen.

Morgen früh, schlug Messerli vor, als das Telefon läutete und der Professor abnahm. Deuber schloß seinen Laptop und verstaute ihn in der Tragetasche.

Das Gespräch war kurz und offenbar unerfreulich.

»Ken Custer, Spezialagent FBI, ist heute nacht im *Palace* angekommen«, erzählte der Professor und blickte düster auf Felgen.

Deuber, der über seine Tasche gebeugt am Reißverschluß zerrte, erstarrte. Zum Glück sah niemand sein Gesicht, und als er aufschaute, hatte er sich wieder gefaßt und sagte lässig: »Wenn das so weitergeht, verdoppelt sich mein Preis. Mit soviel Opposition hatte ich nicht gerechnet.«

Im Raum blieb es still, und plötzlich erfüllte Felgen kalte Gewißheit: Dieser Deuber fiel mit Sicherheit unter Punkt sieben. Laut sagte er: »Wir werden uns etwas einfallen lassen. Amerikaner lieben Berggipfel.«

»Was gibt es zu schmunzeln?« fragte der Professor.

»Ich dachte an Bath«, sagte Felgen geistesgegenwärtig. »Wie er morgen abend mit seinen Wunderaugen die Weltpresse von den Stühlen reißen wird.«

Knocher lächelte versonnen, dann stand er energisch auf: »Los, gehen wir nach oben zu einem Schlummerbecher!«

37

Der Schnee fiel in großen, nassen Flocken, als Ken Custer unter dem ausladenden Vordach des *Palace* in Gstaad aus dem Wagen stieg, dem Portier das Gepäck anvertraute und auf dem roten, über die breiten Stufen laufenden Teppich die Empfangshalle betrat. In warmes Licht getaucht, neigte der Chef de Réception hinter dem eleganten Nußbaumtresen charmant sein angegrautes Haupt und begrüßte Custer mit strahlendem Lächeln, als gehöre er zur geschätzten Stammklientel des Hauses.

Custer hatte es sich zur Angewohnheit gemacht, sich nach der Ankunft im Hotel bei einem Scotch zu entspannen und sich dabei die nächsten Schritte in aller Ruhe zu überlegen. Die Uhr an der Minibar im gemütlichen, mit Bergfichtenholz ausgekleideten Zimmer zeigte zehn nach elf. Schneeflocken wirbelten ungestüm an die Fensterscheibe, und Custer beschloß, während er genüßlich die Whiskyflasche aufschraubte, daß ihn keine zehn Pferde mehr nach draußen brächten. Er füllte das Glas halb voll, setzte sich auf den Bettrand und zappte wahllos im Fernsehprogramm herum, bis ihm plötzlich das vertraute Bild der Genfer Universitätsklinik ins Auge stach. Eine Reporterin verschwand eben gestikulierend unter dem Eingang, als die Kamera den Standort in das Treppenhaus wechselte, durch eine zerschossene Tür hindurch in das rauchende und mit Löschschaum überzogene Chaos des verwüsteten Pathologieraums schwenkte. Custer fingerte an der Fernbedienung nach dem Ton, als das Telefon klingelte. Zögernd schlurfte er über den flauschigen Teppich auf die andere Seite des einladend zurückgeschlagenen Bettes, als auf dem Bildschirm Professor Brunner gebärdenreich ins Mikrophon dozierte.

Custer nahm den Hörer ab. Dann setzte er sich langsam und schaute stirnrunzelnd auf die Uhr, nickte und legte auf. Auf dem Bildschirm nahmen Feuerwehrleute erschöpft ihre Helme ab.

Ken Custer schaltete ab, nahm einen ordentlichen Schluck Scotch und wußte nicht, ob der Whisky oder die rauchig sinnliche Stimme der Serenella Prizzi ihn so merkwürdig erregte. Sie hatte darauf bestanden, ihm noch heute nacht ein wichtiges Dokument zu zeigen. Der Chauffeur sei bereits unterwegs.

Custer trug das Glas ins Badezimmer, stellte es auf den schwarzen, grüngeäderten Marmor des Waschbeckens und musterte sich kritisch im Spiegel. Man nahm dem schlanken Mann mit den breiten Schultern und dem gutgeschnittenen Gesicht seine fünfzig Jahre nicht ohne weiteres ab, aber Custer massierte dennoch wehmütig sein kräftiges Kinn, grinste den blaugrauen Augen im Spiegel ironisch zu, strich mit der Haarbürste seine graublonden Strähnen glatt und gestand sich die unangenehme Erkenntnis ein, daß man ihm nach dem Leben trachtete. Nun gut, das Gefühl war nicht neu.

Er fischte seine rot-schwarze Skijacke aus dem Koffer, zog die Schneestiefel an und klaubte aus dem Seitenfach seiner Reisetasche die Walther, um sie in eine der zahlreichen Innentaschen der Skijacke zu stecken. Seine geliebte schwarze Schildmütze auf dem Kopf, verließ er das Zimmer, schloß die Tür sorgfältig ab und fuhr im Lift hinunter. Wer waren die Leute, die es auf ihn abgesehen hatten? fragte er sich, als er in die belebte, von sanften Klängen erfüllte Hotelhalle trat und unauffällig nach verdächtigen Bewegungen Ausschau hielt.

»Mister Custer?« klopfte ihm jemand leicht auf die Schulter. »Frau Prizzi erwartet Sie. Ihr Wagen steht vor dem Eingang«, sagte Victor, der Russe.

Keine zehn Pferde, doch eine verdammt schöne Frau hatte ihn aus der Behaglichkeit in das kalte Schneegestöber hinausgelockt.

Dreißig Minuten später schritt er über die weichen Seidenteppiche eines großen Wohnzimmers, in dem nur erlesenste Materialien zugelassen waren. Durch breite Sprossenfenster fiel der Blick auf die hochragenden Türme des in warmes, gelbes Licht getauchten *Palace Hotels,* das sich wie ein von Walt Disney errichtetes Märchenschloß auf dem Hügel über den verschneiten Dächern des Weltdorfes erhob.

Während Custer noch den funkelnden Lichterglanz der weihnachtlich geschmückten Chalets bewunderte, zog Serenella Prizzi aus der langen Bücherwand zwischen farbigen Taschenbüchern und Goldrücken einen kleinen braunen Band hervor. »Mein Großvater hat gegen Kriegsende den Amerikanern überflüssiges Material abgekauft«, nahm sie das Gespräch auf, nachdem sich Custer erwartungsvoll in den weißen, weichen Ledersessel zurückgelehnt hatte. »Fahrzeuge aller Art, Jeeps, Lastwagen et cetera. Am 19. Mai 1945 hatten ihm die Amis erlaubt, deutschen Schrott in der Nähe von München zu besichtigen. Zerstörte *Tiger* einer SS-Panzerdivision und ähnliches.

Kurz vor Dachau wurde sein Konvoi von Militärpolizei aufgehalten. Ein Gefangener auf dem Weg ins Internierungslager hatte einem amerikanischen MP die Pistole entrissen und sich in die Brust geschossen. Der einzige Fluchtweg, der einer SS-Größe noch blieb.« Serenella Prizzi legte das Büchlein auf den ovalen Salontisch aus grauweißem Marmor. Großvater erzählte oft, daß der Mann so gar nicht nach einem Nazi ausgesehen habe – nun, der Gefangene stammelte etwas und hielt die Hand fest um einen Gegenstand geklammert. Als sich mein Großvater über ihn beugte, vernahm er Philipp Bouhlers letzte Worte: »Geben Sie das meinem Sohn!« Serenella Prizzi streckte das abgewetzte braune Tagebuch Custer hin. Custer schlug es auf; eine Postkarte fiel ihm entgegen. Serenella bückte sich geschwind, dabei streiften ihre schwarzen Haare sein Gesicht: »Lesen Sie!«

Lieber Vater, 3. Februar 1945
ich bin mit Sigmund Loewenherz in der Schweiz. Er heißt jetzt Knocher. Einstweilen bleibe ich in Bern bei Sigi. Komm auch in die Schweiz, hier bist du sicher.
In Liebe
Heinz

Custer drehte die Karte um und schaute auf ein weißes Dampfschiff im blauen See vor dem schneebedeckten Gipfel der Jungfrau. Dann studierte er die Adresse: Philipp Bouhler, Reichskanzlei, Berlin.

»Mein Großvater«, erklärte Serenella Prizzi, »war rasch an die nötigen Informationen über Bouhler gelangt, während sich die Amerikaner kaum noch für den Toten interessierten. Ein Selbstmörder – wie viele andere NS-Kriegsverbrecher auch, mehr war er nicht für sie.« Custer öffnete das Tagebuch an der markierten Stelle:

... Stalingrad. Der Krieg ist verloren. Nur noch unverbesserliche Optimisten oder eingefleischte Trottel glauben an den Endsieg. Ich habe das Vermögen einem Kampfgefährten anvertraut, der das sinkende Schiff rechtzeitig verlassen hat, um jenseits des großen Ozeans im Land der unbegrenzten Möglichkeiten unsere Sache für die nächsten Generationen intelligenter weiterzuführen. Mein Vertrauensmann und Treuhänder heißt Wilhelm Metzger. Wie der Krieg auch ausgehen mag, neue Kräfte stehen

für den Wiederaufbau bereit. Metzger hat dafür zu sorgen, daß mein Vermögen nicht vor 1985 angetastet werden darf, denn die, die nach uns kommen, sollen Abstand gewinnen und nicht mit leicht gewonnenem Geld ein zweites Mal herumpfuschen.

»Glauben Sie, daß Blutspuren aus dem Jahre 1945 noch analysiert werden können?« unterbrach Serenella Prizzi.

»Sie meinen zur Spurensicherung?« warf Custer hin, ohne aufzusehen; dieses Tagebuch fesselte ihn:

6.6.1944: *Landung der Alliierten in der Normandie. Ich habe heute der Schweizer Bank Anweisungen zukommen lassen, die vorbereitete Überführung des Vermögens an meinen Bevollmächtigten, William (Bill) Metzger, auszulösen.*

»Nein, ich denke an ein Abstammungsgutachten mit Hilfe der DNA-Analyse«, sagte Serenella Prizzi.

Custer sah sie skeptisch an. »Fünfzig Jahre sind eine lange Zeit. Aber gut, ich könnte es herausfinden.« Er legte das aufgeklappte Tagebuch mit dem Rücken nach oben neben das Telefon auf den Tisch und schaute sie fragend an.

»Bitte ...«

Custer verlangte über die Auskunft eine Nummer in Zürich. »Der Institutsleiter hat mit mir Golf gespielt«, erklärte er, während das Rufzeichen summte. »Was versprechen Sie sich von ...?«

»Institut für Rechtsmedizin«, meldete sich eine Männerstimme.

»Custer, Ken Custer, FBI, ... Professor Leu bitte ..., danke.« Custer schirmte mit der Hand die Sprechmuschel ab.

»Angenommen, sein Sohn lebt noch und ...«, begann Serenella.

»Ja, Herr Professor? ... oh, Verzeihung! ... Ich weiß, es ist spät ... Nein, kein Notfall ... Gut! Ja, bitte, Custer, FBI, ich gebe Ihnen die Nummer ...«

Serenella Prizzi schritt ungeduldig im Zimmer auf und ab. Custer legte auf. Der Professor war längst nach Hause gegangen.

»Ich bezweifle, daß er mit dem Blut am Tagebuch etwas anfangen kann«, sagte Serenella Prizzi.

»Vielleicht doch«, entgegnete Custer. »Die Leiche des KZ-Arztes Mengele konnte 1979 anhand der DNA einwandfrei identifiziert werden. Wissen Sie übrigens, wo dieser Heinz Bouhler jetzt lebt?«

Die Prizzi schüttelte den Kopf. »Der Sohn von Philipp Bouhler ist tot.«

Custer dachte in diesem Augenblick an die These des Israeli, von der ihm Kommissar Vongunten erzählt hatte.

»Was würde Ihnen denn die Blutanalyse nützen?« fragte Custer.

Serenella Prizzi blieb die Antwort im Hals stecken, da das Telefon läutete: Sie nahm ab und hielt ihm den Hörer hin. »Der Professor vom Rechtsmedizinischen Institut Zürich.« Custer entschuldigte sich für die späte Störung, lauschte, lachte, gab einen flapsigen Golferspruch zurück und erläuterte dem Professor dann das Problem, während er von Serenella etwas zum Schreiben verlangte.

»Die DNA-Blutanalyse ist über viele Jahre hinweg möglich«, erklärte Custer, nachdem er aufgelegt hatte. »Je weniger Umwelteinflüssen die Blutspuren ausgesetzt waren, desto bessere Aussichten auf ein brauchbares Resultat bestehen.«

»Und im konkreten Fall?« erkundigte sich Serenella Prizzi.

»Konkret meint der Professor, eine Analyse aus einem Tagebuch von 1945 sei auf jeden Fall erfolgversprechend.«

»Was sagt er zum Abstammungsgutachten?«

»Aufgrund einer solchen Blutprobe wäre die Feststellung von Nachkommen kein Problem.«

»Man könnte also das Blut von Knocher mit den Spuren auf dem Tagebuch vergleichen, um festzustellen, ob er ein Nachkomme des alten Nazis ist«, sinnierte die Prizzi.

»Was führt Sie zur Annahme, daß zwischen Knocher und Philipp Bouhler eine Verbindung bestehen könnte?«

Sie schien abzuwägen, ob sie antworten sollte. Es dauerte eine Weile, bis sie sagte: »Mein Großvater hatte den Sohn aufgespürt.«

»Den Sohn von Philipp Bouhler?« Custer griff nach dem Tagebuch.

»Genau den«, antwortete Serenella.

Großvater Prizzi hatte sein Ehrenwort gehalten und nach dem Krieg in Bern nach Heinz Bouhler gefragt, um ihm das Tagebuch seines Vaters zu übergeben. Carlo Prizzi kannte die Bedeutung des Zeitdokuments natürlich, hatte er die Eintragungen doch mehrmals verschlungen: Es ging um ein großes Vermögen in der Schweiz, das einem amerikanischen Treuhänder anvertraut werden sollte. Für Heinz waren großzügige Zuwendungen vorgesehen, doch der Löwenanteil sollte den »Brandenburgern«, einem Nazigeheimbund, als dessen Garant Wilhelm Metzger bestimmt worden war, zukommen.

Der alte Prizzi war mit Hilfe seiner Verbindungen auf die Wohnung Heinz Bouhlers gestoßen. Er traf jedoch nur seine Wirtin an, die ihn seit acht Tagen nicht mehr gesehen hatte. Kurz darauf fischte man die Leiche in Bern aus dem Rechen des Aare-Stauwehrs: Selbstmord, lautete der erste Befund. Durch eine Intervention der US-Botschaft hatte Prizzi daraufhin eine Obduktion erzwungen.

»Heinz Bouhler war nicht ertrunken«, sagte Serenella. »Jemand hatte ihm vorher Phenol ins Herz gespritzt.«

Custer starrte auf das blutbefleckte Tagebuch. Dann blätterte er nochmals die Seiten bis Stalingrad durch, wo das Vermögen erstmals Erwähnung fand. Am 6. Juni 1944 berichtete Philipp Bouhler, daß er das Vermögen in die USA transferieren wolle. In kleinen Buchstaben stand die Anmerkung: *»Heute dürften es etwa 16,5 Millionen US-Dollar sein.«*

»Nicht schlecht«, staunte Custer.

»Ja – und verzinsen Sie mal 16,5 Millionen während gut fünfzig Jahren – Sie kommen auf eine astronomische Summe«, meinte Serenella Prizzi. »Ich hab es neulich durchgerechnet.«

»Warum?«

»Weil das Vermögen immer noch in der Schweiz liegt«, sagte sie und blickte den FBI-Mann durchdringend an.

Custer hob staunend die Augenbrauen und lauschte mit zunehmender Verwunderung. Dem alten Prizzi war nach Jahren gelungen, das Visum, das der Schweizer Gesandte Freudiger Heinz Bouhler und Sigmund Loewenherz im Januar 1945 in Berlin ausgestellt hatte, auszugraben. Ende der sechziger Jahre – Knocher war demnach um die vierzig und am Anfang seines kometenhaften Aufstiegs – hatte ihm der alte Prizzi in diesem Wohnzimmer ein Ultimatum gestellt: Entweder er arbeite für den Prizzi-Clan, oder der Mord an Heinz Bouhler käme an die Öffentlichkeit. Knocher war in Panik geraten und hatte sich unter dem Druck einer für ihn vernichtenden Denunziation mit dem schlauen Alten arrangiert.

Wirtschaftskreise hatten damals gerätselt, wo Knocher die finanziellen Mittel für die Übernahme der *Novapharm* herhaben mochte, waren sich aber einig gewesen, daß ihm damit ein kühner Handstreich gelungen war. Über die erstklassigen technologischen Ressourcen der *Novapharm* in Übersee freuten sich aber vor allem die Prizzis, die sich für ihre Waffengeschäfte bei

Bedarf in den feinen Tarnmantel des geschätzten Professors hüllen konnten.

»Also – was bezwecken Sie nun mit der Blutanalyse?« ließ Custer nicht locker.

»Es gibt Leute, die behaupten, Knocher sei nicht Knocher!«

»Sondern?«

»Sie meinen, Knocher sei nicht der Jude Sigi Loewenherz, sondern der Nazisohn Heinz Bouhler, der seinen Fluchtgefährten Sigi in Berlin in den Tod geschickt und dann seine Identität angenommen habe.«

»Wer hat ein Interesse an dieser Geschichte?« Custer lehnte sich zurück und betrachtete Serenella neugierig.

»Um es vorsichtig auszudrücken, wir möchten verhindern, daß sich die gute Stimmung um den prominenten Professor ins Gegenteil kehrt.«

Custer überlegte: Der Wissenschaftler stand im Zenith seines Erfolgs, sonnte sich in der Gunst des Publikums. Zu einem Augenarzt seines Kalibers schauten die Leute ehrfürchtig auf. Angenommen, der Professor war dem Prizzi-Clan tatsächlich auf Gedeih und Verderben ausgeliefert, würde die Enthüllung der zweifelhaften Verbindung seinen Ruf in Grund und Boden stampfen: An seinem wissenschaftlichen Werk würde künftig der Schandfleck der Korruption haften. »Sie glauben, jemand will die Sensations-Story verbreiten, um den Professor in aller Welt zu diffamieren?« fragte Custer.

Serenella Prizzi nickte. Die Familie befürchte, daß Knocher als Nazi, als verbrecherischer Kriegsgewinnler angeprangert werden solle, um die Stimmung um die geheimnisumwitterten Holocaust-Vermögen aus dem Zweiten Weltkrieg anzuheizen. »Man benutzt seine dramatische Lebensgeschichte und behauptet, er habe sich die *Novapharm* mit blutbeflecktem Nazigeld unter den Nagel gerissen. Die beste Plattform für eine solche Verleumdungskampagne wäre der Montagabend.«

»Auf der Pressekonferenz im *Palace*?«

»Natürlich – Medienvertreter aus aller Welt werden da sein!« nickte Serenella heftig.

Custer sehnte sich nach einem kühlen Bier, statt dessen streckte ihm Serenella Prizzi erneut das Tagebuch entgegen. »Damit können wir notfalls das Gegenteil beweisen, wenn die Opposition nicht Ruhe gibt«, erklärte sie, als das Telefon wieder klingelte. Es war der Concierge vom *Palace*, dem Custer vorsorglich einen Zettel zugesteckt hatte, daß er ihn zur angegeben Zeit anrufe.

»Wen meinen Sie genau mit Opposition? Das FBI? Oder die Schweizer Polizei?« fragte Custer, indem er sich erhob und mit einer entschuldigenden Gebärde auf seine Uhr deutete. Sie begleitete ihn schweigend zur Tür. Erst als er bereits im Wagen saß, flüsterte Serenella ein Wort: »Mossad!«

Er schaute sie verdutzt an. Dann sagte sie unvermittelt mit einer hilflosen Geste, ihr Mann werde morgen beerdigt und sie würde sich freuen, wenn er zur Trauerfeier käme. »Zwei Uhr in der Dorfkapelle.«

Bevor Custer ein Wort über die Lippen brachte, fuhr der Chauffeur mit einem Ruck los. Es hatte aufgehört zu schneien, und als Custer wenig später an den hohen Schneewällen vorbei zum Hoteleingang schritt, glitzerten Sterne zwischen den Wolken.

Die Telefonnotiz auf seinem Bett lautete:

Bin morgen nachmittag im Eagle Club auf dem Wasserngrat. Wir drehen einen Film.

Komm hoch. Das Wetter soll gut sein! Stefanie Kramer.

Wir drehen einen Film! Custer schüttelte bewundernd den Kopf. Stefanie Kramer war vor zwei Jahren nach einer sensationellen, mit dem Pulitzer-Preis ausgezeichneten Reportage über den in letzter Sekunde vereitelten nuklearen Terroranschlag auf den historischen Distrikt von Philadelphia über Nacht berühmt geworden. Ken konnte zwar das Mediengewitter ableiten, doch den Eingeweihten blieb nicht verborgen, daß der abtrünnige Ex-CIA Agent Ken Custer in einer lebensgefährlichen Aktion sowohl die geheime Waffenschmiede vernichtet als auch einen staatsbedrohenden Verschwörerring aus Islamisten und dem kolumbianischen Superkartell zerschlagen hatte. Die Terroristenszene hatte einen gehörigen Schlag erhalten.

Danach hatte Custer sich ins Exil in die Schweiz zurückgezogen. Doch dann kam der Anruf des unerbittlichen FBI-Direktors, und Ken packte zähneknirschend seine Koffer für Washington.

Nach dieser Entscheidung hatte ihm Stefanie Kramer mit der bissigen Bemerkung, er könne es nicht lassen, die Welt erneut vor dem Untergang zu retten, die kalte Schulter gezeigt. Die im Brennpunkt von Philadelphia drohende Katastrophe hatte die beiden damals nicht nur haarscharf am Tod vorbei, sondern auch leidenschaftlich zusammengeführt; Kens Schritt zurück in das Drecksgeschäft des Secret Service war Stefanie unverständlich; sie empfand es wohl als Flucht aus ihrer Beziehung und reagierte entsprechend verletzt.

Als Custer in dieser Winternacht in Gstaad auf den Schlaf wartete, sah er plötzlich ganz klar, daß sein Wiedereintritt in die Reihen des Geheimdienstes seine Gegner alarmierte; sie würden ihn mit allen Mitteln zu »neutralisieren« versuchen.

38

Die Trauerfeier für den ermordeten Staatsanwalt begann pünktlich um zwei. Als das Läuten des Turmglöckleins verklungen war, setzte in der kleinen reformierten Dorfkirche von Gstaad feierlich eine Jazzband ein, während sich verspätete Trauergäste noch in die hinteren Reihen zwängten.

Kränze mit farbigen Schleifen hingen vor dem Taufstein, im Chor lag der polierte Holzsarg, eingebettet in ein riesiges Meer roter Rosen. Der Saxophonist blies rhythmisch einen traurigen Blues, dumpf begleitet vom zwischen Sarg und hölzerner Kanzel eingezwängten Schlagzeuger im weißen Polohemd. Unter den sentimentalen Klängen senkten sich die neugierigen Blicke, Frauen tupften die Wimpern mit weißen Tüchlein.

»Warum findet die Feier nicht in Genf statt?« flüsterte Custer. Bundespolizeichef Dulliker starrte geradeaus und zuckte die Schultern.

Vor ihnen saßen die Angehörigen. Über den schmalen Mittelgang nickten sich Professor Knocher und der alte Prizzi würdevoll zu.

Während Custer gestern nacht im Wagen des amerikanischen Konsulats von Genf nach Gstaad gefahren war, hatte er mit der FBI-Zentrale in Quantico die gewaltsamen Todesfälle in Genf und München erörtert. Fest stand unterdessen, daß die Mordanschläge auf Barrelet, Vongunten und Wettländer irgendwie mit Professor Knocher zusammenhingen – sowohl der deutsche als auch der schweizerische Fahnder hatten Spuren gefunden, die zum berühmten Augenprofessor an den Genfer See führten.

Quantico vermutete Felgen als Drahtzieher der Morde. Als Sicherheitsbeauftragter der *Novapharm* habe er nebst dem regulären Sicherheitsdienst der Firma eine auf zehn bis zwanzig

Mann geschätzte Einsatzgruppe unter sich, auf deren Konto bereits eine Reihe brutaler Exekutionen in Deutschland, möglicherweise auch in Schweden, ginge. In Zusammenarbeit mit dem Bundeskriminalamt in Wiesbaden seien Verbindungen von Felgens Terrortruppe mit amerikanischen Bürgermilizen festgestellt worden. Neben untergetauchten Stasis und in Libyen geschulten Terroristen setzten sich Felgens Leute aus gefürchteten russischen *Spetznas* zusammen: Es handelte sich um Eliteverbände mit einem hohen Anteil an politisch verläßlichen Kadern, deren harte Ausbildung auf Sabotageaktionen im rückwärtigen Gebiet des Gegners ausgerichtet war und außerdem Fremdsprachen, Fallschirmspringen, Nahkampf, Funkübermittlung, Sprengen und Überleben im Feindesland umfaßte.

Auch das FBI vermutete, daß die *Novapharm* von einer kriminellen Organisation unterwandert wurde.

Für Custer dagegen lag der springende Punkt eindeutig in der Befreiung Deubers, die mit acht Toten verbunden war. Nur eine schlagkräftige, professionelle Organisation war seiner Meinung nach in der Lage, eine so spektakuläre Aktion mit dieser unheimlichen Präzision und ohne Rücksicht auf Verluste durchzurühren. Er wurde einfach das Gefühl nicht los, daß der Prizzi-Clan hinter dem Coup stand. Also auch die schöne Serenella!

Sie hatten Gstaad noch nicht erreicht, als Quantico mit der verblüffenden Nachricht zurückrief, die Informationen über Martin Deuber seien nicht zugänglich: Zugriff gesperrt! Wahrscheinlich hielten die Schweizer die Akten über ihn unter Verschluß …

»Die zwei Musiker sind aus Genf«, flüsterte Dulliker, »Police Cantonale.«

Als die Jazzband ausklang, trat Serenella Prizzi langsamen Schrittes ans Podium:

»Ich weiß nicht, ob ich das durchstehe«, gestand sie bewegt ihren Trauergästen, holte tief Atem und wandte sich würdevoll dem Sarg zu.

Sensationslüsternd suchten die Blicke nach dem Gesicht hinter dem schwarzen Schleier.

»Gaston, wir haben zusammen wunderbare Stunden verbracht«, schluchzte Serenella vernehmbar. »Schöne Erlebnisse prägten unser gemeinsames Leben … Auf unserer letzten Reise nach Havanna hattest du gewünscht, du möchtest in der Bergesruhe begraben werden, mit Blick auf die weißen, hehren Schneegipfel der Alpen. Ich haßte damals dein Gerede vom Tod, wir stritten uns ...«

Dulliker pochte mit dem Finger auf seine Armbanduhr.

»... Das Recht formte dein Lebensfundament, Gaston«, sprach Serenella Prizzi mit erstickter Stimme, »dein Kampf galt dem Schutz der menschlichen Integrität.«

»Der Israeli kommt nach Gstaad«, raunte Dulliker. »Der Kerl führt etwas im Schilde – wir müssen reden.«

Vorne senkten und hoben sich die bekümmerten Häupter der Verwandten. Mit tiefer Betroffenheit starrten feuchte Augenpaare fassungslos auf den Sarg. In der zweiten Reihe saß der Sizilianer, geschützt von zwei Leibwächtern, den breitkrempigen Hut fest in der Hand.

Die Sitzbank für die Behördenvertreter aus Genf stand völlig leer. Dahinter füllten die Freunde des Internats mehrere Reihen. Die zwei Piloten des Sizilianers, die ihren *Gulfstream*-V-Jet auf dem nahen Flugfeld von Saanen-Gstaad geparkt hatten, waren in den kleinen Raum im Chor neben dem Taufstein verschwunden und tranken jetzt vermutlich im Pub nebenan ein Bier.

»... alles ist vergänglich, Gaston, aber die Erinnerung bleibt«, würgte Serenella hervor. »Du warst ein Mann der Gerechtigkeit.«

Eine Tür knarrte. Custer sah über die Schultern zwei Männer in Sportjacken und mit umgehängten Kameras hereinschleichen.

»... für die Wahrheit hast du gelebt, für die Wahrheit bist du gefallen ...« Serenella brach schluchzend ab und wankte zur Bank.

Die Jazzband setzte geistesgegenwärtig ein, und der Pfarrer trat mit der Bibel in der Hand vor den Sarg. »Wir beten«, mahnte er sanft.

Schultern fielen ein. Köpfe knickten zu gefalteten Händen herab.

»Am Anfang war das Wort.«

Custer stieß Dulliker in die Seite und zeigte mit einer Kopfbewegung nach hinten. Vier stämmige Burschen waren aus dem Schatten der Empore getreten. Sie packten die Reporter, Schuhe knirschten, Stoff raschelte, unterdrückte Laute drangen nach vorne.

»Das wahre Licht ist das Wort«, dröhnte der Pfarrer stirnrunzelnd.

Die Männer drängten zur Tür hinaus.

»Das Wort wurde Mensch von Fleisch und Blut«, schloß der Pfarrer und gab den Musikern ein Handzeichen.

Der Saxophonist stand auf. Langsam, melodisch füllte sein Spiel den Raum. Selbst Untersuchungsrichter Péruquin wischte sich die Augen.

Da klingelte das Telefon in Professor Knochers Rocktasche. Hastig hob er das Gerät ans Ohr, stand peinlich berührt auf und schritt eiligst hinaus.

Sanft swingend näherte sich die Band dem Ende des Spirituals. Der Pfarrer breitete seine Arme deutlich erleichtert zum Segen aus: »Nun legen wir den Leib ins Grab.«

Dullikers Mobiltelefon piepste. Hastig drängte er an Custer vorbei aus der Sitzbank.

»... und wird am jüngsten Tag erstehen«, flehte der Pfarrer, als Custer dem BUPO-Chef folgte.

Serenella Prizzi warf ihren Schleier hoch und blickte zornig zurück. Dann stand sie auf und rannte aus der Kirche.

»... von aller Sünd und Missetat erlöset hat«, rief der Pfarrer verzweifelt.

Serenella Prizzi rannte über die vom stockenden Autoverkehr verstopfte Hauptstraße zu *Rolands Kiosk*. »Ich verlange die restlose Aufklärung des scheußlichen Verbrechens«, schleuderte sie Dulliker atemlos ins Gesicht. »Und verhaften Sie zur Abwechslung mal den Richtigen.«

Wütend wollte sie umkehren, hielt inne und blickte in die forschenden Augen von Ken Custer.

Sie war bei Gott eine temperamentvolle Witwe: Der rote Mund halb geöffnet, die Hände im schwarzen Persianer, eine schwarze Strähne hing über blitzenden Augen; ihre Brust wogte, als tanke sie sich mit der von Auspuffgasen und Restaurantdünsten geschwängerten Bergluft auf. Farbige Skianzüge und lange Wintermäntel drängten an der Gruppe vorbei, neugierige Blicke schössen aus blassen Gesichtern. Mit dem Anflug eines Lächelns sagte Serenella: »Besuchen Sie mich doch heute nachmittag, Mister Custer.« Mit einem arroganten Blick auf Dulliker drehte sie sich auf den hochhackigen Stiefeln um und stapfte zur schwarzen, auf dem Gehsteig geparkten Karosse, wo ihr der Chauffeur den Schlag öffnete.

»Wir treffen uns oben auf dem Wasserngrat – um halb vier, im *Eagle Ski Club*«, preßte Dulliker entnervt heraus, als sie dem noblen Gefährt der Prizzi nachschauten.

»Der Club muß es in sich haben«, staunte Custer und verschwand im Kiosk. »Die ›Bunte‹ von letzter Woche, bitte.«

Der rundliche Verkäufer griff nach unten und fragte: »Was steht auf der Titelseite?«

›Die feinen Leute im Schnee‹, antwortete Custer seinen Part und nahm den Umschlag entgegen. Als er hinaustrat, schoben sie auf der anderen Straßenseite gerade den Holzsarg mit Gaston Barrelet in den Leichenwagen. Ein paar rote Rosen fielen in den Schnee. Custer wandte sich ab und hielt nach einem Taxi Ausschau.

39

Das Bentley-Coupe mit den vergoldeten Türgriffen nahm geschmeidig die Haarnadelkurve oberhalb der Eisbahn und beschleunigte mit leisem Summen. Im hellen Leder des Fonds saß Serenella Prizzi und blickte durch die schwarze Sonnenbrille auf das gleißende Oldenhorn. Nicht, daß sie die Berge interessierten – sie sann über den Plan nach und suchte am Horizont nach der Erleuchtung. Da bremste der Fahrer, um einem Militärlastwagen auszuweichen, und riß Serenella aus ihren Gedanken. Interessiert schaute sie in die Führerkabine des kreuzenden Geländewagens. Serenella liebte das Militär. Die Prizzis hatten ein Vermögen mit Waffen und militärischer Ausrüstung gescheffelt. Soldaten, Uniformen, Gewehre machten sie scharf wie eine Sprengladung vor der Zündung.

»Sind Truppen im Bunker?« fragte sie den Fahrer.

Der Russe zog abschätzig die Mundwinkel nach unten. »Sein Festungstruppen, kein Kampftruppen wie Spetznas«, radebrechte er. »Displin schlecht, sehr schlecht.«

Der Bentley zog sanft am *Palace Hotel* vorbei und bog nach etwa dreihundert Metern in eine Seitenstraße ab, die sich wie eine Girlande den Hang hinaufschlengelte.

»Gunter ist zu Hause«, murmelte Serenella, als sie in der Kurve am Vieux Chalet vorbeiglitten. Der Russe beschleunigte und hielt auf eine graue, hohe Felswand zu. Überragt von mächtigen, grauen Felsbrocken auf der einen und eingegrenzt von steil abfallendem Wald auf der anderen Seite, lag ein kleiner Vorplatz, wo jedes Weiterkommen unmöglich schien.

»Bunker sein geschlossen«, bemerkte der Russe, indem er das Steuer des Bentley voll einschlug und den eleganten Wagen messerscharf an den Felsbrocken vorbei in eine Auffahrt lenkte. Ein Stahltarnnetz hing in den Gesteinsfarben über den Felszakken, und ein ungeübtes Auge hätte den dahinter verborgenen Zugang nicht entdeckt.

Nach der Spitzkehre wand sich der Bentley auf gepflasterter Spur aufwärts. Die Fernsehüberwachung identifizierte den Bentley, das Tor glitt zur Seite, und der Wagen beschleunigte zur unterirdischen Einfahrt. Serenella stieg vor dem Aufzug aus, während der Russe den Bentley weiter hinten zwischen dem Ferrari und dem grünen Grand Cherokee parkte. Etwas abseits standen ein gelber Porsche und zwei schwarze Range Rover.

Die Prizzis wohnten seit Jahrzehnten am Oberbort von Gstaad, der nobelsten Wohnzone Europas. Großvater Prizzi, ein Bauernsohn aus Sizilien, besaß eine Vorliebe für Simmentaler Fleckvieh und war 1939 der festen Überzeugung gewesen, Gstaad sei der bedeutendste Umschlagplatz für Rinder. Er erstand die große Weide auf dem höchsten Punkt, westlich vom bewaldeten Punkt 1201, mit einem Ausblick über das Tal bis hin zu den Paßübergängen im Süden, wo seine Heimat lag.

Der Sizilianer wandte im Zweiten Weltkrieg seine Interessen allmählich vom Fleckvieh, das er zusehends gebraten schätzte, ab und begann im Auftrag der Schweizer Regierung Kohle, Stahl und andere lebenswichtige Güter aus Nazideutschland, England und Italien zu beschaffen. Noch während des Krieges baute Prizzi sein erstes Chalet am Gstaader Oberbort und schaute zu, wie die Armee den großen Felsen nebenan zu einem Kommandobunker aushöhlte.

Seine zwei Söhne bauten das Waffengeschäft im großen Stil aus. In den siebziger Jahren errichteten sie ihre zwei Luxushütten auf der großen Abendweide und baggerten den halben Berg ab, um eine riesige unterirdische Anlage zu bauen, über die alle drei Häuser verbunden waren. Hinterher sah alles wieder nett und friedlich aus; ein Spazierweg führte harmlos über das Gelände ins Tal.

Die Prizzis, von vielen als die heimlichen Herrscher über die *Cosa Nostra* betrachtet, hielten sich an Prinzipien. Sie befaßten sich ausschließlich mit Waffen – weltweit – für Ost und West. Der Wohnsitz in Gstaad, neben dem Armeebunker, eignete sich vorzüglich als Zentrale. Niemals faßten die Prizzis Drogen an, stiegen ins Wettgeschäft oder die Prostitution ein. Sie handelten mit seriöser Ware: Waffen und Munition. Die Schweizer Armeeführung war froh, neben ihrer Anlage einen verläßlichen Grundbesitzer aus verwandter Branche zu wissen. Die Prizzis bildeten gewissermaßen die Vorhut zum strategischen Kern der geheimen militärischen Anlage.

40

Custer erkannte Marcel Dulliker schon von weitem. Der unscheinbare BUPO-Chef stand auf der Terrasse des *Eagle Ski Club*, als die Kabine in die Bergstation glitt und rüttelnd zum Stillstand kam. Nachdem die Wolkendecke aufgerissen war, erstrahlte die frisch verschneite Bergwelt in märchenhaftem Glanz. Tief unten im Tal blitzte reflektiertes Licht auf, die charakteristischen Firstdächer der großen Chalets schimmerten milchig weiß im bläulichen Dunst, und der Blick fiel unweigerlich auf das *Palace,* die verspielte Trutzburg mit vier hohen Türmen und Zinnen. Auf dem kurzen Weg zum Steinhaus des *Eagle Ski Club* musterte Custer beiläufig die nähere Umgebung. Leute stapften auf das Restaurant zu, das weiter unten über dem Grat hing, Skifahrer schnallten die Stiefel fest und wärmten sich vor der Abfahrt mit ulkigen Verrenkungen auf. Custer hatte die Terrasse noch nicht erreicht, als er Stefanie Kramer in einem Durcheinander von Kisten, Scheinwerfern, Kameras und Kabelrollen neben einer wallenden blonden Mähne entdeckte. Die Mähne drehte sich um, schwarze Spiegelsonnengläser blitzen auf, der Mann öffnete den Pelzkragen seiner wattierten Jacke und warf sich in Pose. Stefanie lachte herzerfrischend, der Regisseur zeigte zum Clubhaus, wo drei Männer in schwarzen Gleiteranzügen und farbigen Helmen herumstanden. In diesem Augenblick sahen sie sich – Stefanie rief Ken Custer zu:

»Wir drehen gleich einen Stunt, Ken. Ich sehe dich heute abend in der *Palace-Bai*, okay?«

Custer winkte lässig, obwohl er ihr Verhalten etwas schroff fand, als hinter ihm Schritte knirschten. Alarmiert drehte er sich um. Ein Knirps streckte ihm eine Karte entgegen. »Sir, können Sie mir ein Autogramm von James Bond beschaffen«, keuchte er. »Er ist drinnen im Clubhaus.«

Dulliker kam Custer zu Hilfe. »Roger Moore, ein ständiger Gast von Gstaad, Clubmitglied.« Zum Jungen meinte er: »Warte, bis er rauskommt. Bond sagt niemals nie.«

Sie setzten sich an den Tisch in der Ecke. Ein gelber Gleitschirm sauste über den Giebel des Clubhauses und schwenkte nach rechts ab. Custer setzte die Sonnenbrille auf. »Luis Aráfan bekleidete in Madrid den hohen Posten eines Direktors der Militärverwaltung«, begann Custer ohne Umschweife. »Neben Verteidigungsminister und Generalstabschef gehörte er zu den fünf Personen, die über *COAST* Bescheid wußten.« Er unterbrach, während der Kellner ihre Bestellung aufnahm. »Der Ministerpräsident hatte vor, Aráfan zum Verteidigungsminister zu befördern. Als Nachfolger von Solana, der es zum Nato-Generalsekretär gebracht hatte.«

»Dann floh Aráfan außer Landes«, ergänzte Dulliker und steckte die Hände in die Taschen seines dunkelblauen Burberry.

»Richtig – doch etwa ein Jahr später nahmen fünf spanische Polizisten Aráfan am Flughafen von Bangkok in Gewahrsam. Rasch sickerte durch, daß er sich der Polizei gestellt hatte, um für sich Straffreiheit herauszuschlagen, weil er brisante Geheimdokumente besaß.«

Dulliker hörte geduldig zu. In Spanien jagten sich die Skandale. Trübe Angelegenheiten wurden Schicht um Schicht freigelegt; er kannte die meisten Zwiebelschalen. »Die Affäre Aráfan drohte in den Wogen neuer Skandalgeschichten zu versinken«, bemerkte er.

»Ein paar Ermittler ließen nicht locker«, nickte Custer, »sie gingen der Frage nach, wie Luis Aráfan während seiner sechsjährigen Amtszeit mit bescheidenem Salär zum x-fachen Millionär werden konnte. Auf einer Bank in Genf fanden sie Schecks in Millionenhöhe, die Luis Aráfan mit einem multinationalen Konzern in Verbindung brachten. Sie erraten, mit welchem?«

»*Novapharm?*«

»Richtig. Wir standen vor einem Rätsel. Warum wurde ein hoher Militärbeamter von der *Novapharm* massiv geschmiert?«

»Lieferte die *Novapharm* vielleicht der spanischen Armeeapotheke Medikamente?«

»Eben nicht. Es gab keinerlei kommerzielle Verbindungen.«

»Sondern?«

»Bevor das erste Verhör stattfand, kam Aráfan in San Sebastian ums Leben. Er befand sich in Begleitung eines Sohnes und dessen Frau auf dem Weg in die Kommandantur, als er inmitten einer belebten Hauptstraße von den Attentätern überwältigt und durch Genickschuß getötet wurde.«

Der Kellner brachte das Bündnerfleisch und die Flasche Pendant.

»Die Behörden schoben die Verantwortung sofort der baskischen Terrororganisation ETA zu; diese dementierte vehement. Die interessantesten Halbwahrheiten sickerten wie üblich aus Geheimdienstkreisen durch. Demnach hatte die Antiterror-Einheit GAL den General auf dem Gewissen. Der Geheimnisträger von *COAST* hatte sich zum Sicherheitsrisiko gewandelt, deshalb landete er auf der Abschußliste.«

»Wo kamen die Schecks her?« Dulliker streute Pfeffer über das Rauchfleisch.

»Die Untersuchung verlief im Sand, und nach Aráfans Senkrechtstart zu den Engelchen wurden die Dossiers geschlossen.«

»Sie haben mir nicht die ganze Geschichte erzählt«, sagte Dulliker trocken.

Custer legte den Kopf in den Nacken. Blinzelnd beobachtete er die langen Beine der Pilotin, die ihren lilafarbenen Gleitschirm über den Tannenwipfeln in die Kurve brachte.

»Was drehen die für einen Film?« fragte Custer.

»Wahrscheinlich ›Krieg der Gleiter‹«, Dulliker machte eine fahrige Handbewegung. »Das meiste über Aráfan stand ja in der Zeitung. Also, wo liegt der springende Punkt?« beharrte er. Custer nahm die Sonnebrille ab und starrte Dulliker an: »Sie werden es mir gleich verraten.«

Dulliker stand auf, streifte die Lederhandschuhe über, machte fünf langsame Schritte und drehte sich auf dem Absatz um. »Staatsanwalt Barrelet hatte weitere Ermittlungen gegen die *Novapharm* abgeblockt«, warf er Custer hin und setzte sich wieder. Sie tranken schweigend ihren Weißwein. In der Bergstation ratterten die einfahrenden Kabinen. Der Regisseur mit der blonden Mähne schrie »Cut!«, eine Bergdohle protestierte krächzend. Der Kellner vom *Eagle Ski Club* rückte Liegestühle zurecht und breitete Wolldecken aus. Spanische und englische Wortfetzen drangen aus der munteren Gruppe um den langhaarigen Skilehrer herüber.

»Ich habe den Genfern das Dossier aus der Hand genommen«, sagte Dulliker. »Eine Treuhandfirma erhielt Überweisungen, kaufte die Bankschecks und ließ sie durch eine Frau, die wir identifiziert haben, weiterleiten. Jemand schmierte den Spanier massiv, um an *COAST* heranzukommen.«

»Die Frau ist verschwunden?« vermutete Custer.

»Wir werden sie finden. Dann gelangen wir zu ihrem Auftraggeber und wahrscheinlich wieder zu Knochers *Novapharm.*«

Dulliker zahlte, als der Kellner zurückkam. Sie ließen den Rest Wein stehen und machten sich auf den Weg zur Bergstation. Als sie sich in die Kabine setzten, sagte Dulliker: »Harel ist heute morgen hier im Schnee aufgetaucht.« Aus dem *Palace* sei ihm eben berichtet worden, der Israeli führe am Montagabend eine Gegenveranstaltung durch, damit sei wohl das Chaos vorprogrammiert. »Zur gleichen Zeit wie Professor Knochers Monster-Medien-Show!«

»Unternimmt die *Novapharm* etwas gegen diese Parallelveranstaltung?« fragte Custer. Dulliker zuckte die Achseln; den Israeli könne offenbar nichts davon abbringen, sein gesammeltes Beweismaterial gegen den Professor vorzulegen, und es würde ihn keineswegs erstaunen, wenn die Anwälte der *Novapharm* eine einstweilige Verfügung erwirken würden, um dem Israeli einen Maulkorb umzuhängen.

»Seine Geschichte über Knocher ist gelogen«, antwortete Custer, als die Kabine aus der Station schoß.

»Frau Prizzi ist im Hotel energisch vorstellig geworden, um das Störfeuer zu verhindern, konnte aber nichts ausrichten. Rafi Harel hat den Saal nebenan schon seit Wochen gemietet. Das Spektakel ist wohl unabwendbar«, seufzte Dulliker und blickte nachdenklich zum Berggipfel hinauf.

Sie waren etwa fünf Minuten abwärts gegondelt, als Custer fragte: »Warum ist der Kerl so darauf erpicht, den Professor vor aller Welt zu diffamieren? Haben Sie eine ...«

»Der kommt verdammt tief!« unterbrach Dulliker alarmiert. Custer fuhr herum. Der Gleitschirmpilot stach auf die Seilbahn hinunter, direkt auf ihre Kabine zu. Sein Gesicht war zur Hälfte vermummt. In den Händen hielt er eine Uzi-Maschinenpistole.

»Runter«, schrie Custer, als die Schüsse krachten. Er riß Dulliker, der aufschrie, auf den engen Kabinenboden. Die Garbe war zu hoch geraten. Sie zersplitterte das Fensterglas und riß das Aluminiumdach auf. Dulliker blutete am Oberarm. Der Gleitschirm hatte Aufwind erhalten und setzte zu einer neuen Schlaufe an. Custer beobachtete die Flugrichtung und wußte, daß die nächste Garbe mit tödlicher Sicherheit treffen würde. Der Flieger hielt auf den Mast zu, den die Kabine nach etwa dreißig Metern erreichen würde.

»Schaukeln!« schrie Custer und stand auf. »Los, helfen Sie, Dulliker. Schaukeln!«

Gemeinsam wuchteten sie sich nach rechts, dann nach links. Die Kabine begann zu schwingen. Noch zwanzig Meter bis zum Schnittpunkt mit dem Gleitschirm. Der Pilot hielt die Uzi fest im Griff, den Mundschutz hatte er heruntergerissen, und Custer ahnte ein hämisches Grinsen.

Die Kabine schaukelte jetzt gewaltig. Der Pilot steuerte exakt auf den Mast zu, an dem die Kabine in wenigen Sekunden vorbeigleiten würde. Er hob die Uzi, zielte. Da krachte die Kabine an den Masten, die Sensoren reagierten, das Seil stoppte mit einem Ruck. Glassplitter fielen auf den Kabinenboden. Dulliker stieß die Luft aus.

Der Gleitschirmpilot konnte den Kurs nicht mehr korrigieren. Er versuchte zwar, seinen Körper abzudrehen, um die gestoppte Kabine wieder ins Visier zu bekommen und gleichzeitig zu feuern, doch seine abrupte Bewegung und der Rückstoß der Waffe brachten den Schirm außer Kontrolle. Der Killer sackte über dem bergwärts laufenden Seil ab und verfing sich mit dem Schirm in einer blauen Kabine mit der Aufschrift *Fly Swissair.*

Als sich die Gondel stabilisiert hatte, lief die Bahn wieder an. Der Pilot hing mit dem Kopf nach unten zappelnd im Schirm, zwanzig Meter über dem steilen Abhang. Custer beobachtete, wie die Bahn ihn weiter oben über Baumstrünke und Felsrippen schleppte, bis der Schirm riß und der Pilot abstürzte. Der Zufall wollte es, daß an der Aufprallstelle eine vom Sturmwind geknickte Tanne stand. Das spitz emporragende Holz bohrte sich durch den Leib des Uzi-Schützen. Als sie ihn nach einer Stunde bargen, war er längst verblutet.

Dem alten Bahnwärter in der Talstation fiel die krumme Tabakpfeife aus dem Mund, als er entgeistert auf die zerfetzte Kabine starrte. Der kleine Bond-Fan kam auf Custer zugerannt, die Karte triumphierend in die Höhe haltend.

»Ich hab's«, rief er, dann hielt er jäh inne. »Was ist mit der Gondel geschehen?« fragte er atemlos.

»Oh, ein Luftangriff«, meinte Custer, »aber wir haben den Feind abgeschossen, wie James Bond das auch getan hätte.«

Auf dem Vorplatz wartete Serenella Prizzi hinter dem Steuer des roten Ferrari. Eine Zigarette hing zwischen ihren üppig schmollenden Lippen. Kommentarlos brauste sie los, sobald die beiden sich in den Sitz gequetscht hatten.

41

Mein Großvater hat dieses Land vor dem Zweiten Weltkrieg gekauft«, sagte Serenella am Fenster des Empfangssalons. »Mein Vater lebt die meiste Zeit in Florida. Sein Bruder verunglückte tödlich, als er eine selbstgemachte Bombe zündete. Heute besteht unser Clan aus Don Carlo Prizzi, bald hundert, meinem Vater, mir und meinem Bruder Raffaelo.«

Nachdem sie Dulliker in der Obhut des Arztes zurückgelassen hatten, fand es Custer opportun, aus der Gastfreundschaft der Prizzis Nutzen zu ziehen. Nach der Ankunft im Chalet führte er ein paar Ferngespräche nach Washington, dann wählte er die Nummer an, die im Umschlag aus *Rolands Kiosk* gesteckt hatte. Res Stirny nahm sofort ab, hörte den Lagebericht und wiederholte die neuen Instruktionen. Serenella kraulte das weiße Fell des ausgewachsenen Huskys, der hechelnd zu ihren Füßen lag. »Titi, heißt er, nach einem Kaff in Sibirien.«

»Sie haben auf der Beerdigung eine reife schauspielerische Leistung abgegeben«, sagte Custer. »Barrelet ist doch das Opfer des Prizzi-Clans.«

»Mein Mann war eine tragische Figur«, antwortete Serenella ungerührt. »Wir brauchten einen hochstehenden Funktionär in der Justiz. Gaston machte es uns leicht. Er hatte sich schon hier oben in Gstaad in mich verknallt, als ich die Kennedy International School besuchte und er am anderen Internat büffelte. Das Wiedersehen in Genf entsprach dem Plan. Dann folgte eine kleine Erpressung.«

»Das Abtreibungsvideo?« fragte Custer.

»Das war eine plumpe Fälschung. Dieses Video einer Abtreibung im sechsten Monat läuft kreuz und quer durch die USA. Wir schnitten etwas zusammen, das scheußlich echt aussah. Aber wieso wissen Sie überhaupt davon?«

»Barrelet hat ein paar Aufzeichnungen hinterlassen. Er war im Begriff, sich zur Wehr zu setzen«, sagte Custer.

»Mein Gaston war ein lieber Kerl«, sagte Serenella wehmütig. Der Butler brachte das Tablett mit dem Champagner.

»Darum haben Sie ihn bestochen und umgebracht«, bemerkte Custer trocken.

Serenella lachte. Der Korken knallte, und der Butler füllte die Gläser. Serenella hielt Custer eine Kiste mit Havannas hin. »Unsinn. Ich hielt ihn aus. Er genoß die luxuriöse Wohnung, das Chalet in Gstaad, die Ferien auf Sizilien, Golf in Florida. Und nebenbei erzählte er mir, was alles lief bei der Genfer Polizei.«

»Warum gerade Genf?« wollte Custer wissen und ließ die Flamme des langen Streichholzes an der Zigarre lecken.

»Sie wissen es, Sie Schwerenöter. Wollen Sie mich auf den Arm nehmen?«

Custer zog an der Havanna und blies genüßlich den Rauch aus. »Spionage?«

»Was denn sonst?« erwiderte Serenella. »Unter dem Mantel der internationalen Organisationen tummelt sich der Abschaum der Branche, Tausende von Diplomaten und ein paar fähige Köpfe. Sie handeln mit allerlei: Nachrichten, Waffen, Geld. Uns interessieren nur die Waffendeals.«

»Und wozu braucht es dazu einen Staatsanwalt?«

»Staatsanwälte liebt man nicht, küßt man nicht, kauft man nicht. Man heiratet sie. Dann ist man im Geschäft.«

Der Husky schnappte nach einem Bisquit, und Cluster machte eine fragende Gebärde mit der Zigarre.

»Genf ist ein internationaler Informationsknotenpunkt. Alle sind über verschiedene Systeme damit verknüpft: ISIS, Interpol, FBI, Leute wie Sie. Der Secret Service und die amerikanische Drogenfahndung DEA sind eng mit der Schweizerischen Bundespolizei verbunden. Genf ist ein Umschlagplatz erster Güte für Geld, Waffen, Munition, Plutonium, Nachrichtendienste, Polizeiinformation. Mein lieber, seliger Gaston besaß überall Zugriff, und so wußten wir Bescheid.«

Custer beobachtete die Rauchkringel: »Und warum zum Teufel wollten Sie über alles Bescheid wissen?«

»Information ist Macht.«

»Ein abgegriffener Spruch.«

»Meinetwegen, aber er stimmt. Früher, als die Mauer noch stand, gab es kein größeres Waffengeschäft, über das die Geheimdienste nicht Bescheid wußten. Die Briten wollten wissen, wer der

IRA den Nachschub besorgte, die Amis ließen keine Lieferungen an ihre Lieblinge in Libyen, im Iran und Irak zu, geschweige denn der israelische Mossad, der über jede Patrone im Bild war.«

»Einverstanden.« Custer inspizierte die Asche an seiner Havanna.

»Schön, damals herrschte Ordnung im Geschäft. Wenn wir größere Posten in den Nahen Osten lieferten, an die Saudis oder in den Sudan, irgendwohin, hatten wir immer den Segen des britischen MI-6 oder der CIA.«

»Auch im Fall des Irak?«

»Natürlich«, nickte Serenella, »selbst im Golfkrieg schoben wir mit Zustimmung des CIA Militärmaterial nach Bagdad.«

»Mmh, interessant.« Custer tat, als hörte er die Geschichte zum ersten Mal.

»Womöglich hatten Sie damals gar Ihre Hände im Spiel«, erriet Serenella seine Gedanken.

»Und heute – wie läuft die Sache heute?« lenkte Custer ab.

»Heute herrscht Chaos. Nach dem Zerfall der Sowjetunion fielen die Nachrichtendienste auseinander. Die Stasi zum Beispiel. Viele der Knacker machten sich selbständig. Alte Freunde sind versetzt worden oder gingen in Pension. Innerhalb kurzer Zeit hatten wir unsere Verbindungen verloren.«

»Aber die Prizzis überlebten«, wandte Custer ein.

Serenella schüttelte ihr schönes Haupt. »Das Verbindungsnetz ist gerissen. Heute quasselt die CIA von ›neuer Weltordnung‹, gemeint ist das amerikanische Monopol für Waffenlieferungen. Der KGB hat die Marktwirtschaft entdeckt und ist ins Geschäft mit Atombomben eingestiegen.«

»War das nicht immer so?« fragte Custer und blickte zur Decke.

»Nein, früher hielten sich die Großmächte gegenseitig in Schach. Jede Waffenlieferung diente einem abgesprochenen strategischen Ziel. Denken Sie an Afghanistan, Iran, Irak, Nordirland, Algerien.«

Custer legte die Havanna in den Ascher und starrte auf den hohen, schwarzen Phallus am Fenster, aus dem eine Lilie ragte.

»Heute herrscht das totale Hickhack«, erklärte Serenella. »Die Deutschen beliefern die Serben, die Bosnier erhalten tonnenweise Material aus der Ukraine. Dahinter stehen die Iraner, wieder die Deutschen und Franzosen, und in Slowenien kann die feilgebotene Ware wie im Supermarkt besichtigt werden ... Ein Stück aus meiner Sammlung«, meinte sie, indem sie seinem Blick folgte.

Custer schwieg. Der Ventilator an der Decke zog die Rauchschwaden seiner Zigarre ein. Der Hund erhob sich und trottete aus dem Zimmer, als das Telefon piepste. Serenella hielt das kleine Gerät ans Ohr, lauschte und stand auf: »Florida – es dauert länger. Machen Sie es sich bequem.« Custer blickte verträumt auf ihre schlanke Taille, als die Hausherrin den Raum verließ.

Draußen hatte der Anführer mit der tief ins Gesicht gezogenen Kapuze seine zwei Männer an den Rand des steilen Unterholzes geführt; sie blickten auf das erleuchtete Chalet hinunter. »Wo kommen wir rein?« flüsterte der mit der kurzen, spitzen Nase und zog die Mütze fest. Der Anführer massierte sich die Nase und inspizierte die Holzfassade. »Wir schauen uns das andere Chalet dort drüben an, los, kommt!« Lautlos tasteten sie sich durch das verschneite Gehölz.

42

Ken Custer ging im großen Zimmer hin und her, betrachtete das Stilleben von Braque, studierte die Bücherrücken und stand plötzlich vor dem grüngelb schimmernden Bildschirm auf dem Arbeitstisch. Sein Spürsinn ließ ihn innehalten und sich hinsetzen.

OPUS MALEPICTORUM las Custer im Inhaltsverzeichnis und klickte mit der Maus das Rechteck an:

The Penis Connection verhießen schwarze, sich um ein erigiertes Glied rankende Lettern. Neugierig klickte Custer weiter:

Prizzis Pride Collection (PPC), auf gut Deutsch: *Serenellas Schwanzsammlung.*

Unter PPC öffnete sich eine nicht enden wollende Kolonne von »Images«, die alle sonderbare Bezeichnungen trugen. Custer starrte kopfschüttelnd zur Phallus-Vase am Fenster. Ohne Zweifel hatte er Digitalaufnahmen männlicher Geschlechtsteile aufgespürt.

Sein Finger klickte auf *Image: Zwiebel*, und tatsächlich: Besagter Körperteil prangte ihm mit einem rosafarbenen, einäugigen Zwiebelkopf entgegen.

Image: meine Dildos. Custer klickte. Drei künstliche Geschlechtsteile in unterschiedlichem Ausmaß lagen auf einer Silberplatte. Daneben ragte eine Champagnerflasche aus dem Eiskübel.

Mit wachsendem Interesse suchte Custer nach originellen Titeln.

Eichellaub, der Seidige, der Tätowierte. Custer konnte es sich nicht verkneifen: Zwei Aufnahmen erschienen mit der Legende »vorher« und »nachher«. Die Tätowierung »ANA« hing unter »vorher«schlaff nach unten; »nachher« zeigte den aufrechten Zustand des gleichen männlichen Objekts, die Tätowierung erstreckte sich jetzt zu »A-R-I-Z-O-N-A«. Custer lachte schallend und suchte weiter.

Politiker, Skilehrer, P-26. Custer klickte: Aus schwarzer Unterwäsche glänzte ein P-26-Phallus im Blitzlicht. Legende: Bunkersoldat Buri, Emmentaler.

Custer schüttelte den Kopf und wollte abbrechen, als ihm *Image: Deubers 21er* in die Augen stach. Die Legende gab das Datum der obszönen Aufnahme an und belehrte: »Knastfrisch.« Custer erweiterte den Ausschnitt; da rollte Deubers Gesicht ins Blickfeld. Die Kamera hatte es aus tiefem Winkel wohl unbeabsichtigt erfaßt.

Draußen im Unterholz zeigte der Anführer mit der Hand durch die Zweige: »Seht ihr das halboffene Fenster? Das ist es.«

»Neben der Sat-Schüssel im zweiten Stock?« fragte der Dunkelhäutige im blauen Hemd. Sie nickten einander zu. Der Stämmige mit der Schildmütze zog die Glock Neun-Millimeter aus dem Hosenbund und machte damit eine energische Bewegung vorwärts.

Custer sah sich um und fand, was er suchte. Zwischen zwei Phallus-Statuen aus Jade stapelten sich Computerdisketten. Er pickte eine leere heraus, steckte sie in das Laufwerk und kopierte *Deubers 21er.* Dann schloß er den Bildordner, kopierte das ganze *opus malepictorum,* nahm die Diskette heraus, steckte sie ein und erhob sich.

Serenella stand in der Tür: »Ts-ts-ts«, schnalzte ihr schöner Mund. Custer errötete wie ein ertappter Schuljunge. Serenella nahm die Hände hinter dem Rücken hervor und hielt ein graues, flaches Gerät vor die Augen: Ein Blitzlicht, dann trat sie zum Computer, schloß die Kamera mit einem Kabel an und drückte locker ein paar Tasten.

Das Bild zeigte einen betretenen, schuldbewußten Ken Custer im Großformat.

»*FBI-Agent: Bild 1*«, tippte sie die Legende ein. »Sehen Sie, was mit Ihnen geschieht?« Sie drehte das Bild um 180 Grad. »Ich stelle Sie auf den Kopf oder mache Sie ganz klein.« Sie reduzierte ihn zu einem Winzling.

»Eindrucksvoll«, hüstelte Custer.

»Und jetzt schreiten wir zu Bild zwei, Mister Custer. Folgen Sie mir.«

In der anderen Tür stand zufällig Viktor, die Hände ebenfalls auf dem Rücken. Ken Custer hielt es für ratsam, Serenella Prizzi zu folgen.

43

Im Aufzug fuhren sie in die Tiefe, und Custer zählte mindestens drei Stockwerke, bevor der Lift zum Stillstand kam. »Die Party findet heute nacht hier unten statt«, erklärte Serenella, als die Tür zur Seite glitt, und ihnen eine feuchte, tropische Wärme entgegenschlug.

»Das duftet nach Kokosnüssen«, bemerkte Custer schnuppernd und blieb wie angewurzelt stehen.

Der Raum hätte ein halbes Fußballfeld gefaßt. Die Rückwand bildete natürlicher Fels. Ungefähr in der Mitte ergoß sich ein breiter Wasserfall in grünblaues Wasser. Auf weißem Sandstrand stand eine dichte Reihe Palmen, rechts davon schuf eine dreidimensionale Projektion die Illusion, daß sich das Meer in unendliche Weite zog.

Custer bekam Stielaugen; vor ihm lag das phantastischste Abbild einer Lagune im Südpazifik, mit tropischem Wasserfall unter einer Himmelsdecke, als ob das Dach geöffnet worden wäre. Disneyland in Gstaad. Tische, Anrichten, Blumenschalen und Podeste standen für das Mitternachtsfest bereit.

Serenella ließ das Yves-Saint-Laurent-Ensemble fallen und glitt, nur mit Netzstrümpfen bekleidet, ins Wasser. Custer, der ihr gebannt nachstarrte, bemerkte die riesige Welle, die sich von der Felswand gelöst hatte und auf ihn zuschwappte, zu spät.

Plötzlich türmte sich der Brecher vor ihm auf, er verlor den Boden unter den Füßen, und die Woge spülte ihn wirbelnd den Strand hoch. Serenella lachte schallend, schwamm näher und zog ihn an den Füßen in die Lagune. Sie war jetzt völlig nackt. »Aufgepaßt, die nächste kommt«, warnte sie. Diesmal tauchte Custer unter, bevor sich der kräuselnde Kamm überschlug. Zwischen den drallen Brüsten der Serenella Prizzi tauchte Ken hoch. »Das ist phantastisch«, keuchte er.

Sie kicherte und zog ihn zum Felsbrocken unter dem Wasserfall. »Mein Vater hat dieses Naturschauspiel geschaffen. Der Sand stammt aus Barbados. Die Palmen aus Florida. Die Bauarbeiten dauerten ein ganzes Jahr.«

»Und so etwas mitten in den Bergen«, staunte Custer und schaute sich ungläubig um. Sogar ein kleines Ruderboot lag oben am Strand.

»Ça c'est Gstaad«, zuckte Serenella mit den Schultern und tauchte unter. Einen kurzen Augenblick erhaschte Custer einen Blick auf ihre nackten Hinterbacken, und ein gefährliches Prikkeln kroch sein Rückgrat auf und ab.

»Ich hole Ihnen trockene Sachen«, rief Serenella. »Dort, der blaue Knopf beim kleinen Boot stellt Wellen an und ab.«

Custer legte sich auf den Rücken und genoß den Anblick der schönen Frau, die in weichem Gang in Richtung Garderobe schritt. Dann kraulte er unter den Wasserfall.

»Wir sind heute ins Netzwerk von Polizei und Militär integriert«, sagte Serenella Prizzi stolz. Custer trocknete sich ab und ging zu den Liegestühlen.

»Es geht um die D- und E-Waffen«, sagte sie. Sie reckte ihr Kinn nach vorne: »Und um *COAST.*«

Custer blieb wie betäubt stehen. ABC-Waffen waren längst der geläufige Begriff für atomare, biologische und chemische Kampfstoffe. Aber Datenvernichtungs- und elektronische Waffen gehörten in den Geheimbereich, und die Prizzi sprach darüber, als beschriebe sie ein Gabelfrühstück. Und nebenbei erwähnte sie *COAST*, als handelte es sich um einen Toaster.

»DE-Waffen fallen unter das Ausfuhrembargo für High-Tech-Güter«, sagte Custer scharf. »Ein Verstoß gegen das Waffenexportgesetz stellt eine vorsätzliche Gefährdung der nationalen Sicherheit der USA dar und bringt Ihnen fünfzehn Jahre Haft ein.«

»Wir machen nichts ohne den Segen der Amerikaner«, behauptete Serenella unbeeindruckt.

»Aber?« Custer hob fragend die Brauen.

»Kein aber, Mister Custer. Wir haben unsere Geschäftsprinzipien.«

Auf dem Glastisch lag ein Dildo.

Custer nahm den künstlichen Penis in die Hand. »Sie sammeln wohl echte und künstliche«, stellte er fest. Serenella schwieg, aber ihr Blick fiel auf seine kräftigen Oberschenkel. Unweigerlich zog Custer den Bauch ein. Serenella trat mit dem Kleiderbündel dicht heran. Er atmete ihren bezaubernden Duft ein, gebannt von ihren halboffenen Lippen. Die schwarzen, seidigen Haare fielen weich auf die entblößten Schultern.

Victor rollte Getränke heran, dann schickte ihn Serenella weg und legte sich mit gespreizten Beinen auf den Bauch. Das Tuch bedeckte knapp die Gesäßspalte. »Mein Großvater war auf du und du mit Edgar Hoover«, verriet sie. »Dort liegt das Massageöl.«

Custer ließ beinahe das Glas fallen.

»Dem Direktor des FBI?«

»Sicher, er hatte Hoover zwei Kommunisten ans Messer geliefert.«

Custer tropfte Öl auf die Handfläche und strich sanft über ihr Rückgrat.

»Mhm, wir könnten uns auch duzen«, seufzte Serenella. »Gewissermaßen die Tradition der guten Beziehungen fortsetzen. Ken, nicht wahr? Nenn mich Serenella.«

Sie legte eine Hand auf seinen nackten Oberschenkel.

Custer stöhnte innerlich, dann setzte er sich rittlings auf die Beine der Prizzi und massierte kräftig den langen Rücken. Das Lendentuch hatte er fallengelassen, und Serenella spürte sein Glied zwischen ihren Schenkeln. Leicht hob sie ihren Hintern an.

»Dein Mann ging dir auf den Leim«, sagte Custer.

Serenella zuckte gleichgültig die Schultern.

»Du hast Barrelet umgebracht, weil er zuviel wußte.«

Custer knetete hart ihren Nacken.

Serenella hob energisch den Kopf. »Gaston wußte nichts. Der arme Teufel ließ sich erwischen«, sagte sie. Custer massierte die Schulterblätter und rückte seine Lenden näher an Serenellas Hinterbacken.

»Warum hast du dem armen Teufel dermaßen zugesetzt?«

Serenella hob die Hüfte und suchte gierig nach der Spitze seines Gliedes. »Barrelet war der ideale Opfertyp«, flüsterte sie.

Custer strich ihr kräftig über den Rücken, und sie sprach jetzt in abgehackten Sätzen: »Er besuchte die Elite-Schule in Gstaad. Ein ehrgeiziger Streber. Keine Freunde. Verklemmt gegenüber Frauen. Verbiß sich in die Karriere.«

»Dann hast du ihn verführt«, keuchte Custer mit starrem Blick auf ihren entblößten Hintern. Langsam fuhren seine Hände das Rückgrat entlang nach unten. Serenella streckte ihre Arme auf der Liege aus, während er sich genüßlich in sie hineinschob. »Du hast ihn aus der Bahn geworfen.«

Serenella hob bebend die Hüfte, und Ken kniete sich nun zwischen ihre Beine und zog ihr aufregendes Hinterteil mit beiden Armen kräftig gegen seine Lenden. Serenella stützte sich auf die Knie, um die rhythmischen Stöße besser aufzunehmen. Der Blick auf die herzförmige Eichel seines eindringenden Glied steigerte Kens Lust, er schob die Hand unter sie und berührte sie mit seinen Fingern. Serenella begann, wohlige Laute von sich zu geben; sie drehte ihr Gesicht zur Seite, streckte die Zunge nach ihm und wälzte sich plötzlich zur Seite, um gleich darauf mit gespreizten Beinen auf seiner Männlichkeit herumzureiten.

Während Custer die halbgeschlossenen Augen und das triumphierende Lächeln der wilden Reiterin beobachtete, verzog ein lustvolles Grinsen seine Lippen. Was los sei, hauchte Serenella, indem sie schneller auf und ab wogte, und Custer fragte sie in abgehackten Worten, wie sie ... in ihrer Sammlung seinen ... nennen werde.

Als sie schreiend kam und über ihm zusammensank, erhob sich Ken vorsichtig und trug die eng mit ihm Verschlungene ins Wasser. Ihr roter Mund öffnete sich halb, nur eine Nasenlänge vor seinen Augen. Er atmete wieder ihren Duft ein. Ihre Lippen berührten sich. Der Kuß durchströmte ihn mit einer Woge der Lust, die er seit Ewigkeiten vermißt hatte.

Als sie später ermattet auf den Liegen lagen und Ken behaglich am Glas nippte, zeigte Serenella über das Wasser. »Wir sind hier Wand an Wand mit dem Bunker. Vor ein paar Jahren diente er dem Kommando der Geheimarmee P-26, einer leicht bewaffneten Geheimtruppe in Bataillonsstärke. Wir lieferten dem Kommando natürlich auch ein paar Stücke.«

»Was für Stücke zum Beispiel«, interessierte sich Custer.

»Das *Harpoon*-Funkgerät, Nato-Standard«, antwortete Prizzi stolz. »Mein Großvater besaß schon immer ausgezeichnete Verbindungen zum offiziellen Bern.«

Custer starrte ungläubig gegen die Felswand. Er wußte um die Geheimarmeen, die in den Nato-Partnerländern nach dem gleichen Muster wie in der Schweiz organisiert waren. Ursprünglich gingen die Geheimprojekte auf William Westmoreland zurück. Custer dachte daran, wie er den Generalstabschef der US-Army 1969 in die Schweiz begleitet hatte, um der Schweizer Armeeführung die geheimen Pläne schmackhaft zu machen. Er saß damals mit Westmoreland auf dem Rücksitz eines Schützenpanzers, der über den Truppenübungsplatz zur Schießdemonstration donnerte, als der amerikanische General sein *Swiss Army Knife* aus der Tasche zog und dem Schweizer Dreisterne-General zurief: Wir rüsten die Nato mit Ihrem Messer aus, und Sie übernehmen im Gegenzug das »Nato-Stability«-Programm!

»Du meinst, der Bunker liegt gleich da hinter den Felsen?« vergewisserte sich Custer nochmals.

Serenella zeigte auf eine Stelle rechts vom Wasserfall. »Siehst du den hellen Fleck von der Größe einer Telefonkabine? Dort baute die Armee einen zweiten Notausgang – direkt in unsere Liegenschaft. Als die Nationalbank die Anlage übernahm, mauerten sie den Durchgang zu.«

Wahrscheinlich lagen hinter der Mauer tonnenweise Goldbarren, überlegte Custer und fragte: »Was haben die Prizzis mit *COAST* zu tun?«

»Dumme Frage, Ken. Waffen sind unsere Domäne. Da lassen wir niemanden reinpfuschen. Und im Infokriegsarsenal gibt es einige High-Tech-Spielzeuge, die wir vertreiben wollen, genau wie damals die *Oerlikons* im Zweiten Weltkrieg, die *Exocet*-Rakete im Falklandkrieg, die *Stinger* in Serbien. Wir wollen mit den *Cyper Operational Attack Systems* ins Geschäft kommen. Ganz einfach.« Serenella läutete nach Victor.

»Aber wieso Barrelet, warum Genf?«

»Warum Genf? Auf die Genfer Banken ist kein Verlaß mehr«, erklärte Serenella gelassen. Custer schüttelt ungläubig den Kopf.

»In unserem Geschäft bewegen wir Millionensummen – und die Transaktionen sind sehr delikat.«

»Waffenschieberei.«

»Aufträge der CIA«, konterte Serenella Prizzi. »Für den Irak, an die Russen und die Tschetschenen, nach Belgrad und Sarajewo. Du glaubst ja wohl nicht mehr an den Storch, Ken. Ohne die Prizzi-Organisation sind die cleveren Burschen aus Langley mit den zierlichen Harvard-Mündchen verloren. Wir ziehen eure Drecksgeschäfte durch. Sagt dir ›Iran-Contra‹ noch etwas, oder leidet das FBI bereits an Alzheimer?«

»Und die Zahlungen laufen alle über Genf?« fragte Custer unbeirrt.

»Ein Großteil. Aus traditionellen Gründen. Mein Großvater hatte damals einen Narren an den Genfer Bankiers gefressen: Anonym, verläßlich, konspirativ, nannte er sie. Aber diese Dinosaurier sind ausgestorben. Die Zeiten haben sich geändert.«

»Inwiefern?«

Victor erschien, und Serenella schickte ihn hinüber in die Garage, um ihren Laptop aus dem Bentley zu holen. »Geschäfte nach alter Väter Sitte sind nicht mehr möglich«, antwortete sie. »Die Banken erstatten sofort Meldung an die Behörden, wenn ihnen eine Geldtransaktion nicht behagt.«

»In der Schweiz? Seit wann stinkt Geld hier?« wandte Custer ein.

Serenella schüttelte wehmütig den Kopf. »Das war einmal, mein Lieber. Viele Banker machen sich heute schon in die Hosen, wenn sie nur das Wort Waffen hören. Geschweige denn, wenn die Behörden mit Untersuchungen drohen. Also erstatten die Angsthasen Meldung. Das Hemd ist jedem näher als der Rock.«

»Und Barrelet wußte um diese inoffiziellen Benachrichtigungen?« fragte Custer.

»Haargenau. Er warnte uns davor. Zum einen erführen wir rechtzeitig, welche Banken es mit der Angst bekamen, und konnten in Ruhe disponieren, quasi die Spreu vom Weizen trennen. Zum ändern ließ Barrelet die idiotischen Meldungen der Banken einfach verschwinden.«

Custer nickte und betätigte mit dem Fuß den Wellenknopf. Geräuschlos wogte die Welle durch die Lagune. Er stellte wieder ab.

»Das war im wesentlichen Gastons Rolle«, sagte Serenella. »Hinzu kamen dann natürlich noch ein paar andere, nützliche Informationen.«

»Jemanden richtig zum Narren zu halten ist eine große Kunst, Serenella. Respekt.« Custer schmunzelte bitter.

»Alles ist wahr«, wehrte sich Serenella.

»Da ist nur ein Haken: Du hast Aráfan vergessen.«

Serenella Prizzi schwieg und überlegte. Nach einer Weile sank sie in den Sessel zurück und meinte schlicht: »Wir brauchten COAST, und der Schlüssel hieß Aráfan.«

»Deshalb warst du die einzige, die ein Motiv besaß, Barrelet zu beseitigen«, schoß Custer zurück. »Der Staatsanwalt wollte beim Treffen mit Kommissar Vongunten auspacken. Das hätte den Prizzis enorm geschadet.«

»Sicher«, gab Serenella zu. »Aber statt bei Vongunten zu singen, hätte er sich gleich selber eine Kugel in den Kopf jagen können. Gaston hatte ja nichts gegen uns in den Händen.«

»Du hast Barrelet umbringen lassen«, beharrte Custer. »Ich muß dich festnehmen lassen.«

»Das hat keine Eile«, lächelte sie freundlich, als hätte er nach der Uhrzeit gefragt. »Vielleicht kommst du hier gar nicht mehr raus.« Sie streckte ein Bein in die Luft und strich mit beiden Händen über den Oberschenkel. »Das Haus ist hermetisch abgeriegelt«, informierte sie ihn wie nebenbei.

»Ich bin nicht so sicher«, widersprach Custer und zeigte lässig zum Durchgang, aus dem eben zwei Männer auftauchten.

Ihr erstes gemeinsames Merkmal bestand darin, daß sie wie vom Donner gerührt auf den Palmenstrand starrten, das zweite, daß ihre Hände die automatischen Pistolen krampfhaft umklammerten. Der mit der winzigen Nase zwischen den Pausbakken hielt seinen breiten, unter dem Mützenrand kahl rasierten Schädel leicht geneigt. Der andere, einen Kopf kleiner, trug blaue Skihosen an schwarzen, mit Edelweißblüten bestickten Hosenträgern. Die Eindringlinge boten trotz ihrer Waffen ein ulkiges Bild, aber Serenella Prizzi fuhr wie von der Tarantel gestochen aus dem Stuhl und wich gegen das Wasser zurück.

»Stehenbleiben«, rief der Hosenträgertyp.

Custer stand langsam auf und machte zwei Schritte rückwärts.

»Stillgestanden«, wiederholte der Kahle.

Hätte einer der beiden sofort abgedrückt, wäre es um ihn geschehen gewesen, analysierte Custer später die Situation. Aber die Killer schienen vom Anblick der aufreizenden Serenella vor der karibischen Kulisse überwältigt. Ihre Verblüffung nutzte Custer, um seine Position zu verändern.

Nun sprangen sie heran und standen bedrohlich vor ihnen, die Schuhe halb im Sand versunken, immer noch staunend, aber Herr der Lage.

»Kommen Sie, Custer, sonst wird sich das Wasser rot verfärben«, grinste der Kahle und gab dem anderen ein Zeichen mit der Waffe.

Custer stemmte die Ferse mit aller Kraft gegen den Wellenknopf. »Die Wache kommt jeden Augenblick«, warnte Custer und neigte den Kopf zum Durchgang.

Die Kerle ließen sich nicht täuschen. Sie blickten kurz zur Tür, ließen aber Custer keinen Moment aus den Augen. »Fauler Trick«, höhnte der im blauen Hemd.

Aber das Intermezzo hatte seinen Zweck erfüllt. Die große Welle kam geräuschlos, und als sie sich überschlug, konnten die beiden nicht mehr reagieren. Wie vor kurzem Custer riß die Woge sie erbarmungslos in den weißen Sand. Custer packte ein Ruder des kleinen Bootes und schmetterte das Holz auf den Schädel des Kahlen, dann warf er sich auf den anderen, der sich benommen hochrappelte. Custer bekam die Hosenträger zu fassen, die aber aufschnappten. Der Blauhemdige entkam, doch der Russe preschte mit der Kalashnikov im Anschlag aus dem Durchgang und traf den Flüchtenden mit dem Gewehrlauf wuchtig in den Magen. »Haben Master Alarm gegeben im zweiten Stock«, stotterte Victor. »Ich nachschauen. Fenster war offen. Wind haben Alarm ausgelöst. Alles o.k., alles unter Kontroll.«

»Trottel«, schimpfte Serenella. »Hol Stricke und mach deine Klappe zu, du hast schreckliche Zähne.«

Custer sammelte die Waffen des gescheiterten Kommandos ein. »Laß die Knacker laufen«, rief Custer Victor mit verächtlicher Handbewegung nach und zog Serenella an sich. Ihre Hände berührten zärtlich die Innenseite seiner Schenkel, stiegen höher, fuhren durch seinen Schritt und umfaßten das pralle Glied. Serenella fiel langsam auf die Knie und nahm die rotblaue Eichel in ihren Mund.

Custer fuhr durch ihre Haare und blickte nachdenklich auf den Wasserfall. Plötzlich hob Serenella ihren Kopf und sagte: »*F-B-I*, werde ich übrigens dein schönes Stück nennen«, schmunzelte sie.

Das sei nun wirklich phantasielos, protestierte Custer und stülpte den Bademantel über seine Erektion, aber Serenella schüttelte mit verschmitztem Lächeln den Kopf.

»FBI steht für: *Feels Better Inside!* Meine Güte, wir sind spät dran. Die Pressekonferenz. Die Party. Wie sehe ich aus?«

Sie hatte recht. Im *Palace* begann Professor Knochers Show in gut zwei Stunden, und gegen Mitternacht würde an dieser traumhaften karibischen Küste mitten in Gstaad das weihnachtliche »Soirée spectacle« steigen.

»Wir sehen uns in der *Palace-Bar*«, rief Serenella auf dem Weg zum Lift. »Mario, der Barkeeper, weiß, wo ich bin.«

Custer sammelte seine Sachen ein, kleidete sich notdürftig an und ließ sich anschließend von Victor ins *Palace* chauffieren.

44

Die elegante, halbkreisförmige Bar schmiegte sich wie eine große Lippe an die helle Mauer mit dem glitzernden Flaschenregal aus edlem Mahagoni und Spiegelglas. Auf der anderen Seite der von vier rechteckigen Steinsäulen getragenen Hotelhalle knisterte ein kräftiges Feuer im großen Kamin. Eiswürfel klimperten im Mixer des Barkeepers, Backgammon-Würfel klackten sachte hinter schweren Ledersesseln, angeregtes, vornehm gedämpftes Stimmengewirr der dezent gekleideten Après-Ski-Gäste lag über der lockeren Anordnung von blankpolierten, viereckigen Tischen und Fauteuils, zwischen denen aufmerksame Kellner mit sicherer Hand und höflichem Blick Tee und Drinks servierten. Eine dunkle Eichendecke mit zierlich geschnitzten Holzkassetten vollendete das luxuriöse Ambiente; hinter repräsentativen Fenstern leuchteten im Park verschneite Fichten im Lichterglanz.

Custer zog viele Blicke auf sich, als er zur Bar schritt. Köpfe rückten zusammen, auf dem Chester-Sofa neben der Säule tuschelten zwei bildschöne Asiatinnen – es schien, als sei das vereitelte Gleitschirm-Attentat auf der Wasserngratbahn Tagesgespräch.

Dulliker war mit seiner roten Armschlinge nicht zu übersehen. Etwas bekümmert saß er an der Bar und reinigte seine Brille mit der geblümten Krawatte. Custer setzte sich neben den Bundespolizeichef: »Wie geht es?«

»Der Oberarm ist gebrochen«, antwortete Dulliker mürrisch.

»Gips?«

»Nein, tagsüber eine Schlinge, und nachts stülpe ich eine Druckweste darüber, damit der Arm in meinen wilden Träumen nicht ausschlägt. Sie wollten mir ein Beweisstück bringen?«

Custer nickte, bestellte Bouillon mit Wodka und schaute sich um. Im Rücken schirmte sie die breite Säule ab, die nächsten Tische lagen außer Hörweite.

Er legte die Diskette mit dem *Opus Malepictomm* auf den Tresen: »Die Prizzi hat Martin Deuber am Tag seiner Befreiung fotografiert!«

Marcel Dulliker hatte in der Gebirgsinfanterie Gelassenheit gelernt. Als er zum Chef der Bundespolizei ernannt wurde, murrten ein paar ältere Fahnder; Dulliker sah mit den listigen Augen im weich geschnittenen Gesicht eher wie ein pfiffiger Mathematikprofessor aus, der eben eine neue Formel entdeckt hatte, doch er hatte einen messerscharfen Instinkt.

»Was folgern Sie daraus?« fragte er.

»Daß die Prizzi die Befreiung arrangiert hat. Als Staatsanwalt Barrelet dahinter kam, ließ sie ihn umbringen, bevor er reden konnte«, antwortete Custer.

Dulliker zu unterschätzen, war gefährlich. Custer erkannte den kühlen Verstand im harmlos verschleierten Blick. Die Legenden, die sich um Dulliker rankten, sprachen für sich.

»Sie sind also der Meinung, die Prizzi stehe hinter dem Mordanschlag«, Dulliker schlürfte an seinem Tee.

»Wie geht es übrigens Vongunten?« fragte Custer.

»Immer noch im Koma.«

Der Barkeeper schob ihm seinen Drink über den Tresen.

»Schauen Sie sich die Bilder an. Deuber ist deutlich erkennbar. Datum und Uhrzeit fehlen ebensowenig wie Deubers bestes Stück. Die Frau führt eine pornographische Bildersammlung unter diesem Namen.« Custer hielt Dulliker die Diskette mit der Aufschrift hin und nahm einen kräftigen Schluck.

Dulliker las ungläubig die Aufschrift: »Penis Connection! Manchmal ist unsere Arbeit direkt aufregend!«

Nach Custers Version erfuhr Serenella Prizzi von Barrelets Treffen im Yacht-Club, dann dingte sie den Killer.

Der Chef der Bundespolizei hielt seine Brillengläser erneut gegen das Licht und klaubte ein Taschentuch hervor. »Erkennt man die Typen?« fragte er.

»Es genügt, daß wir Deuber erkennen«, antwortete Custer. »Ein paar Stunden, nachdem er aus dem Knast geflüchtet war, stand er nackt vor seiner Herrin. Ergo hat sie ihn befreit«, schloß Custer »oder haben Sie eine andere Erklärung?«

»Quod erat demonstrandum«, nickte Dulliker und gab Custer die Diskette zurück.

»Können Sie einen Haftbefehl erwirken?«

»Einen Haftbefehl? Gegen wen?«

»Gegen Serenella Prizzi, da kommt sie übrigens!« Alle Köpfe drehten sich, ihr Auftritt war perfekt. Sie trug ein leuchtend rotes, elegantes Hosenkleid aus fein gemustertem Wollstoff mit einer eng anliegenden Weste, deren schwarz bestickter Kragen den schönen Hals aufreizend betonte. Die schwarzen Haare fielen weich auf die entblößten Schultern, und als sie sich langsam durch die Reihen bewegte, legten die Männer die Zigarren in die Aschenbecher und suchten diskret schnuppernd ihren betörenden Duft zu erhaschen.

»Der Gerichtspräsident haßt bürokratischen Aufwand«, sagte Dulliker leise. »Er verhaftet nur, wenn er eine Leiche sieht.«

»Zeigen Sie ihm die Schwanzsammlung«, zischte Custer wütend und rutschte vom Hocker. Als er auf Serenella zutrat, überflog sein Gesicht bewundernder Charme.

Sie arrangierte nervös ihre schmale Goldkette am Hals und blickte abwechselnd auf die beiden Männer. Im Hintergrund strömte die Meute der Presseleute mit ihren Taschen und Kameras in die Empfangshalle. Custer hielt vergeblich nach Stefanie Kramer Ausschau. Die Pagen hatten alle Hände voll zu tun und lenkten den Troß zunächst nach links zur Garderobe.

Serenella steckte Custer das Tagebuch zu: »Bei dir ist es sicherer aufgehoben«, flüsterte sie aus blaßroten Lippen und lehnte sich an einen Barstuhl. Ein Lächeln flackerte in ihren Augen, das Custer erwiderte. Dann nahm er Dulliker am gesunden Arm und drängte ihn hinter der Säule hindurch zum Service-Ausgang. Serenella schaute ihnen verblüfft nach, während ein Kamerateam, das den Bundespolizeichef erkannt hatte, auf die Bar zustrebte.

»Israel hat die Schweiz auf zwei Milliarden Franken verklagt«, erzählte Dulliker, als sie an verstörten Kellnern vorbeihetzten.

»Wofür zum Teufel?« fragte Custer und schwenkte im Flur zur Treppe.

»Schadenersatz für die verschwundenen Vermögen jüdischer Familien«, antwortete Dulliker, der Mühe hatte, mit dem FBI-Mann, der den Fitneßraum anpeilte, Schritt zu halten.

Custer wußte, worum es ging. Die Vereinigung der Schweizer Banken hatte vor nicht allzu langer Zeit bekanntgegeben, daß seit 1985 nachrichtenlose ausländische Vermögen im aktuellen Wert von 687 Millionen Franken aufgefunden worden seien. Dabei sollte es sich bei über fünfhundert Konten mit insgesamt einer halben Milliarde Franken um Vermögen aus Nazideutschland und den besetzten Gebieten gehandelt haben.

»Die Banken wollen ermitteln, wieviel insgesamt verschwunden sein könnte, um dann mit den jüdischen Organisationen zu verhandeln«, erklärte Dulliker atemlos, als Custer die Tür zum Fitneß-Center öffnete.

Er hatte sich informiert, daß gewissenhafte Banken spätestens zehn Jahre nach Kriegsende ein Inventar der schlafenden Konten erstellt hatten. Nach weiteren zehn Jahren, also um 1965 herum, hatten die meisten Institute die nachrichtenlosen Vermögen nach verschiedenen Kategorien auf Sammelkonten transferiert. Dadurch beseitigte man die Altlasten, und unerwünschte Namen verschwanden von den Kontoverzeichnissen. Auf diese Weise hatten die offiziellen Prüfstellen nie Kenntnis von jüdischen Familien, Hitlerschergen oder Kriegsopfern mit Vermögen in der Schweiz erhalten. Nachforschende Angehörige waren auf eine Mauer des Schweigens gestoßen. Wie Custer von Kommissar Vonguncen erinnert worden war, hatten sich gewisse Banken nach Kriegsende geweigert, die Kontobeziehungen mit Nazideutschland pflichtgemäß anzugeben, indem sie sich auf das Bankgeheimnis beriefen, um die Gelder nicht an die Amerikaner abliefern zu müssen, wie es das Washingtoner Abkommen 1946 zwingend vorschrieb. Der Umgang mit den Geldern verschwundener Juden mochte manchem Bankier kalte Schauer den Rükken hinuntergejagt haben, also lagerte man sie einstweilen um.

Ken Custer setzte sich im verlassenen Fitneßraum auf ein fahrradähnliches Gerät und begann, langsam zu treten, während Dulliker sich geschafft auf einen Sessel setzte und mit einem Stirnrunzeln auf das helle, stille Blau im weißen Schwimmbecken starrte.

»Warum haben die Banken erst fünfzig Jahre nach Kriegsende nach den verschwundenen Vermögen geforscht?« fragte Custer, obwohl er die Antwort wußte: Als Rechtfertigung für die Enteignung jahrzehntelang verschollener Kontobesitzer dienten den Bankiers Verjährungsfristen, die Regeln über den Eigentumserwerb nach Gewohnheitsrecht und die unverhältnismäßigen Kosten, die Nachkommen ausfindig zu machen. Handelte es sich erkennbar um Vermögen verschollener Nazis, erklärten die Bankdirektoren die Gelder ohne Skrupel schlichtweg zur Kriegsbeute.

»Die Loewenherz-Story des Israeli steht mit der Klage gegen die Schweiz im Zusammenhang«, sagte Dulliker und strich nachdenklich die rote Armschlinge glatt. »Die Öffentlichkeit soll gegen Professor Knocher aufgebracht werden, indem eine dubiose Nazivergangenheit enthüllt wird. Knocher ist Halbjude und macht keinen Hehl aus seinen Sympathien für die weißen Arier in Amerika.«

Custer trat kräftiger in die Pedalen und rief: »Das wäre professionelle Fehlinformation par excellence! Noch bevor die ersten Zweifel aufkommen, ist die Geschichte zweimal um die Erdkugel gerast. Alle Medien stochern darin herum, und die Schweiz stinkt zum Himmel wie ein Jauchefaß. Wenn dann später die wahren Tatsachen ans Licht kommen, schert sich kein Mensch mehr darum; die Masse will Sensationen, nicht Berichtigungen hören, Dulliker.«

Es sei ein Flankenangriff des Mossad, um die Schweiz für einen Kompromiß weichzuklopfen, meinte Dulliker. Die jüdischen Organisationen brauchten einen nahrhaften Skandal, weil in der Schweiz das Interesse an der Auffindung der alten Kriegsvermögen proportional zur wachsenden Staatsverschuldung schwinde. Und ganz gleich, ob die Geschichte über Knocher nur zur Hälfte stimme – in der Vergangenheit des Professors gäbe es bestimmt einige dunkle Stellen, die ihn erpreßbar machten.

»Was gedenken Sie zu tun?« keuchte Custer und ließ das Schwungrad des Trainingsrads auslaufen. Doch in diesem Augenblick piepste das Telefon in Dullikers Rocktasche. Umständlich klaubte er das kleine Gerät hervor und lauschte. Custer stieg vom Sattel herunter und setzte sich an die Gewichte. Er stemmte sie zum dritten Mal, als Dulliker sagte: »Die Kantonspolizei untersucht einen Einbruch in Zimmer 203 im *Grand Hotel Park*. Es scheint, daß der Israeli gekidnappt worden ist.«

»Dann werden Sie ja alle Hände voll zu tun haben.« In Custers Stimme klang kollegiale Anteilnahme mit, doch Dulliker schüttelte mit verschmitztem Lächeln sein Haupt: »Hören Sie,

Custer, Kommissar Vongunten hatte den Israeli durchschaut. Nach den Aufzeichnungen, die er mir hinterließ, arbeitet der Israeli Rafi Harel für den Mossad und ist hinter den Holocaust-Geldern her. Ich habe keinen Anlaß, auch nur einen Finger für den Kerl zu rühren, solange sich seine heimlichen Aktionen gegen die Schweiz richten.«

»Auch nicht, wenn er dabei draufgeht?« fragte Custer.

»Auch dann nicht«, antwortete Dulliker. »Agentenschicksal, oder nicht?«

45

Die meisten Medien hatten ihre wissenschaftlichen Teams entsandt, auch die Wirtschaftspresse war vertreten, aber die sonst aktualitätshungrigen Aufnahmeteams des nationalen Fernsehens glänzten durch Abwesenheit. Alte Füchse unter den Journalisten hatten auf den freigewordenen Salontischen bereits ihre Computer aufgeklappt und schrieben den Bericht aufgrund der verteilten Unterlagen. Viel Neues, sagte ihnen die Erfahrung, würde ohnehin nicht dazukommen.

Endlich komplimentierten die Hotelpagen in den grünen Westen die Presseleute freundlich, aber bestimmt zum Baccarat-Saal, in dem die Demonstration der *Novapharm* in wenigen Augenblicken beginnen würde.

Zur gleichen Zeit lag Custer in seinem Zimmer ausgestreckt auf dem Bett und telefonierte zur Stukkaturdecke blickend mit Washington; Bundespolizeichef Dulliker erteilte in der Fromagerie im Untergeschoß bei einem Käsefondue seinen Männern Anweisungen, während Raffaelo Prizzi im kleinen Salon seine Schwester mit einer erlesenen Gruppe von acht Regierungsvertretern bekanntmachte.

»Unser Gehirn erzeugt Energie und Information – rationale und intuitive Information«, begann Professor Knocher vor dicht gefüllten Reihen seinen Vortrag. Der Baccarat-Saal war ein vornehmer, eleganter Raum. Dunkelroter Damast mit Arabeskenmuster bespannte die hohen Wände, die dunkle Mahagoni-Kassettendecke bildete einen deutlichen Kontrast zum in hellgrünen und roten Blumenmustern gehaltenen Teppich, und neben dem sandsteinfarbenen Kamin standen vergoldete, kugelsichere Glasvitrinen mit erlesenen Schmuckauslagen des Pariser Hausjuweliers.

Professor Knocher stand auf der kleinen, von einem grünen Vorhang eingefaßten Bühne vor einer Leinwand und hielt sich mit beiden Händen am kleinen Rednerpult fest. Auf der einen Seite des Raums erkannten sich die Medienleute in der Spiegelwand wieder, während gegenüber schwere Vorhänge die Winternacht aussperrten.

»In der Evolution der Gehirntätigkeit liegen gewaltige Möglichkeiten für die Menschheit«, fuhr der Professor fort. »Das Gehirn ist der Teil des Körpers, der viel zu groß konstruiert wurde. Wir benützen nur einen kleinen Teil davon und vernachlässigen die rechtsseitigen Fähigkeiten intuitiven Denkens.«

Die dicke Radio-Reporterin in der beigefarbenen Strickjacke fingerte gelangweilt am Mikrophon, während sie beim langen Gähnen den Mund so heftig aufriß, als wollte sie ihre schwarzen, über die blassen Wangen fallenden Haarsträhnen verschlingen.

»Heute, mit der Vernetzung der Informationen auf dem Internet, wird unser Gehirn neu herausgefordert. Wir werden die ganze Gehirnkapazität benötigen, um die Flut der Informationen zu absorbieren.«

Die Reporterin schaute verdutzt auf. Clark Gable stand vor ihr. Hellwach griff sie sich in die Haare und setzte ihr verführerischstes Lächeln auf. »Hallo«, himmelte sie den breitschultrigen Amerikaner an, »was hat denn CNN in diesem Nest verloren?«

»Wir sind live dabei«, flüsterte das Abbild ihres Idols kurz angebunden. »Technische Probleme. See you!« Er winkte seiner Crew, die eine Kamera in den Raum schleppte, und drängte sich durch die Reihen davon.

»... meine These, die ich Ihnen beweisen werde, lautet: Information kombiniert mit Energie kann noch nie dagewesene Resultate in der Wissenschaft, der Mathematik und der Kunst hervorbringen.«

Bath schaute interessiert den CNN-Leuten zu, die ihre Verbindungskabel in die Buchsen steckten. Deuber war nirgends zu sehen.

»... Eine Frau will zum Beispiel mit einem Ball einen Baum treffen. Jeder von uns verfügt über eine gewisse Geschicklichkeit im Werfen. Die meisten werden den Stamm nach einiger Übung treffen. Nun können wir diese Fähigkeit aber optimieren, indem wir die rechte und die linke Gehirnseite gleichzeitig mobilisieren. Ich behaupte, daß Auge und Gehirn zusammen dasselbe fertigbringen, wie ein High-Tech-Laserzielgerät.«

Das rote Licht der CNN-Kamera leuchtete auf. Ein Raunen ging durch die Reihen, und Professor Knocher hob beschwichtigend die Hand: »Nehmen wir ein Auge, das es in sich hat.«

Bath trat an den Tisch, öffnete einen Behälter und entnahm ihm das Chamäleon. Er hielt das scheue Tier liebevoll auf den Armen und blickte ins Publikum. Gemurmel. Stühlerücken. Auf einmal war die träge Menge munter geworden. »Das Auge des Chamäleons ist wie ein Teleskop aufgebaut, es kann stärker vergrößern als alle anderen Wirbeltieraugen. Dies kommt durch eine Linse zustande, die das Licht streut, anstatt es zu sammeln, auch das ist einmalig unter den Lebewesen.«

Bath befeuchtete das Tier mit einem Schwamm, während das Licht der Kristalleuchter erlosch und Scheinwerfer aufflammten.

»Die Augen des Tieres bewegen sich unabhängig voneinander, und zwar in jede Richtung.«

Alle blickten jetzt abwechselnd nach vorne zum Tier und auf die Leinwand, wo die vergrößerten Augen des Chamäleons genau das vorführten, was der Professor eben erklärt hatte. Dann tauchte auch Baths Auge auf der Leinwand auf. Es dauerte eine Weile, bis das Publikum bemerkte, daß die Augen des Mannes in der gleichen Weise agierten wie die des Tieres. Das Stimmengeschwirr schwoll an, Kameras blitzten.

»Wer ist der Herr, der schielt wie eine Gans, wenn's donnert«, rief beifallheischend Carbitsch, ein älterer Fernsehjournalist mit struppiger Mähne.

»Das war Teils Geschoß«, rief Bath Sekunden später zufrieden, als der nasse Schwamm Garbitsch ins Genick traf. Höhnisches Gelächter schallte durch die Reihen.

»Das Chamäleon ...«, fuhr Knocher fort, »das Chamäleon, meine Damen und Herren, kann sein Auge außerdem sehr schnell akkommodieren.« Die CNN-Kamera summte ununterbrochen. »Es sieht von unendlich bis zum Abstand von drei Zentimetern scharf. All diese Eigenschaften kommen dem Chamäleon bei der Jagd nach Beute zugute. Ich zeige Ihnen jetzt ein kleines Experiment.«

Aus den hinteren Reihen drängten sie nach vorne, während Bath das Tier auf eine kleine Plattform stellte und mit einem

Stoffband umwickelte. Auf einem kleinen Gestell befestigte der Professor eine Heuschrecke und richtete die Videokamera. »Findet ein Auge die Beute«, dozierte er ruhig, »stellt sich das andere darauf ein. Sie bemerken, daß die Augen des kleinen Kerls da aus einem Kugelgehäuse schauen, das sich nach allen Richtungen drehen läßt. Das Auge wirkt wie ein Zielfernrohr. Sobald das Ziel erfaßt und scharfgestellt ist, löst sich der Schuß.«

Der Professor stellte jetzt den Ständer mit der Heuschrecke eine knappe Körperlänge vor das Chamäleon. Im Saal wurde es mäuschenstill. Die CNN-Crew ging auf Nahaufnahme.

Da schoß plötzlich die Zunge heraus und packte die Beute.

»Treffer«, kommentierte der Professor und ließ die Aufnahme in Zeitlupe wiederholen. »Die Frage stellt sich«, fuhr er fort, während Bath das Tier in den Behälter zurücklegte, »wie kann der Mensch ähnliche Kräfte und Fähigkeiten mobilisieren.«

Viele Blicke richteten sich unweigerlich auf Bath, der mit einem Auge auf den Kontrollmonitor schielte. Die CNN erfaßte ihn in Großaufnahme. Er grinste.

»Es gibt Leute, die reagieren auf die Beeinflussung durch das Gehirn einer starken Persönlichkeit. Es gibt Bereiche im Energiemanagement, die noch nicht erforscht sind«, dozierte Professor Knocher. »Einige wenige Leute haben zu diesen Bereichen Zugang, die meisten von uns haben keine Ahnung von den Kräften des Gehirns.«

Die Menge tuschelte und zeigte auf Bath.

»Ich will Sie nicht länger langweilen, mein verehrtes Publikum, sondern Ihnen demonstrieren, wie Willenskraft in Energie umgesetzt wird. *Novapharm* zeigt Ihnen, wozu unser Gehirn fähig ist.«

Der Raum verdunkelte sich. Die Leinwand flimmerte; in Großaufnahme erschien der Kopf eines Baseballspielers. Das Gesicht des Schlägers lag unkenntlich im Schatten seines dunklen Helms mit dem vorgehängten Gesichtsschutz.

Das nächste Bild zeigte vier Spieler, die bereitstanden, um den Ball dem Schläger zuzuwerfen. Der erste trat vor und feuerte den Ball anderthalb Meter rechts am Kopf des Schlägers vorbei.

Blitzschnell schossen die Arme in die Höhe, Schläger und Ball trafen zusammen. Ein perfekter Schlag. Unvermittelt kam ein zweiter Ball. Diesmal links vorbei, auf Bauchhöhe. Wieder schossen die Arme hoch, der Schläger hatte Kontakt, der Ball prallte schräg nach vorne ab. Der Schläger wankte und wartete auf den nächsten Wurf. Zwei Meter senkrecht über seinem Kopf kam er. Der Schläger fuhr hoch, stoppte den Ball.

Jetzt folgten die Bälle in rascher Folge. Sie flogen nie direkt auf den Körper, sondern hielten sich im Schwenkbereich des Schlägers. Der Schläger traf jeden Ball. Kein einziger Fehlschlag. Schließlich trat der Schläger vor, hob den Helm ab und grinste schielend in die Kamera.

Ein Raunen ging durch die Reihen. Der Kameramann von CNN schwenkte erneut auf Bath. Einige klatschten.

Professor Knocher erklärte, daß der Schläger die Flugbahn des Balls vorausberechnen konnte und sein Gehirn dem Körper in Sekundenbruchteilen die richtigen Befehle übermittelte.

»Ich glaube nicht daran. Das ist schlicht unmöglich«, sagte eine Stimme.

»Sehen Sie«, erklärte Professor Knocher geduldig. »Nehmen wir ein Beispiel. Sie stehen mit einem Stein in der Faust vor einer alten Eiche und wollen den Stamm treffen. Ihr Sehsinn erfaßt Ziel und ungefähre Distanz und übermittelt diese Daten ans Gehirn. Wenn Sie sich entschließen zu werfen, löst ihr Gehirn Befehle an die Muskulatur aus, die bewirken, daß sie mit dem Arm ausholen, mit den Beinen das Gleichgewicht und guten Stand halten, dann die Wurfbewegung ausführen. Wenn Sie geschickt sind, treffen Sie.«

»Das ist ganz etwas anderes«, brummte die Stimme.

»Nein, unser Gehirn ist auf normale Bewegungsabläufe trainiert. Hinsetzen, Aufstehen, am Kopf kratzen, auf einer Tastatur herumtippen. Es sind raffinierte Bewegungsabläufe im Bereich des Alltäglichen. Spitzensportler, etwa Hochspringer, die sich zentimetergenau über die Latte schieben, oder Schützen, die regelmäßig mitten in den Zehnerkreis treffen, haben bereits ein verfeinertes Steuerzentrum. Das Gehirn leistet mehr, als wenn es die Hand mit der Gabel zum Mund dirigieren muß. Die Abläufe sind komplizierter, schneller, präziser.«

Knocher nahm einen Schluck Wasser und fuhr nach einer Weile fort: »Bath, unsere Versuchsperson, kann die Daten, die sein Auge erfaßt, millionenfach komprimieren. Das klingt ungeheuerlich, entspricht aber eigentlich nur einer durchaus logischen Evolution unserer Gehirntätigkeit.«

»Können Sie uns das demonstrieren?« rief einer mit randloser Brille dazwischen.

»Geduld«, nickte der Professor. »Lassen Sie mich zuvor noch den theoretischen Teil abschließen. Die Sprache ist für das Gehirn viel komplexer als ein Steinwurf. Trotzdem können wir denken und reden und gleichzeitig noch etwas anderes tun. Für uns selbstverständlich, aber vor fünfzigtausend Jahren, als der Mensch zu sprechen anfing, war dies ein enormer Schritt in der Evolution des menschlichen Gehirns.« Er machte eine Kunstpause.

»Heute stehen wir nun vor dem nächsten großen Schritt. Wir bringen Menschen dazu, ihr Gehirn mit tausendfacher Effizienz zu gebrauchen. Wir können die Gehirntätigkeit mit externen Neurotransmittern beschleunigen. Meine Herrschaften, ich glaube, daß im nächsten Jahrhundert diese potenzierte Gehirnarbeit so selbstverständlich sein wird wie die Sprache.«

»Das Experiment des Baseballschlägers beweist nicht viel«, wandte eine Reporterin ein, »höchstens gute Reaktion.« Ein Kollege meinte, im Film könne man alles machen. »Das sind Spezialeffekte, meine Damen und Herren. Bluff!«

»Ich muß doch bitten«, sagte Professor Knocher scheinbar konsterniert. Seine Unsicherheit war gut gespielt. Der Einwand mit dem Film war voraussehbar gewesen. Der Professor hatte sein Publikum fest im Griff.

Auf der linken Seite schossen plötzlich Lichtkegel auf einen schweren roten Vorhang, der sich langsam zur Seite schob. Das Abbild der voll ausgestatteten *Palace*-Bar mit dichten Reihen glitzernder Flaschen kam zum Vorschein. Eine kostbare Spiegelwand hinter den Regalen verdoppelte die Anzahl der teuren Markengetränke und warf das gleißende Scheinwerferlicht zurück. Etwa acht Meter vor der Bartheke stand ein zweiter kleiner Tresen, darauf ein Korb mit gelben Tennisbällen. Der Barkeeper trat mit linkischen Bewegungen auf. Einige lachten, denn es war nicht auszumachen, wo seine Augen hinschauten. Bath winkte. Der Professor ermutigte das Publikum: »Sie dürfen versuchen, mit den Tennisbällen die Flaschen abzuschießen. Ich komme für alle Schäden auf. Bath wird ihre Bälle abwehren. Wer wagt einen Versuch?« rief der Professor wie ein Showmaster.

Ein Mann trat vor. Die sportliche Gestalt ließ nichts Gutes ahnen. Der Journalist wägte den Ball in der Hand, holte aus und schoß scharf in die obere Ecke. Jedermann erwartete schon das Klirren und Splittern der Flaschen, als der Arm von Bath hochschnellte und den Wurf mit dem Tennisschläger abfing.

Ein Raunen ging durch die Reihen. »Noch mal, Henry«, schrie eine Frauenstimme. Diesmal versuchte Henry eine Täuschung, indem er die rechte untere Ecke fixierte, dann den Ball links scharf über die Theke warf. Keine Chance. Bath parierte so, daß der Ball Henry genau zwischen die Beine flog. Lachen und aufgeregte Rufe, während sich Henry mit verzerrtem Gesicht hinsetzte.

Plötzlich wollten alle werfen. Die Stimmung stieg. Bath ließ keinen einzigen Ball durch. Am Schluß standen die Reporter wie eine Traube um die Theke, wo Professor Knocher Champagner ausschenken ließ. Sie stellten dem schielenden Wundermenschen Fragen, filmten und fotografierten. Knocher schaute äußerst zufrieden zu.

Dann gab Bath noch ein paar Zugaben. Er warf Oliven zwischen begehrlich offene Frauenlippen und stellte mutigen Männern leere Bierdosen auf den Kopf, die er aus zehn Meter Entfernung mit Eiswürfeln herunterholte. Die Presse tobte. So eine Schau hatte es schon lange nicht mehr gegeben. Schon gar nicht im steifen *Palace*.

»High Noon mit Schielauge«, »Reaktionsweltmeister mit Knick im Blick« notierten die Journalisten aufgeräumt, drängten zur Telefonzentrale, um ihre Modems einzuhängen, und gaben den Bericht noch rechtzeitig für die Morgenausgabe durch. Der »Blick« bereitete eine fette Schlagzeile vor: *»Hirngefährlich«*.

»Treffsicherer Barkeeper – Eine gelungene Demonstration« titelte nüchtern die »Neue Zürcher Zeitung«.

Der Auftakt zum Kongreß war ein voller Erfolg. Die Präsentation der *Novapharm,* die wissenschaftlichen Vorträge über den neuen Augenchip und Themen wie gehirngesteuerte Computeranwendungen standen bereits im Schatten der spektakulären Demonstration des genialen Barkeepers. An der New York Stock Exchange, wo der Handel noch drei Stunden lief, nachdem Bath in Gstaad sein Publikum verblüfft hatte, zogen die Kurse der *Novapharm* bereits kräftig an. Die echten Barkeeper hatten inzwischen alle Hände voll zu tun; die Show mußte begossen werden.

Bath schaute auf die Uhr. Fünf nach acht. In fünfundzwanzig Minuten mußte er sich mit Deuber hinter der Dependance treffen.

46

Die Bühne für die Verkaufspromotion hatte Raffaelo Prizzi in der privaten Disco im ersten Untergeschoß vorbereitet. Der Raum, der ziemlich genau über der karibischen Lagune lag, besaß die Form einer Arena. Im Halbrund erstreckten sich die sechs versenkbaren Reihen mit bequemen Polsterbänken in die Höhe. Ein Gang führte zur runden, drehbaren, aus schwarzen Glassegmenten zusammengefügten Bühne hinunter. Wie im Filmstudio schirmten verschiebbare Kulissen den Blick zum dunklen Hintergrund ab. Die große Leinwand war zur Hälfte heruntergerollt. Auf der Mitte der Bühne stand im grellen Licht eines gelben Scheinwerfers ein Glastisch. Darauf lag ein kleiner, grauer Computer mit aufgeklapptem Deckel.

Die Gäste saßen in der vordersten Reihe des Disco-Amphitheaters. Der Taiwanese im schwarzen Anzug schaute unbeweglich geradeaus, die Hände spreizten sich flach über dem schwarzen Koffer auf seinen Knien. Zwei Sessel weiter hatte sich der Pakistani plaziert. Sein weißer Hemdkragen stand offen, die Beine umklammerten eine Sporttasche.

Martin Deuber schritt blinzelnd zum Tisch und setzte sich vor den Computer. Der Russe schaute ungeduldig auf die Uhr. Sein massiger Körper wälzte sich mühsam im engen Sessel, als er seinem Kollegen aus dem Iran etwas zuflüsterte.

Geräuschlos senkte sich nun die Leinwand, das Licht erlosch, und plötzlich sahen sich die Besucher selbst von der Projektionswand herunterblicken. Die Kamera rollte aus dem schwarzen Hintergrund heraus und erfaßte Serenella Prizzi, die in geschmeidigem Gang die Stufen hinunter auf die Bühne strebte. Ihr folgte humpelnd ein gebückter Greis, der von einem jüngeren Mann gestützt wurde. Er setzte sich in die zweite Reihe hinter den Russen, während sein Begleiter, den bleistiftdünnen Lippenbart streichelnd, die Bühne betrat und sich in einen der Segeltuchsessel setzte.

»Die Prizzi-Organisation ist stolz darauf, Ihnen heute abend die neueste Technologie auf dem Waffensektor zu präsentieren«, sagte Serenella Prizzi. Die Gäste in der Arena schauten abwechselnd auf die Leinwand und auf das schöne Gesicht der Frau auf der Bühne. »Ich begrüße Carlo Prizzi, meinen Großvater und Begründer unserer Firma.« Der Alte winkte kichernd mit seinem Spazierstock.

»Die Großmächte haben sich seit Hiroshima und Nagasaki auf den Nichtgebrauch von Atomwaffen geeinigt«, übernahm Raffaelo Prizzi, indem er wieder seinen Schnauzer glattstrich; ein riesiger Atompilz füllte hinter ihm die Leinwand. »Die Menschen können sich die Wucht und Vernichtung einer Atombombenexplosion nicht mehr vorstellen. Seit fünfzig Jahren ist keine Bombe mehr explodiert, abgesehen von Versuchsexplosionen.« Das Bild wechselte und zeigte das türkisfarbene Wasser vor dem Muroroa-Atoll.

»Die Welt glaubt, der Atomkrieg gehöre der Vergangenheit an.«

Der Taiwanese starrte unverändert geradeaus, während der Koreaner und der Iraner sich mit erhobenen Augenbrauen anstaunten. Der Russe bewegte ungeduldig die Hände. Da öffnete sich die Tür erneut, und Victor führte einen weiteren Gast in die vorderste Reihe. »Wir begrüßen Herrn Milenovic aus Belgrad«, lächelte Serenella Prizzi charmant. In diesem Moment drehte sich die Bühne um zehn Grad, die Farbe des Bodens wechselte zu einem satten Grün.

Raffelo räusperte sich. »Sie sind alle Vertreter von Staaten, die von den Atomwaffen der Nachbarn bedroht sind oder selbst erwägen, einen Schlag mit Atomwaffen zu führen.« Niemand rührte sich. Raffaelo Prizzi hätte ebensogut den Wetterbericht verlesen können. »Solche strategischen Entscheidungen«, fuhr er fort, »müssen abgesichert werden. Die Prizzi-Organisation offerieren Ihnen das modernste Defense-Multipack auf dem Gebiet der Informationskriegsführung.« Martin Deuber betätigte eine Taste, und das Bild wechselte. »Nato-Standard«, ergänzte Serenella Prizzi.

In der zweiten Reihe kicherte Großvater Prizzi vergnügt und mußte husten. Die Leinwand veranschaulichte das Angebot, das Raffaelo Prizzi erläuterte: *ein Connection-Kit zum Nato-Netzwerk COAST.*

»Mit diesem Zugriffsprogramm können Sie jederzeit feststellen, welches die Pläne des Pentagons und der Nato für ein bestimmtes Operationsgebiet sind. Zum Beispiel im Iran.« Raffaelo nickte dem vornehmen, älteren Perser im blauen Armani-Anzug freundlich zu.

»Wie kommen wir in das Programm hinein?« fragte der stämmige Russe.

Serenella zeigte mit dem Zeigfinger zur Leinwand. Ein goldener Siegelring mit einem eingefaßten roten Stein füllte plötzlich das Bild aus. Unruhig beugte sich der Taiwanese nach vorn.

»Der Stein in der Ringfassung enthält einen Computerchip«, erklärte Raffaelo und gab Deuber mit dem Kopf ein Zeichen. Martin Deuber streifte einen identischen Ring vom Mittelfinger und hielt ihn demonstrativ in die Höhe. Mit Daumen und Zeigefinger der anderen Hand ergriff er einen bleistiftförmigen Sensor und fuhr mit der Spitze über den Ring. Augenblicklich erlosch das Bild. Der Lautsprecher übertrug ein Rauschen, gefolgt von kreischenden Tönen. Alle Augen starrten gebannt auf die Leinwand, auf der plötzlich die Meldung VERBINDUNG HERGESTELLT, gefolgt vom blauweißen Signet der Nato, erschien. Deuber klickte ein Feld an, und unverzüglich öffnete sich die Programmauswahlseite *COAST*. Dann klickte er nochmals, diesmal auf die Ikone *Landung in Taiwan*.

Der alte Prizzi kicherte, als Landungsschiffe wild um sich schießende Infanteristen und Amphibienpanzer auf die Sandstrände auszuspucken begannen. Bombengeschwader klinkten ihre tödliche Ladung über einem Küstenstreifen aus. Der Taiwanese fuhr hoch und starrte entgeistert auf die Dreckfontänen der Explosionen.

Auf dahinter gelegenen Hügeln gingen Fallschirmspringer nieder. Helikopter und modernste russische *Suchoi*-27-Jäger gewährten den Invasoren Feuerschutz. Die Perspektive aus der Sicht der Verteidiger sah bedrohlich aus. Der kommandierende General der taiwanesischen Verteidigungstruppen hielt eine Panzerdivision als Reserve hinter seinem Abwehrraum bereit.

Raffaelo Prizzi hob die Hand, und Deuber hielt das Spektakel an. »Die Amerikaner haben Manöver der Chinesen mit ihren Satelliten und Aufklärungsflugzeugen erfaßt, digitalisiert und daraus ein interaktives Kriegsspiel entworfen«, erklärte er. »Dieses Kriegspiel und vieles mehr steht Ihnen zur Verfügung, Herr Chen.« Der Taiwanese setzte sich mit ausdrucksloser Miene.

Der Russe nickte mehrmals mit heruntergezogenen Mundwinkeln, während der Iraner eine Meerschaumpfeife hervorklaubte.

Das Bild wechselte erneut.

Waffen des Infokrieges (D/E-Kampfführung) lasen die verblüfften Gäste, als der alte Prizzi am Stock nach vorne auf die Bühne humpelte. Serenella sprang aus ihrem Sessel, doch der

Sizilianer winkte ab. Mit dem Spazierstock stocherte er auf der Leinwand herum und krächzte: »Die Atombombe ist ein Fliegenschiß dagegen, ein Fliegenschiß!«

»Herr Prizzi hat recht«, rettete Deuber die Situation. »Unser Infokrieg-Waffen-Set ermöglicht Ihnen, die Nuklearsprengköpfe ihrer bösen Nachbarn außer Kraft zu setzen. Allein mit der logischen Bombe.«

Der Pakistani erhob sich. »Wer garantiert mir, daß Sie nicht auch an die Inder verkaufen?«

»Gute Frage!« rief der Iraner unter einem Hustenanfall. »Was ist mit den Israelis?«

Serenella Prizzi hob beide Hände und wartete, bis Ruhe eingekehrt war. »Die Prizzi-Organisation ist politisch neutral. Wir verkaufen, wenn der Preis stimmt. Alles andere ist uns egal!« Eine Weile sprach keiner. Dann stand der russische Hüne auf und zeigte mit dem Finger auf Serenella: »Sie leben gefährlich. Wer uns betrügt, der wird ...«, er fuhr mit dem Handrücken über seine Kehle. Der Iraner richtete sich kerzengerade auf und zeigte mit dem gelben Mundstück seiner Pfeife ebenfalls bedrohlich auf Serenella. Seine Stimme bebte, als er ausrief: »Sie stecken mit Amerika unter einer Decke. Allah sei Ihnen gnädig, wenn wir herausfinden, daß Sie den Judenstaat beliefern.«

Serenella gab gelassen ein Zeichen hinter die Kulissen. Die Leinwand erlosch. Ein Mann mit hellgrünem Seidenhemd, rostbraunen Hosen und gelben Wildlederschuhen tänzelte auf die Bühne und setzte sich geziert in den freien Sessel. Sein Vollmondgesicht errötete leicht, als er die Beine übereinanderschlug und sagte: »Mein Name ist John Metzger aus Nebraska. Ich bin Mitglied des *Weißen Arischen Widerstands*, einer mächtigen Fraktion von *Weißer Stolz Weltweit.*«

»Zur Sache«, krächzte der alte Prizzi.

»Yes, Sir! Heute morgen hat ein großer Freund unserer Sache und berühmter Augenchirurg mir einen winzigen Computerchip auf meine Retina gesetzt und mit dem Sehnerv verbunden.« Metzger stülpte den Kopfhörer über. »Dieser Kopfhörer verstärkt optische Signale des Auges und verwandelt meine Gedankenströme um ein Vielfaches in gefährliche Energie.«

Der Russe tat gelangweilt, der Pakistani schüttelte den Kopf, während der Taiwanese mit leuchtenden Augen gebannt lauschte.

»Wir wollen kaufen«, protestierte der Nordkoreaner. »Was soll das Theater?«

Mit den Ellenbogen auf den Armlehnen stützte John Metzger seinen Kopf in beide Hände und richtete seinen starren Blick unverwandt auf den Oberkörper des grauhaarigen Iraners, der unbehaglich die Arme verschränkte, während Martin Deuber mit einem Klick das Waffenprogramm auf die Leinwand projizierte:

Logische Bomben Bankcomputer-Viren
Börsen-Mikroben
Flugsicherungs-Minen
Kurzschluß für Telefonzentralen

Während nun die Gäste die farbigen Zeilen auf der Leinwand mehrmals lasen und versuchten, die unheimlichen Begriffe zu verstehen, begann sich der Iraner zu winden, griff sich mit schmerzverzerrter Miene an die schmale Brust, wurde leichenblaß, bäumte sich noch einmal auf und fiel der Länge nach hin. Serenella sprang wütend auf und riß John Metzger in seinem Stuhl herum. Der Russe stürzte zum Iraner und beugte sich über den zuckenden Körper. Ungläubig starrte der Taiwanese auf Serenella, die den Amerikaner mit Fußtritten wütend hinter die Bühne bugsierte, während sich der Iraner langsam aufrichtete und dem Russen mit Gebärden etwas verständlich zu machen versuchte.

»Unser Freund könnte tot sein«, sagte Serenella mit einem warnenden Unterton in der Stimme. »Herzinfarkt würden die Ärzte feststellen.«

»Dieser Idiot hat unserem persischen Freund den Herzschrittmacher abgestellt«, platzte der Russe heraus und half dem Iraner unter einem Anfall hysterischen Gelächters wieder auf seinen Sitz.

Deuber ließ mit unbeweglicher Miene das nächste Bild aufscheinen:

Der Prizzi-Laser-Augenchip
Durch den Prizzi-Augenchip
verstärkte Gehirnwellen aktivieren
Computer öffnen geheime
Zugriffe, blockieren Schaltkreise oder
zerstören Zündköpfe von Raketen.
IN ERPROBUNG, NICHT VERKÄUFLICH

Niemand sprach, keiner regte sich. Es herrschte Totenstille. Dann schlug der Sizilianer mehrmals mit dem Spazierstock auf den Sessel. »Schließen wir ab!« krächzte er.

Martin Deuber räumte das Feld, Serenella ließ sich in den leeren Stuhl fallen. »Tut mir leid«, entschuldigte sie sich beim Iraner. »Der Amerikaner steht noch unter dem Einfluß der Narkose. Diese Demonstration war nicht vorgesehen.«

»Die Preise befinden sich in Ihren Unterlagen«, sagte Raffaelo mit versöhnlicher Stimme, als sich die Käufer vordrängten. »Sie sind sich also bewußt, daß der rote Ring zwanzig Millionen Dollar kostet. Ich hoffe, Sie haben das nötige Kleingeld dabei.«

Der Russe verharrte auf seinem Sitz. »Wir haben vorausbezahlt«, donnerte er durch den Saal. »Alles in Ordnung«, antwortete Raffaelo gelassen. »Der Ring liegt bereit.«

Der alte Prizzi wankte zum Mittelgang zurück, wo ihm sein Enkel unter die Arme griff. Das Spektakel interessierte ihn nicht mehr. »Ist Knocher noch unser Mann?« fragte der Sizilianer röchelnd. Raffaelo überlegte, dann flüsterte er ihm ins Ohr: »Wir brauchen ihn nicht mehr lange, Carlone.« Langsam stiegen sie die Stufen hoch und verließen die Veranstaltung.

47

Die beiden Festungswächter saßen im runden Kommandoraum. Ihr Blick fiel durch den Durchgang auf die Rampe, auf der Behälter und Werkzeuge herumlagen. Unter dem Kranhaken stapelten sich Getränkekartons. Die Kranschiene lief an der Decke von Wand zu Wand über den Wendeplatz, der groß genug war, daß ein leichter Lastwagen manövrieren konnte.

»Scheiße«, rief der Feldwebel. »Das Material liegt noch auf der Rampe.«

Der ranghöhere Festungswächter holte den Grundriß der gesamten Anlage farbig auf den PC-Bildschirm.

Hinter dem Kommandoraum lagen in braunen Umrissen die Mannschaftsräume, dann folgten zwei als Lagerräume bezeichnete gelbe Vierecke. Der Tresor bildete das größte Rechteck in oranger Farbe. An den Zugängen leuchteten grüne und rote Felder auf. Der Feldwebel drückte STATUS und las schwarz auf weiß: NORMAL. »Alles in Ordnung, Zeit 23.45«, rief er dem Korporal zu, der wiederholte und die Meldung eintippte.

Von seinem Arbeitsplatz hinter den Bildschirmen übersah der Feldwebel den Absatz vor der Stahltür des Tresorraumes. Er klickte auf dem Schema die Stelle an. ZUGRIFFSBERECHTIGUNG AKTIVIERT, PASSWORT EINGEBEN verlangte der Computer. Der Feldwebel gab TEST ein und klickte ABBRECHEN.

»Weißt du, wie lange wir schon in diesem Loch sitzen«, fragte der Korporal und prüfte die Klingen seines Militärmessers. Der Feldwebel schüttelte mißmutig den Kopf.

»Was ist denn eigentlich so wichtig an diesem Scheißloch?« maulte der Korporal weiter.

»Was meinst du wohl, was wir bewachen. Eine Dependance des *Palace*? Oder das *Greengo Dancing*?« raunte der Feldwebel. »Dort im orangen Bereich des Tresorraums haben sie die zentralen Computer der Nationalbank untergebracht. Atomsicher!«

»Quatsch, da hinten horten die doch tonnenweise Gold«, meinte der Korporal und wirbelte das Militärmesser über die Tischplatte, wo es knapp an der Kante zum Stillstand kam.

»Schon möglich. Aber diese Anlage war bis vor einigen Jahren das Hauptquartier der Geheimarmee P-26. Dann hat die Nationalbank den Schuppen übernommen und komplett modernisiert. Da hinten sind tatsächlich Computer. Absolut geschützt gegen Sabotage und elektronische Störungen. Heute sind Computerdaten wichtiger als Gold.«

Der Korporal überlegte, stand auf und streckte sich: »Hier wird man noch völlig steif«, klagte er.

»Nicht mehr lange«, sagte der Feldwebel. »Schau, wir kriegen Besuch. Weck die Leute.« Er zog die Pistole und deutete nach hinten zu den Mannschaftsräumen. Auf der Großleinwand huschten Deuber und Bath gespenstisch den schmalen Korridor entlang. Gleich würden sie zum Lift gelangen, der in den Kommandoraum der Kaverne hinunterführte. Der Feldwebel dunkelte das Licht ab. Oben zog Deuber vor dem Fahrstuhl eine Plastikkarte durch den Schlitz der Eingangskontrolle und legte die Hand auf eine Glasplatte. Das rote Licht wechselte auf grün, und die Stahltür des Lifts schob sich zur Seite. Auf der Bildschirmwand blinkte die Anzeige: AUTORISIERTER ZUTRITT SEKTOR A.

»Scheiße«, sagte der Feldwebel zum zweiten Mal und schaute auf das Wachjournal. »Besucher sind nicht angesagt.«

»Was machen wir jetzt? Die sehen komisch aus«, sagte der Korporal und starrte auf den Bildschirm.

»Etwas stimmt nicht. Wir halten uns an die Vorschriften«, antwortete der Feldwebel, ohne den Blick vom Bildschirm abzuwenden.

Der Aufzug glitt abwärts, Bath spielte nervös mit den Stahlkugeln in der Hosentasche. Nach Plan mußte er den Wächter, der vermutlich schlief, fesseln, während Deuber die Tresorräume öffnete. Dann sollte Bath Schwab das Kennwort zum Abfahren funken. Wenig später würden sie das Gold auf den Laster laden. Bath prägte sich den Ablauf zum hundertsten Mal ein, als der Lift mit einem Ruck hielt und die Tür zur Seite glitt.

Der Kontrollraum lag im Halbdunkel, ein matter Schein leuchtete aus der Nische. Kein Posten war zu sehen. Bath schaute verblüfft zu Deuber hinüber. »Ist wohl auf dem Klo«, flüsterte der und hielt mit einer Grimasse die Hand vor den Hosenschlitz, als ein greller Blitz aufzuckte, gefolgt von einem ohrenbetäubenden Knall. Als Bath wieder zu sich kam, hielten Handschellen seine Hände auf dem Rücken fest. Deuber lag ausgestreckt auf dem Boden.

Der Feldwebel richtete sich auf, steckte die Neunmillimeter in den Gürtel. Dann erblickte er Bath und stutzte: »Verdammt noch mal, einen schielenden Deppen haben die uns geschickt!«

»Sie haben Walkie-talkies«, meldete der Korporal. »Vermutlich hält sich draußen Verstärkung bereit.« Vor dem Durchgang zu den hinteren Räumen standen zwei Soldaten mit dem Gewehr im Anschlag.

Der Feldwebel kontrollierte die Überwachungsmonitore. »Scheiße«, gebrauchte er sein Hauptvokabular zum dritten Mal. Dann packte er Bath und schubste ihn ruppig zur Rampe, befestigte den Kranhaken an seinen Handschellen und drückte kurz auf die Fernbedienung des Motors. Das Seil spannte sich.

»Wer ist draußen?« fragte der Feldwebel. »Kumpels? Na, raus mit der Sprache.«

Bath schwieg und trat mit dem Fuß heftig gegen den Stapel. Die Getränkekartons fielen auseinander und kullerten über die Rampe.

»Scheißkerl«, schrie der Feldwebel und drückte wütend auf den Bedienungsknopf des Krans. Der Motor summte und riß Bath an den Armen hoch. Seine Schulterblätter knackten. Er krümmte sich, um den mörderischen Zug zu lindern. »Wir haben Zeit«, sagte der Feldwebel und stoppte die Aufwärtsbewegung des Krans. Bath baumelte stöhnend zwei Meter über der Rampe. Im Kommandoraum drückte derweil der Korporal Deuber mit dem Gewehrlauf den Nacken zu Boden.

Schwab hatte inzwischen den Laster fünfhundert Meter vor der Abzweigung zur Girlandenstraße unter einer knorrigen Bergfichte am Rand eines Schneewalls geparkt. Dahinter überragte das *Palace Hotel* den großen Vorplatz mit den teuren Limousinen, wo Bedienstete Gepäck ausluden und zum Hoteleingang schleppten. Schwab blickte dem emsigen Treiben zu und sagte: »Gstaad ist ein sicherer Ort. Die meisten Chalets verfügen über jeden Komfort, stoßen drei Geschosse tief in die Erde für Schwimmbad, Tennishalle, Fitneßraum, Tresore und Archive. Und das Internet verknüpft die Reichen mit der ganzen Welt, elektronische Post schiebt ganze Dossiers hin und her – unauffällig und diskret. Und um hier ein Stück Boden zu ergattern oder ein Haus zu erstehen, zahlt die Crème de la crème jeden Preis.«

»Da können wir ja ruhig etwas vom großen Kuchen abschneiden«, sagte Sabine, und Schwab pflichtete ihr mit einem Grunzen bei. Dann erklärte er ihr noch, daß, wer eine Finanzholding führe, mit Devisen oder Juwelen handele, im Ölgeschäft stecke oder Waffen schiebe, seinen Hauptstandort meistens in New York, London oder Zürich habe. »Daneben aber noch ein sicheres Refugium hier in Gstaad, Kitzbühel oder St. Moritz.«

Ein Militärlastwagen ratterte aus der Gegenrichtung vorbei. Schwab spielte nervös mit dem Funkgerät. »Warum melden die sich nicht?«

Sie schaute auf die Uhr: »Verspätung.«

Im Kommandoraum vernahm der Korporal ein abgehacktes Rauschen aus Deubers Funkgerät und riß das Gerät ans Ohr. »Kommt endlich«, zischte Schwab und trommelte mit dem Daumen auf die Sprechtaste.

Da klopfte es an die Wagentür. Ein junger Soldat winkte, und Sabine senkte zögernd das Seitenfenster. »Das wird eine lange Nacht«, sagte er. »Hast du eine Zigarette?«

Sabine schüttelte den Kopf. »Nichtraucherin, tut mir leid.«

»Wo sind die anderen«, fragte Schwab, indem er sich hinüberlehnte.

»Unten in der Baracke. In einer halben Stunde werde ich abgelöst. Dann penne ich bis zum Morgen. Macht's gut.«

»Wart mal, ist jemand von euch drinnen im Loch?«

»Keine Ahnung – also dann.« Der junge Soldat verzog sich.

Schwab blickte fragend zu Sabine und hob das Funkgerät zum Mund. »Soll ich Deuber aufrufen?« fragte er.

»Nein, warte, etwas stimmt nicht«, warnte Sabine.

Im Kommandoraum hatte der Korporal das Piepsen und Rauschen aus Deubers Walkie-talkie deutlich gehört.

»Jemand ist draußen am Funk«, rief er, »ich höre Frequenzrauschen.«

»Na also«, sagte der Feldwebel und senkte Bath so weit ab, daß er gerade wieder Boden unter den Füßen faßte. Dann trat der Unteroffizier zu dem am Boden keuchenden Deuber und hielt ihm das Walkie-talkie hin, damit er seinen Kumpels draußen das verabredete Zeichen gab.

»Aktion auslösen!« ertönte Deubers vertraute Stimme aus dem Funkgerät im Pinzgauer.

»Ich hab's gehört, fahr schon«, rief Sabine und beugte sich vor.

Schwab startete den Motor, zögerte.

»Mach schon«, drängte Sabine. »Auf was wartest du noch?«

»Nichts, ich dachte nur ...« Mit einem Ruck setzte sich der Laster in Bewegung.

In diesem Augenblick stieß Bath mit dem rechten Fuß heftig gegen den Stapel Getränkekartons. Bath hatte das Ziel mit seinem laserscharfen Blick durchbohrt, die Bewegung präzise eingeleitet und mit solcher Wucht den Packen weggeschleudert, daß ihn die Fußspitze schmerzte. Er sah das Geschoß in Zeitlupe durch die Luft wirbeln, Deubers alarmierten Blick, den Hinterkopf des Feldwebels, wo der Packen landete, das Zusammensacken, hörte den Aufschrei. Deuber stand bereits breitbeinig, ein Gewehr in der Hand. Der Korporal wich verblüfft zur Seite, schaute auf seine leeren Hände.

»Waffen auf den Boden werfen«, schrie Deuber und feuerte in die Decke, knapp über die Köpfe der Soldaten, die zu Tode erschrocken zu Boden gingen. »Dort an die Wand«, brüllte Deuber. Kreidebleich rappelten sie sich hoch und stemmten sich mit den Armen gegen die Wand.

»Beine schön spreizen.«

Dem Feldwebel, der ununterbrochen sein Lieblingsvokabular gebrauchte, befahl er, Bath vom Kranhaken abzuhängen und seine Hände zu befreien. Darauf fesselte er den Feldwebel mit den Handschellen und führte ihn nach hinten ab.

In knapp zehn Minuten hatte sich das Blatt drastisch gewendet. Die Wache hockte schön hierarchisch geordnet hinter Schloß und Riegel. In der vorderen Arrestzelle fluchte der benommene Feldwebel, was das Zeug hielt, wobei er die auf den Rücken gefesselten Arme wütend gegen die Tür schlug, während der Korporal wie ein Paket verschnürt regungslos am Boden lag. Die beiden jungen Festungswächter hatte Deuber nicht nur gefesselt und geknebelt, sondern noch mit dem elektrischen Kabel einer tragbaren Rolle umwickelt. Sie lagen völlig unbeweglich Rücken an Rücken auf dem kalten Fußboden der hinteren Zelle, während auf dem Monitor im Kommandoraum Schwabs Pinzgauer zu beobachten war, wie er in das Parkfeld am nördlichen Ausgang kurvte.

48

Erich Felgen hätte in diesem Augenblick ebenfalls guten Grund gehabt, wie ein Kutscher zu fluchen. Mit wutentbranntem Blick drückte er im Chalet *Wildhorn* einen kleinlauten Messerli schnaubend an die Wand. Der Idiot hatte es doch fertiggebracht, Bath entwischen zu lassen, worauf Felgen die Hälfte seiner Leute ausgesandt hatte, um die einschlägigen Lokale im Ort abzusuchen. Auch von diesem Schlitzohr Deuber fehlte jede Nachricht. Wenigstens konnte der Rest seines Haufens einen Erfolg verbuchen, dachte Felgen, während er Messerli losließ, sich ein Blatt Papier angelte und am ovalen Glastisch zu zeichnen begann. Der Israeli Rafi Harel befand sich nämlich seit kurzem im abgesicherten Kellergeschoß in der Obhut von John Metzger.

»Sie nehmen sich drei Leute, Messerli, und machen genau, was ich Ihnen sage!« Felgen zeichnete fertig und hielt ihm das Blatt hin. Messerli starrte auf die Skizze, die an Deutlichkeit nichts zu wünschen übrigließ, während er nach Worten rang. »Sie, Sie meinen es wörtlich, eh, bildlich? An seinem ...?«

»Unter dem großen Viadukt, Messerli. Genau wie ich es gezeichnet habe!«

Das Telefon läutete, und während Messerli fortging, erfuhr Felgen, daß Bath im *Klösterli*, wo zur Zeit eine mexikanische Nacht tobe, gesehen worden sei, allerdings schon am Nachmittag. Felgen hängte auf und grübelte, als das Läuten wieder einsetzte. Ärgerlich fragte er, was noch sei, dann verstummte er abrupt.

»Kommen Sie in die Bunkeranlage, Felgen. Benutzen Sie den Eingang durch das Gittertor vorne am Felsen. Ich erwarte Sie dort in fünfundvierzig Minuten. Bis dann habe ich das System geöffnet. Alles läuft nach Plan!« Dann machte es »klick«. Martin Deuber hatte aufgelegt.

Deuber stand vor der heikelsten Mission seiner abenteuerlichen Laufbahn. Mißlang die Aktion, konnte gewaltiger Schaden entstehen. Nahm er Rücksicht auf Verluste, drohte alles zu scheitern. Deuber rollte sich mit dem Stuhl vor den mit *Mönch* gekennzeichneten PC und schaltete per Mausklick das Programm ein: Ein flimmernder Schneegipfel machte mit klirrendem Geräusch herunterfallender Eiszapfen einem Dialogfenster Platz.

Deuber fühlte die bohrenden Blicke in seinem Nacken und schaute auf.

Schwab sah ungeduldig zu den hinteren Räumen. Sabine fragte gleich nach dem Gold, während Bath mit seinen Chamäleonaugen die Wände und Decken überflog, als suche er nach einer versteckten Kamera.

Martin Deuber arbeitete rasch und gezielt weiter mit Tastatur und Maus. Angestrengt auf den Monitor starrend, kaute er Pfefferminzkaugummi, kniff die Augen zu, zischte mal durch die Zähne, bewegte wieder blitzschnell die Maus, runzelte die Stirn, tippte ein, trieb mit der Hand das Computergehirn zur Eile an: »Mach schon, du lahme Kiste!«

Schwab drängte. Sie mußten raus, bevor der Alarm im Zentralkommando losging.

»Der Alarm geht nicht los«, bemerkte Deuber kauend und zog den Zettel mit den Frequenzen aus der Brieftasche.

Schwab lief trotzdem nervös auf und ab, während Sabine ihr Kinn gelassen auf Deubers Schultern legte und die über den Bildschirm flimmernden Graphiken studierte.

»Die Tresortür ist offen«, sagte Deuber. »Geht schon vor, ich habe noch mit dem System zu tun.«

Sabine blieb stehen, während Schwab sich an die Griffe hing und die matt glänzende Stahltür mit seinem ganzen Gewicht nach außen zog. Dann schwenkte er den Koloß nach rechts, wo sich der Flur zu den Arrestzellen erstreckte. »Soll ich die Gefangenen in Schach halten?« fragte Sabine und hob die Neunmillimeter-Automatik des Feldwebels auf. Deuber starrte ungeduldig auf das schwarze Band, das langsam in das leere Feld hineinfloß: NOCH SECHS MINUTEN VERBLEIBEN, meldete das Programm.

Deuber öffnete nun das Kontrollprogramm am Leitrechner; der fragte nach dem Paßwort. Kinderspiel für Deuber, der das System vor zwei Jahren programmiert hatte. Er rief den »Schnüffler« auf, der ihm in Sekunden das Paßwort ausspuckte: WINKELRIED. Phantasielos, dachte Deuber und tippte den Helden ein.

WILLKOMMEN IM OPERATIONSZENTRUM DER SCHWEIZERISCHEN NATIONALBANK, begrüßte ihn das Programm *Jungfrau*. Per Mausklick öffnete Deuber die Felder SWISS INTERBANK CLEARING, und unter Jodlerklängen überzog ein roter Formularbogen für den Zahlungsverkehr den lindgrünen Bildschirmhintergrund. Auf einen Tastendruck öffneten sich das hellblaue Fenster *TARGET* und das graue *SWIFT*. Der grenzüberschreitende Zahlungsverkehr lag Deuber zu Füßen. Er brauchte nur noch wie ein Dirigent mit dem Taktstock die Einsätze zu geben, und die Geldsummen zischten durch den Äther auf die neuen Konten.

»Warte, ich komme gleich«, rief Deuber Sabine zu. »Ich verschiebe noch ein paar Millionen. Die Wachen sind hinter Schloß und Riegel.«

Der Tresorraum hatte gut die Größe eines Tennisplatzes. Bath registrierte die neuen Bauteile, die den alten Bunker in eine moderne Tresoranlage verwandelt hatten. Die grauen Kästen hinten im Halbdunkel mußten die Computeranlagen sein.

Und vor ihnen lag das legendäre Gold in seiner ganzen Pracht – glänzende Ein-Kilo-Barren, fein säuberlich gestapelt, abgestaubt und millimetergenau ausgerichtet, eingerahmt von stilvollen Stahlgestellen mit farbigen Aktenordnern. Zu schön, um wahr zu sein, ging es Bath durch den Kopf, als Schwab mit einem kleinen Elektrostapler heransurrte und die Fangzähne unter eine große, leere Kiste schob.

In der Arrestzelle hinter der dicken Tresorwand wälzte sich in diesem Augenblick der Feldwebel auf dem Rücken mühsam an den Mitgefangenen heran, bis er mit den Zähnen die Schnur am Handgelenk des Korporals erreichte. Dann nagte und kaute er mit verzweifelter Verbissenheit.

Deuber fand die Papiere im dritten Stahlschrank. Es ging nichts über bürokratische Pedanterie. Die Aktenbündel waren säuberlich in massive Ringordner eingeheftet, die sich in alphabetischer Reihenfolge aneinanderreihten. Unter den unterschiedlichen Bezeichnungen trugen sie ein gemeinsames Merkmal: die Jahreszahl und die Klassifikation *GEHEIM*.

Deuber riß den Ordner 1945, *Bouhler Philipp* heraus und klemmte ihn unter den Arm.

Bath und Schwab schichteten weiter die Goldbarren in die Kiste, als Sabine rief: »Seht mal her!« Sie zerrte an einem hellen Sack.

»Verzettelt euch nicht – verdammt«, fluchte Schwab. »Los, helft uns!«

Doch Sabine hatte den Sack bereits geöffnet und hielt triumphierend ein Bündel Tausendfrankenscheine in die Höhe. »Frisch von der Druckerpresse!«

Schwab starrte entgeistert herüber; Bath grinste und klatschte begeistert in die Hände.

Die Hände des Korporals in der Arrestzelle kamen in diesem Moment frei. Rasch zückte er das Militärmesser und durchschnitt die Stricke an den Füßen. Dann drückte er das Messer in das Schloß und öffnete vorsichtig die Tür.

»Hast du die Schlüssel für meine Handschellen?« flüsterte der Feldwebel.

Der Korporal schüttelte den Kopf und zeigte stumm in die Richtung des Kommandoraums, wo Martin Deuber soeben wieder vor dem Computer Platz genommen hatte.

DAS PROGRAMM IST AKTIVIERT. GEBEN SIE DAS PASSWORT EIN! Deuber arbeitete schnell. Atemlos öffnete er das Dialogfenster der Konto-Administration und gab den Suchbefehl ein.

UNGÜLTIGER SUCHBEGRIFF, protestierte die Maschine. Deuber fluchte, griff sich an die Stirn und tippte erneut BOUHLER ein, diesmal mit H.

Er überflog hastig das SUCHRESULTAT FÜR BOUHLER:

Klemens Bouhler, Hannover, siehe HyperStorM-Programm ... *Stefan Bouhler*, dipl. Chemiker ...

Markus Bouhler, Institut für theoretische Physik ...

Deuber tippte atemlos NAZI in das Dialogfenster, und die Information rollte mit blauen Titeln über den Bildschirm: *Nazi und sowjetische Kunst ...*

Nazi Angriffe auf Asylanten 1989 bis 1996 …

»Scheiße!« entfuhr es Martin Deuber. Die Minuten verrannen unter seinen Fingern. Da schob sich plötzlich *»Nachrichtenlose Konten mit NS-Vergangenheit«* ins Bild.

»Na, endlich!« Deuber klickte mit der Maus das Feld an. Während die Maschine suchte, blätterte er nervös in den vergilbten Seiten des Dossiers Philipp Bouhler: August 1969 … er schlug mehrere Seiten auf einmal um … 1975 … Oktober 1979: Ein Brief an die Schweizerische Nationalbank … Deubers Finger glitten die Zeilen entlang. Da! Das Konto hatte eine andere Bezeichnung angenommen. Welch lieblicher Name! Martin Deuber schaute auf. Auch das Suchprogramm war fündig geworden. Die vertrauliche Information, die Erich Felgen in seinem versiegelten Umschlag hütete, stand auf dem Bildschirm: PHILIPP BOUHLER, GEB. 1899, SIEHE ENZIAN-TRUST.

Der Korporal schlich sich auf dem grünen Zementboden geräuschlos vorwärts bis in die Wachkammer. Der Feldwebel horchte; im Tresorraum summte leise das Elektromobil, schleifende Geräusche drangen heraus.

Deuber sah betäubt auf das elektronische Kontoblatt: ENZIAN-TRUST, PHILIPP BOUHLER. Die Endsumme war gigantisch. Enzian Trust? Deuber stieg in das Programm Zahlungsverkehr und tippte die Daten vom mitgebrachten Blatt ab. Dann drückte er die Eingabetaste.

Fasziniert schaute er auf die Vollzugsmeldung. Das Geld war transferiert. Deuber zog mit einem zufriedenen Grinsen den Fühler aus der Tasche und steckte das Kabel auf der Rückseite des Prozessors in die Buchse. Dann tastete er mit der Spitze des Fühlers den blauen Siegelring an seinem linken Ringfinger ab. Der Prozessor surrte und informierte nach wenigen Sekunden auf dem Bildschirm: ET-426, INSTALLATIONSPROGRAMM WIRD ABGELADEN. Deuber nickte befriedigt: Das Virusprogramm brauchte nach der Zeitangabe ungefähr zehn Minuten, dann würden die Spuren der Transaktion von 587 Millionen Dollar endgültig gelöscht sein.

Deuber rieb sich die Brust über der schmerzenden Rippe, als er eine kalte Laufmündung im Nacken verspürte. »Kein Laut, keine Bewegung!« zischte die Stimme.

Aus den Augenwinkeln sah Deuber für einen Augenblick Sabine im halbgeöffneten Tresorraum. Sie hielt einen glänzenden, schwarzen Gegenstand in beiden Händen. Der Feldwebel, die Hände auf dem Rücken, stemmte sich gegen die Panzertür.

Deuber betete, daß sein Virusprogramm unbemerkt zu Ende lief. Gebannt starrte er auf die eingeblendete Zeit: NOCH EINE MINUTE, als der Schuß krachte.

Deuber fiel vornüber auf die Tischplatte.

Sabine hatte den Adrenalinschub gefühlt, als sie mit ausgestreckten Armen die automatische *SIG-Sauer*-Neunmillimeter anschlug. Eiskalte Ruhe hatte sie erfaßt. Die schattenhafte Gestalt war Sekunden vorher durch den Lichtkegel gehuscht, als sie eben im Begriff war, Martin Deuber herbeizurufen. Erschrocken war sie zur Seite gesprungen und auf Zehenspitzen zur Panzertür geschlichen, um einen Blick in den Kommandoraum zu werfen. Die Zellen, überlegte sie, befanden sich links hinter der Tresortür, rechts davon vermutete sie das Wachlokal, wo die Waffen standen.

Sie hatte die Pistole des Feldwebels aus dem Hosenbund gezogen und durchgeladen. Die zur Hälfte geöffnete Tresortür gewährte ihr einen beschränkten Blick in den Kommandoraum, wo hinter Deubers gebeugtem Rücken jäh ein Gewehrlauf ins Blickfeld rückte. Dem Lauf folgte eine Gestalt im Kampfanzug: der Unteroffizier!

Sabine zielte ruhig, wie sie es im Schießstand unzählige Male trainiert hatte. Einatmen, Ziel erfassen, langsam ausatmen ... Sie hielt die Waffe exakt auf den hellen Fleck am Oberarm des Korporals, der Deuber die Laufmündung in den Nacken preßte.

Sabine stockte der Atem, als sich die Tür bewegte. Aus dem Augenwinkel bemerkte Sabine zitternd, wie sich ihr Schußfeld bedrohlich verengte. Jemand drückte die Tür zu. Der Feldwebel! Sabine faßte sich, hielt die Waffe fester und zog durch. Der Schuß krachte im letzten Moment. Der Korporal kippte weg, die Tür schnitt ihn aus dem Blickfeld.

Bath und Schwab rannten atemlos heran. Die Tür fiel geräuschlos ins Schloß. Riegel klickten.

»Ich hab ihn getroffen«, stammelte Sabine, sank auf die Knie und ließ die Neunmillimeter fallen. Bath hob die leere Patronenhülse auf und roch daran wie ein Polizeiinspektor.

49

In Bern stützte Janet McCauley den Kopf in beide Hände und überlegte. Der Typ des Virus und sein Schöpfer deuteten darauf hin, daß sich nicht noch so ein Trottel mit einem Spielchen bemerkbar machen würde.

Das Virus ET-426 stammte mit Sicherheit aus dem Arsenal der Infokriegsführung. Ohne weiteres wäre ein strategischer Überfall auf das zentrale Nervensystem der schweizerischen Notenbank möglich.

McCauley zögerte. Mitternacht war vorbei. Sollte sie den Boß wegen eines Virus am 24. Dezember nachts aus dem Bett holen?

Dann starrte sie entsetzt auf den Monitor. »Deuber ist in der Anlage«, sagte McCauley tonlos.

Bisquit verschluckte sich an dem Kaffee. Der übernächtigte Roost blieb wie angewurzelt unter der Tür stehen. Langsam drehte er sich um: »In der Anlage in Gstaad?«

»In Gstaad«, nickte McCauley. »Vermutlich sitzt Martin Deuber jetzt gerade vor der *Jungfrau* und reibt sich zufrieden die Hände.«

Bisquit ließ die Arme in einer ratlosen Gebärde fallen.

»Deuber hat soeben das irreversible *Killer-Köse*-Virus aktiviert«, fuhr McCauley fort. »In sechs Minuten bricht der zentrale Computer der Schweizerischen Nationalbank zusammen. Die Daten der letzten vierundzwanzig Stunden werden unwiderruflich verloren sein. Es ist ganz klar: Um das Killer-Virus in Minuten zu installieren und damit das eingeschleuste ET-426-Macro-Zerstörer-Programm auf High-Speed zu bringen, muß der Mann vor den Steuerungscomputern *Eiger*, *Mönch* und *Jungfrau* sitzen.«

»Ich beantrage Alarmstufe Rot«, rief Roost und rieb mit der Faust die Bartstoppeln am Kinn.

»Brauchen wir den Helikopter?« fragte Bisquit.

McCauley wußte, daß sie zu spät kamen. Wenn es gut ging, würden die Sondereinheiten der Armee frühestens in drei Stunden vor Ort auftauchen, dann war Deuber längst über alle Berge.

»Wir könnten die Kantonspolizei alarmieren«, erriet Roost ihre Gedanken.

McCauley schüttelte müde den Kopf. In den Augen der Polizei rottete der alte Bunker leer und öde vor sich hin. Kein

Mensch wußte über den neuen Verwendungszweck Bescheid, geschweige denn die Bevölkerung von Gstaad. Ein Polizeieinsatz würde Fragen über Fragen aufwerfen. »Du vergißt, daß unsere Organisation nicht existiert«, antwortete McCauley. »Soll ich denn dem Polizeichef dort oben so einfach beibringen, Martin Deuber sei von den Toten auferstanden und klaue Uran in einem Schrottloch für alte Munition?«

Bisquit saß mit gespreizten Beinen auf dem Stuhl, lehnte sich über die Rückenlehne und las am Bildschirm die Polizeibulletins.

»Die Festungswacht ...«, begann Roost.

»Ach – Sondereinheit. Alarmdispositiv, Verifikationsverfahren, der ganze Klamauk ... dauert zu lange«, winkte McCauley ab.

»Kommissar Vongunten ist verstorben«, las Bisquit vom Polizeibulletin ab.

»Der Generalstabschef müßte Alarm schlagen«, fuhr Roost unbeirrt fort.

»Der GSC kann bestenfalls die Heerespolizei und die militärische Abwehr in Trab setzen«, verwarf McCauley den Vorschlag. »Dauert eine Ewigkeit.«

Die Uhr an der Wand tickte unerbittlich. Janet McCauley, Chefin der Infokriegsabteilung IKA, stand ihrem ersten Ernstfall gegenüber, und die Felle schwammen ihr davon. Wie kam dieser verdammte Deuber in die Anlage. Wie hatte er überhaupt den Helikopterabsturz in Genf überlebt. Der Schlüssel lag in Genf. Erst der Mord am Staatsanwalt und jetzt ...

»Vongunten«, starrte sie Bisquit an, »dort liegt der Hase begraben!«

Hektisch suchte sie nach einer Nummer, tippte die Zahlen ein und stellte den Lautsprecher an. Das Rufzeichen ertönte. Kommissar Vongunten sei vor ein paar Stunden in der Klinik verschieden, versuchte Bisquit seiner Chefin klarzumachen, aber sie gebot ihm mit einem Handzeichen Ruhe.

»Marcel Dulliker«, meldete sich eine helle Stimme Janet McCauley nahm erleichtert den Hörer ab und sagte dem Chef der Bundespolizei, was ihrer Meinung nach zu tun war.

50

Als Deuber nach ein paar Sekunden, die ihm wie eine Ewigkeit vorkamen, aufblickte, hatte der Feldwebel die schwere Panzertür in die Verriegelung geschoben und die Griffe eingeklinkt. Dann rannte der Koloß schnaubend vor Wut auf ihn zu.

Die Computerstimme plärrte: TRANSFER BEENDET. DATEN UNHEILBAR ZERSTÖRT.

Erst in diesem Augenblick sah Deuber den Korporal mit abgewandtem Gesicht in der Blutlache liegen. Blitzschnell griff er nach der Waffe, die sich eben noch in seinen Nacken gepreßt hatte, als sich der Feldwebel auf ihn stürzte. Die Wucht des Angriffs schleuderte Deuber auf den Steinboden, sein Kopf schlug hart auf, höhnische Fratzen tanzten wild vor seinen Augen herum.

»Wir sind eingeschlossen«, stellte Schwab im Tresorraum nüchtern fest, während er Sabine auf die Beine half. »Deuber holt uns doch raus«, keuchte Sabine.

Die Männer starrten sie schweigend an. Bath untersuchte die Schließvorrichtung und schüttelte den Kopf. Die runde Panzertür öffnete und schloß sich elektronisch. Griffe fehlten auf der Innenseite ebenso wie irgendein Steuergerät, das Bath möglicherweise hätte überlisten können. Sie saßen in der Falle, und nagende Zweifel wuchsen: Hatte Martin Deuber sie am Ende alle hereingelegt?

»Ich habe den Unteroffizier getroffen. Martin wird jeden Moment die Tür öffnen, ich mußte doch schießen ...«, stieß Sabine hervor. Dann verbarg sie ihr Gesicht in den Händen. »Warum muß immer alles schieflaufen? Herrgott, gib mir ein bißchen Glück, nur dieses eine Mal, bitte, laß uns hier rauskommen!«

Schwab schleppte seinen Rucksack heran und klaubte aus der Seitentasche einen Flachmann: »Zur Stärkung, dann arbeiten wir einen Plan aus«, sagte er grimmig.

Sabine schaute skeptisch auf den ausgestreckten Arm. Dann nahm sie einen Schluck. Der Schnaps brannte in der Kehle und belebte ihre Geister. Bath setzte die Flasche gleich zweimal an: »Ziemlich hoffnungslos. Keine Unterstützung. Kein Fluchtweg.« Er sah sich in dem Raum um: Decke und Fußboden hätten aus dem *Palace* sein können. An den beigefarbenen und weinroten Gestellen glänzten Chromgestänge. Ein verstaubter

Glastisch mit lederbezogenen Stühlen in italienischem Design grenzte die Goldbarren von den Aktenschränken ab. Eine chice Geldboutique, schoß es Bath durch den Kopf. Einzig die Mauer, die sich auf der linken Seite zwanzig Meter bis zum Halbdunkel der metallenen Computerschränke hinzog, sah nach altem Felsgestein aus. Tatsächlich entdeckte Bath in der Mitte neben einer hellen Stelle die eingemeißelte Inschrift: *Erstellt durch die Mineur-kp IV, 1940.* »Sucht nach der Sprechverbindung«, befahl Schwab, der sich ebenfalls umgeschaut hatte.

Martin Deuber erwachte gerade aus seiner kurzen Betäubung, als ihn der Schlag mit den Handschellen traf. Der Feldwebel saß mit seinem ganzen Gewicht auf Deubers Brust und ließ die gefesselten Fäuste auf seinen Schädel niedersausen.

Deuber bäumte sich mit einem Ruck auf, der massige Schläger wankte, aber behielt das Gleichgewicht. Deuber gelang es dennoch, den rechten Arm aus dem Klammergriff zu ziehen, als der Feldwebel die *Stgw 90* herüberangelte. Die Waffe war geladen und schußbereit.

Deubers tastende Hand bekam über der Tischkante eine Computer-Tastatur zu fassen. Er packte das schwere, rechteckige Brett und stieß es dem Feldwebel wuchtig ins Gesicht. Die scharfe Ecke bohrte sich zwischen den Lippen in den Mund. Zähne krachten, der Feldwebel brüllte wie eine gestochene Sau. Der Augenblick genügte Deuber, um mit einer energischen Wendung das 100-Kilo-Gewicht abzuwerfen und sich aufzurappeln.

Er griff mit beiden Händen nach dem massiven Bildschirm und wuchtete den *Mönch* vom Tisch und schlug ihn auf den Schädel des Angreifers. Dann nahm er das schwere Gehäuse mit dem Prozessor und schmetterte ihn dem Wankenden über den Buckel. Wie ein erlegter Bulle brach der Feldwebel zusammen. Da erlosch die Großleinwand mit dem farbigen Bunkerschema.

Als Sabine auf das Sprechgerät drückte, ging das Licht aus. Sie schrie.

Dann herrschte Totenstille. Nach einer Weile hörte sie schlurfende Schritte, jemand stieß gegen den Glastisch und fluchte. Schwab. Die Sprechanlage blieb stumm.

Sabine tappte langsam vorwärts, bis ihre Hände gegen einen Körper stießen. Bath zog sie zu sich, umfaßte sie. »Jetzt ist alles vorbei«, schluchzte Sabine. »Halt mich fest, Bath. Ich habe Angst, ich will nicht sterben.« Sabine zitterte. Nach einer Ewigkeit flammte ein Feuerzeug auf.

»Kommt langsam hierüber«, sagte Schwab.

Martin Deuber sah sich um, bereit, weitere Angreifer abzuwehren. Dann humpelte er zur Tresortür, suchte vergeblich nach Sensoren, hinkte zur Konsole zurück und hieb hektisch auf die wehrlosen Tasten der *Jungfrau*, bearbeitete den *Eiger* fluchend mit Tastenfolgen, doch nichts geschah. Die Bergwelt verharrte monolithisch, die Bildschirme gähnten höhnisch schwarz.

Martin Deuber begriff. Das ET-426-Virusprogramm hatte das ganze System eingefroren. Die Panzertür ließ sich nicht mehr öffnen, nichts ging mehr.

51

Dulliker stürzte aus dem Wagen. Seine beiden Männer rannten mit gezogenen Pistolen hinterher und umzingelten die schwarze Limousine, die soeben am geschlossenen Tor der Villa Prizzi angehalten hatte. Langsam senkte sich die getönte Scheibe der rechten Hintertür. »Guten Abend, was zum Teufel geht hier vor?« fragte Ken Custer milde lächelnd.

Verdutzt leuchtete Dulliker auf die gespielt entrüstete Miene des FBI-Agenten und gab seinen Männern ein Zeichen, die Kanonen einzustecken.

»Martin Deuber sitzt im Bunker«, keuchte Dulliker und steckte die Pistole knurrend ein, nachdem Custer die bedrohliche Laufmündung mit dem Finger zur Seite geschoben hatte.

»Auf Schatzsuche?« Er hob unmerklich die Augenbrauen. »Dann wird er ja wohl kaum zur Party vorfahren. Oder bin ich etwa zu früh?«

Dulliker murmelte verlegen, man sehe sich dann später und verschwand in der Dunkelheit.

Der Fahrer vom *Palace* legte den Gang ein und fuhr durch die aufschwenkenden Torflügel in die Auffahrt der Villa. Brennende Fackeln leuchteten auf dem Weg zum Portal, an dem ein Bediensteter eilfertig den Schlag öffnete und dem Gast im weißen Sakko höflich einen guten Abend wünschte. Custer stieg aus, drückte dem Pförtner ein Trinkgeld in die Hand, rückte seine schwarze Fliege zurecht und schritt durch die Eingangstür.

»Secret Service«, kündigte er sich mit einem Lächeln der hübschen Frau an, die mit einer Liste in der Hand auf ihn zueilte.

»Ah, willkommen Mister Custer«, sagte sie und wies ihn zum großen Empfangssalon. »Juan Carlos hat leider abgesagt«, fügte sie mit vielsagendem Blick bei. Sanfte Orchesterklänge aus dem Untergrund übertönten das Stimmengewirr, und Custer, der sich ja mittlerweile in den Örtlichkeiten auskannte, schnappte sich ein Glas Champagner und stieg die Treppen hinunter zur karibischen Küste.

Die Nachricht von Janet McCauley hatte Dulliker auf dem Posten der Kantonspolizei erreicht, und nach anfänglichen Zweifeln über die Legitimation der Anruferin und einem Gespräch mit dem Generalstabschef, der die Berechtigung der mysteriösen McCauley klärte, hatte er begonnen, mit dem Postenchef die verfügbaren Männer zusammenzuziehen.

Seit einer halben Stunde war das Gebiet des tiefverschneiten Bunkers behelfsmäßig umstellt, doch Dulliker war sich als Gebirgsinfanterist bewußt, daß seine Maßnahme große Lücken aufwies. Ihm fehlten trainierte Leute, und im entlegenen Kommando des Festungswachtkorps hatte sich merkwürdigerweise immer noch keine Seele auftreiben lassen. Hinzu kam, daß der Kommandant des kleinen militärischen Verbandes, der noch bis zum Weihnachtstag in Gstaad stationiert war, sich als unzuständig für Belange des alten Bunkers erklärt hatte und im übrigen nicht im Traum daran dachte, seine Leute wegen einer Polizeisache aus dem Schlaf zu reißen.

52

Das warme Licht aus den hell beleuchteten Räumen und der Lichterkranz am Dachgiebel verwandelte die verschneite Terrasse der Villa Prizzi in eine bezaubernde Märchenwelt, verriet aber auch die zwei uniformierten Gestalten, die nicht im Schatten der mächtigen Bergtanne standen, sondern den trockenen Platz unter dem Vordach vorgezogen hatten.

Martin Deuber beschloß, nach dem unterirdischen Verbindungsgang, der ihm vage in der Erinnerung haftete, zu suchen.

Custer schlug im Untergeschoß eine Welt wie in Tausendundeinernacht entgegen. Hatte am Nachmittag noch ein lichter Tropenhimmel über der Lagune geleuchtet, spannten versteckte Projektoren jetzt ein funkelndes Himmelszelt über das von unten farbig beleuchtete Meer, das sich in der Weite des Raumes zu verlieren schien. Der Wasserfall glitzerte und warf gespenstische Schattenbilder auf die Felswand.

Den Weg zum blumengeschmückten Büffet, wo sich Champagnerflaschen zwischen funkelndem Kristall türmten, bahnte sich Custer durch nackte Haut, tiefe Ausschnitte und perlenbestickte Netzstrümpfe, vorbei an Armani-Anzügen und Seidenroben. Wie einen Keil schob er seine linke Schulter an zwei schönen, von Männern in schwarzen Dinnerjackets umschwärmten Rücken vorbei und wehrte mit der rechten Hand temperamentvolle Armbewegungen ab.

»Die Knallerei am Wasserngrat war doch eine Stuntszene, Liebling, was redest du denn?« ereiferte sich eine Schöne im knöchellangen, cremefarbenen Kleid mit toupiertem Haar.

Der kleine Breitschultrige mit der faden Krawatte machte eine fahrige Handbewegung. »Unsinn! Dölfi, der Skilehrer, hat zwei Einschüsse in seinen neuen Brettern.«

Custer wischte Champagnerspritzer vom Revers.

»Der tote Gleiterpilot war ein gesuchter Terrorist! Was sagst du jetzt?« rief die in der weißen Bluse, die aufdringlich nach *Opium* duftete.

»Terror? Gegen wen denn, verdammt? Wir sind hier doch nicht im Gazastreifen oder Südlibanon!«

»Irrtum, Gstaad ist fest in arabischer Hand, schau dich doch um, Jimmy!«

Custer bemerkte den verhalten lächelnden Sohn des Sultans mit dem Leibgardisten und stieß weiter ins Gedränge vor, doch die Wortfetzen flogen ihm nach.

»Ein Mossad-Agent hat in der Gondel gesessen!«

»Hat wohl mit Kim Basinger geknutscht. Dort drüben, siehst du sie?«

»Fröhliche Weihnachten, Rudi! Wie war's auf dem Gletscher?«

»Da kommt er. Heh, Dölfi, komm, erzähl von deinen Kugellöchern, Britta ist ganz schön scharf auf die Story!«

Ken Custer ließ sich von der Kellnerin Champagner reichen, stellte sich auf den freien Platz im Schatten der Palme und betrachtete, genüßlich am Glas nippend, das ausgelassene Treiben.

Funkelnde Colliers, blitzende Armreife, glitzernde, knöchellange Roben bewegten sich unbeschwert zwischen den exotischen Blumenbergen. Kellnerinnen reichten Silberplatten mit Meeresfrüchten herum; Männer in weißen Sakkos bewunderten unverhohlen die mutigen Dekolletes der jungen Frauen, die in hautengen Miniröcken auf hochhackigen Lackschuhen aus kirschroten Mündern lächelten. Offensichtlich fiel ihnen, die aufreizend den künstlichen Strand entlangstolzierten und sich in den bewundernden Blicken sonnten, die Aufgabe zu, die Gäste zu animieren. Das sieben Mann starke Orchester spielte dazu sanft *I just called to say I love you.* Paare tanzten bereits eng umschlungen, und die breite Glastür zum großen Solarium mit den exotischen Blüten stand weit offen. Zum arabischen Prinzen gesellten sich drei kräftig gebaute Männer, die sich höflich lächelnd verneigten, wobei ihre von Wetter und Gletschersonne gegerbten Gesichter nicht über ihren Beruf hinwegtäuschten. »Martini Wodka, geschüttelt«, sagte Custer zum Kellner. »Und du?«

»Für mich dasselbe. Pur mit Zitrone«, kam Serenella Prizzi hinzu und folgte seinem Blick. »Die Privatskilehrer des Prinzen, der mit seinen Kindern gerade vom Skifahren aus St. Moritz zurückgekehrt ist«, sagte sie mit einem Achselzucken. Und nach einer Weile: »Hat man den Israeli aufgespürt?«

Statt zu antworten, nickte Custer der eleganten Filmdiva, die ihn über die Schulter ihres Begleiters anlächelte, charmant zu.

»Ihr neunter Ehemann?« raunte er Serenella zu.

»Nein, der achte«, korrigierte sie.

»Bleibt er der letzte?«

»Weiß nicht. Das ist sowieso nicht ihr Mann, sondern Kashoggi, unser Konkurrent. Ah, guten Abend, Herr Minister!«

Der kleinwüchsige, grauhaarige Diplomat führte seine attraktive Freundin lächelnd an ihnen vorbei. »Ein alter Kavallerieoberst«, informierte Serenella, »jetzt Unterhändler für den schweizerischen EU-Beitritt.« Custer schaute dem hochgesteckten blonden Lockengebilde im engen Kleid aus grünem Satin belustigt nach.

»Wo ist der Back-up?« fragte Serenella und hob das Champagnerglas nervös an die vollen, hellroten Lippen.

»Stirnys Leute sind im Haus – dort, der Große ...«

»Und wer ist die Frau im schwarzen Kleid mit dem Kameramann im Schlepptau?« fragte Serenella, aber Custer hatte sich schon abgewandt und ging strahlend auf Stefanie Kramer zu.

In diesem Augenblick löste sich die blonde, wallende Mähne aus der Gruppe um den älteren, braungebrannten Schönheitschirurgen, gefolgt von Aufmerksamkeit erheischenden Blicken von verheirateten, mit bestickter Seide umhüllten Frauen. Doch der Hüne, den Custer als den Regisseur vom Wasserngrat wiedererkannte, schenkte sein charmantestes Lächeln der Journalistin und küßte sie mit schmunzelnden Lippen zärtlich auf die Wange.

Serenella Prizzi sah Professor Knocher erstarren. Eilig schritt der Professor dann in den Schatten des japanischen Kirschbaumes und redete auf einen reglosen Mann ein.

»Wer ist diese Frau, Felgen? Ist sie auf der Gästeliste?«

»Die braucht keine Einladung. Kramer. Journalistin.«

»*Die* Kramer?«

Felgen nickte.

»Und was hat Custer mit ihr zu schaffen?« Mit finsteren Mienen schauten die beiden hinüber.

»Tut mir leid«, sagte der Regisseur eben mit sonorer Stimme, »die Szene mit dem Terroristen war nun wirklich nicht geplant gewesen!«

»Improvisation ist die hohe Schule des Filmens«, scherzte Custer. »Übrigens, Stefanie, ich wäre auch ohne deine Notiz auf den Wasserngrat gefahren.«

Als Stefanie ihn entgeistert anstarrte und langsam den Kopf schüttelte, wußte Custer, daß die Mitteilung auf seinem Bett eine Finte gewesen war. Knocher? Prizzi? Custer tippte auf Erich Felgen alias Franz Laskerny. Dann stellte er die Damen einander vor.

»Stefanie. Kramer und ich kennen uns von früher«, erklärte er Serenella Prizzi.

»Was treibst du dich eigentlich hier herum, Ken?« fragte Stefanie. »Bist du wieder Bombenmachern auf der Spur, oder interessiert dich plötzlich die Medizin?«

Custer schaute in die klugen Mandelaugen. Alte Liebe rostet nicht, dachte er wehmütig. Er riß sich zusammen: »Das ist nicht

Philadelphia, Süße. Keine Miniatombomben. Diesmal ist es viel schlimmer. Komm!« Er zog sie in Richtung Solarium. »Dieser ehrenwerte Professor Knocher ist vermutlich das Gehirn der amerikanischen Neonazi-Szene. Die Rechtsextremisten sind hinter einem geheimen Informationssystem her.«

»Gibt es das noch?« wunderte sich Stefanie. »Nur Dinosaurier glauben noch an die Geheimhaltung.«

»Ich weiß. Trotzdem. Die Schweizer Behörden arbeiten mit den Spaniern zusammen. Es geht um Nato-Daten. Und Knocher spielt eine Schlüsselrolle.«

»Was soll er mit Nato-Daten anfangen? Er ist Mediziner, Ken!«

»Hör gut zu, Stefanie«, sagte Custer, und seine Stimme hatte einen warnenden Ton. »Es geht um Daten zur Informationskriegsführung. Viren, logische Bomben, die elektromagnetische Strahlen verbreiten, Waffen, die eine ganze Stadt lahmlegen: Börsen, Banken, Flughäfen, Intensivstationen, Lebensmittelproduktion, alles, was an einem Stromkreis hängt. Knocher verschachert die heiße Ware mit Hilfe des Prizzi-Clans an eine rechtsextreme *Stormfront* in Nebraska.«

»Richtig – diese *Stormfront* hat sich auf dem Internet konstituiert und knüpft Kontakte mit europäischen Nazi-Skinheads«, erinnerte sich Stefanie Kramer nachdenklich.

»Es handelt sich um heimlich gewachsene Organisationen von Ariern, militanten Weißen, Bürgermilizen, Ku-Klux-Klanern und Neonazis.«

Custer sprach jetzt hastig. Er sah Felgen entschlossenen Schritts näher kommen.

»Das FBI betrachtet die extreme Rechte als nationale Bedrohung. Geraten die neuen Informationswaffen in die Hände der Bürgermilizen, werden die Katastrophen nicht mehr abreißen. Hier, nimm das Tagebuch. Versteck es! Es ist ein Beweisstück gegen Knocher. Enthülle die Wahrheit!«

»Mister Custer, haben Sie einen Augenblick Zeit«, unterbrach Felgen mit öliger Unterwürfigkeit.

Geistesgegenwärtig schob Stefanie den Störenfried zur Seite und hielt Professor Knocher das Mikrophon unter die Nase. Der Kameramann drückte den Aufnahmeknopf.

»Herr Professor, wollen Sie menschliche Chamäleons züchten?«

»Stiere springen auf Kühe, um Kälber zu züchten, Frau Kramer. Ich halte mich da raus. Ich kümmere mich um die Entwicklung der Intelligenz.«

»Eine neue Herrenrasse, Herr Professor?«

»Ich werfe meine Augen auch auf Damen.«

»Man sagt, Ihr Augenchip könne Frauen zum Weinen und Männer zum Zittern bringen. Lehren Sie uns das Fürchten mit Ihrer Erfindung?«

»Ja, ungefähr so, populär ausgedrückt. Darf ich mich nun um meine Gäste kümmern, Sie entschuldigen mich?« Als sich Stefanie umdrehte, war Ken nirgends mehr zu sehen.

53

Im stockdunklen Tresorraum steckte Bath ein Blatt Papier in Brand und benutzte es als Fackel. Sabine tappte zum Gestell, riß aus Aktenordnern Papier heraus und unterhielt damit das kleine Feuer auf der Glasplatte. Schwab hängte das vergilbte Bild des Generals von der Wand und brach den Holzrahmen auf. Die Flammen malten gespenstische Schatten an die Felswand, als Schwab sich über seinen Rucksack bückte. Sabine hustete.

Da prasselte plötzlich Wasser von der Decke herunter. Sabine schrie entsetzt auf, während Bath bewegungslos den Sturzbach über sich ergehen ließ. Ohrenbetäubendes Rauschen erfüllte den Tresorraum, das wolkenbruchartig niederströmende Wasser stand im Nu knöcheltief auf dem Parkett. Das Feuerchen auf der Glasplatte war von der Flut augenblicklich erstickt worden. Jäh war der Spuk vorbei. Schwab leuchtete mit der Stablampe aus dem Rucksack zur Decke, dann über den Fußboden. Sabine, bis auf die Haut durchnäßt, fröstelte.

»Die Brandunterdrückungsanlage«, stellte er fachmännisch fest, während noch vereinzelte Tropfen auf die Tischplatte klatschten.

»Das Wasser läuft irgendwo ab. Helft mir, die Stelle zu suchen. Vielleicht finden wir einen Schacht. In Bunkeranlagen führen Lüftungs- und Abwasserschächte nach außen.« Schwab lenkte den Lichtstrahl zur Felsmauer. Die kalte Dusche und die Aussicht auf einen Fluchtweg weckten die Lebensgeister der Eingeschlossenen wieder.

»Hier müßte der Ablauf sein. Unter dem Parkett.«

Sabine stolperte über den Geldsack, rappelte sich ärgerlich hoch und preßte ihr Ohr an die naßkalte Felswand.

»Ich höre Rauschen«, rief sie laut, während sie das andere Ohr zuhielt.

Schwab lauschte ebenfalls. »Du hörst das Wasser ablaufen«, meinte er. Er veränderte die Stellung, schloß die Augen. »Ich höre nichts.«

»Die Wand ist dünn«, stellte Bath fest, ohne sich von der Stelle zu rühren, »dort, an der hellen Stelle, neben der eingemeißelten Schrift.«

Der Lichtkegel wanderte über die Felswand. Schwab trat näher heran und fuhr mit dem Daumen prüfend über die Oberfläche. »Die Stelle ist zugemauert«, sagte er. »Schnell, gib mir einen festen Gegenstand.«

Sabine reichte ihm die Pistole. Mit dem Handgriff klopfte Schwab die Mauer ab. Der hohle Ton bestätigte seine Vermutung, daß hinter der Mauer ein Durchgang in einen anderen Teil des Bunkers führen mußte.

Das Orchester spielte die ersten Klänge von *Guantanamera*, als ein entsetzlicher Schrei die Gästeschar erstarren ließ. Der James Bond-Darsteller war als erster zur Stelle und beugte sich über den üppigen Mann mit der struppigen Mähne, der mit schmerzverzerrter Miene auf seinem Stuhl saß. Eine Menschentraube bildete sich um ihn. Die Kommentare schwankten zwischen Mitgefühl und Belustigung, als bekannt wurde, daß er sich auf ein Champagnerglas gesetzt hatte, das jemand unbekümmert auf dem Holzsessel abgestellt hatte. Der Verletzte schleppte sich auf zwei Kellner gestützt ins Haus. Das Orchester setzte wieder ein. Gelächter machte sich nun am Champagnerbüfett Luft, der Unglücksrabe mit den Scherben im Hintern hatte nach dem Schaden auch noch den Spott. Wer war er übrigens? Ach, der Fernsehdirektor! Der setzte sich ja auch sonst gern in die Nesseln!

Stefanie Kramer drängte sich zum Solarium vor, während auf der anderen Seite Felgen und der Libanese aus dem Schatten der Palmen heraustraten.

54

Während er mit der Halogenlampe die zugemauerte Stelle anleuchtete, erteilte Schwab den anderen Anweisungen. Keiner widersprach. Jetzt war keine Zeit für Machtgerangel. Schwabs Plan war erfolgversprechend, darauf kam es an.

Dann betrachteten sie ihr Werk. Der Elektrostapler drückte mit den Stahlgabelzähnen die schweren Goldbarren fest gegen das Gemäuer.

Sie hatten die zehn Metallschränke so aufgereiht, daß die massiven Elemente ein Bollwerk bildeten und in der Ecke neben der Tür einen abgeschirmten Raum freiließen. Bath wischte sich den Schweiß von der Stirn und beobachtete Sabine, die sich in einen der Kästen zwängte.

»Ein Sarg«, flüsterte sie erschrocken und klopfte prüfend an das Metall über ihrem Kopf.

Schwab rief alle zu sich, während Bath die Halogenlampe hielt.

»Das ist die Handgranate«, erklärte Schwab. »Ich schraube sie jetzt in die geballte Ladung ein.«

Umsichtig verschraubte er die beiden Sprengkörper. »Die Großmutter«, flüsterte Bath.

Schwab erhob sich und klemmte den Sprengsatz vorsichtig in den vorbereiteten Zwischenraum.

»Ich hoffe, daß sich durch die Verbauung der Sprengladung durch Goldkiste und Stapler die Explosionswucht voll gegen die Mauer richtet«, erklärte er. »Am Stiel der Handgranate befindet sich der Reißzünder. Wenn ich die Schnur abreiße, haben wir genau sieben Sekunden Zeit.«

Auf seinen Vorschlag nahmen sie die Positionen zunächst übungshalber ein. Bath und Sabine legten sich in der Ecke in die Schränke.

Der Probelauf zeigte, daß Schwab sich kaum in die Ecke zwängen konnte. Sie erweiterten den Durchlaß.

»Mund auf und Ohren zupressen«, schärfte Bath Sabine ein, als sie sich zum zweiten Mal in den Kasten zwängte: »Jetzt wird es ernst. Denk an dein Trommelfell!«

»Achtung, Ladung«, schrie Schwab vorne an der Mauer und rannte los. Er erreichte die Deckung in sechs Sekunden.

Stefanie Kramer schob den spanischen Tennisstar charmant lächelnd zur Seite und trat ins Solarium. Gekicher lenkte sie hinter die Orchideengruppe. Dulliker redete hastig in sein Handy, während er eine schäkernde, vollbusige Schwarzhaarige auf hochhackigen Sohlen auf Distanz hielt. Eine neue Agentin, wunderte sich Stefanie, als sie Ken Custer im Schatten prächtiger Regenwaldkakteen entdeckte. Kurz darauf kam Dulliker zu ihnen. »Das Festungswachtkorps rückt endlich mit Verstärkung an. Ganze sechs Mann, lächerlich! Wenigstens befindet sich der dreißig Mann starke, im Anti-Terror-Einsatz geschulte Grenadierzug der Kantonspolizei auf dem Weg nach Gstaad. Ich habe das Gelände um den Bunker zum Sperrgebiet erklärt. Es dürfte inzwischen hermetisch abgeriegelt sein. Ich beziehe jetzt meinen Kommandoposten unten im *Palace*. Die Bande sitzt wie die Maus in der Falle, und zur Sicherheit habe ich die Straßen an den Talausgängen durch bewaffnete Posten abgesperrt.«

Custer hatte schweigend zugehört. Nun packte er Stefanie fest am Arm und drängte sie entschlossen zum Ausgang.

Draußen schüttelte Professor Knocher am Champagnerbüfett noch immer Hände; das Orchester spielte weiterhin Tanzmusik, als sich Custer, nach rechts und links Entschuldigungen murmelnd, Hand in Hand mit Stefanie durch das Gedränge zum Treppenaufgang davonstahl.

Da ertönte auf einmal ein ohrenbetäubender Knall.

Custer wußte später nicht mehr zu sagen, ob die Druckwelle sie unter den Champagnertisch geschleudert oder ob er Stefanie reflexartig zu Boden gerissen hatte. Für sein Image hoffte er letzteres. Jedenfalls lag er der ganzen Länge nach auf ihr und spürte selbst unter dem Getöse des herabprasselnden Trümmerhagels ihren erregend sinnlichen Körper. Das Gefühl währte nur Sekunden, dann raffte Custer sich auf, um nach dem Herd der Explosion zu forschen.

Die Detonation echote dröhnend im bebenden Tresorraum. Steine trommelten auf die Metallschränke. Schwab stieß ein fürchterliches Kampfgeheul aus. Bissiger Rauch brannte in seinen Lungen, aber die Explosionswirkung übertraf seine kühnsten Erwartungen.

·

Grauschwarze Rauchschwaden senkten sich über die Lagune, die sich in einen schmutzigen Tümpel verwandelt hatte. Dreckklumpen klatschten von der Decke herunter. Custer wischte sich den Staub aus dem Gesicht, während der beißende Schwefelgeruch verbrannten Sprengstoffs ihnen entgegenschlug. Brüllend trampelten, taumelten und preschten die Leute wie eine panische Herde zu den Ausgängen, rissen sich gegenseitig um, fielen schreiend über Körper, Gegenstände und Felsbrocken.

Das Licht im künstlichen Himmel brannte noch und kämpfte sich allmählich wieder durch die Rauchwolke, so wie Sonnenlicht an einem trüben Tag.

Serenella Prizzi stöhnte im zerfetzten Kleid auf Meeresfrüchten. Daneben lag Knocher in einem Scherbenhaufen mit merkwürdig verrenktem Hals, die Augen weit aufgerissen, der Blick gläsern und starr zur Decke gerichtet. Custer wuchtete sich kauernd durch die Trümmer vorwärts und griff nach Serenellas Arm.

»Dort«, hustete Serenella und streckte benommen die Hand aus, »der Notausgang!« Sie spähten vorsichtig über den Rand einer umgeworfenen Liege: Aus dem häßlich klaffenden Loch in der Felswand tauchte glotzend ein blasses Gesicht mit offenem Mund auf, dann begannen die großen Augen wild hin und her zu rollen.

»Ich werd' verrückt«, flüsterte Serenella. »Das Chamäleon!« entfuhr es Custer, als er nach der weißen Serviette im umgekippten Eiskübel tastete, um das träge aus Serenellas Nackenwunde quellende Blut zu stillen. Da raubte ihm ein harter Schlag auf den Hinterkopf die Besinnung.

55

Erich Felgen hatte sich unter dem jähen Schock der Explosion reflexartig geduckt, die Arme schützend über den Kopf gehalten und gleichzeitig in höchster Anspannung nach oben gespäht, um Trümmern auszuweichen. In diesem Augenblick sah er das Gesicht des Professors wie eine Zeitung zerknittern, als ihm der Gesteinsbrocken wuchtig auf den Scheitel krachte. Die Augen sprangen aus ihren Höhlen, der Kopf sank in den Nacken, Blut strömte aus dem Mund. Dann drehte sich der Körper wie in Zeitlupe und fiel rücklings gegen Felgen, der sich mit einem Sprung zur Seite rettete.

Erich Felgens Stärke bestand darin, daß er in lebensbedrohenden Situationen die Ruhe bewahrte und mit eiskalter Beherrschung die richtige Entscheidung traf. Während noch

Trümmer in die kreischende Menge fielen, erfaßte das geübte Auge des hart geschulten *Spetznas* die Lage. Der Einzelgänger Felgen war nie in seinem Leben eine Bindung eingegangen, die ihn bei Gefahr daran gehindert hätte, sich in wenigen Minuten in Sicherheit zu bringen. Auch in diesem dramatischen Moment, als der Professor tödlich getroffen zusammensank, hielt ihn keine Frau, kein Freund, keine Moral davon ab, rücksichtslos durch die sich öffnende Bresche zu preschen. Er sah die zwei Männer in klatschnassen Kampfanzügen: Das waren doch dieser massige Kerl vom Supermarkt und das Schielauge. Die hellblonde Frau kannte er nicht. Er entdeckte Ken Cluster, nur ein paar Schritte entfernt, der sich besorgt über die verwundete Prizzi beugte. Dann schweiften seine Augen über die in panischem Schrecken zu den Aufgängen stürzenden Leiber und erfaßten Messerli, der sich mit sadistischem Grinsen vom Solarium her durch den wild rudernden Menschenstrom vorkämpfte. Im Schutz der unscheinbaren Nische, die zu der im Schatten der Scheinwerfer verborgenen Garagentür führte, standen als ruhende Pole Wolfgang und der Libanese.

Felgen gab ihnen ein Handzeichen, packte einen abgesplitterten faustgroßen Stein und hieb damit Ken Custer von hinten auf den Schädel. Dann schleppte er den reglosen Körper an den Armen zur Nische; jeder würde denken, er berge einen Verwundeten. Bath kämpfte sich durch den mit Felssplittern übersäten Sand zum Solarium durch, während Schwab mit Sabine im Schlepptau bereits das Podest des Orchesters erreicht hatte und nun zum Ausgang drängte. Er warf noch einen Blick zurück, doch um sich schlagende Hände und Füße nahmen ihm die Sicht.

In diesem Augenblick sprangen Wolfgang und der Libanese auf ein Zeichen von Felgen Bath vor die Füße, packten ihn rabiat an den Armen, zerrten ihn in eine Nische, wo ihn der Libanese am Haarschopf hochriß und ihm den Schädel zweimal gegen die harte Zementmauer knallte. Bath sackte zusammen, die Garagentür Öffnete sich, und während Felgen mit seinem Körper Dekkung gab, schleppten Wolfgang, Messerli und der Libanese die beiden bewußtlosen Opfer in die Dunkelheit der unterirdischen Garage, wo der Wagen mit dem Schlüssel im Zündschloß parkte.

Res Stirny bemerkte die ungewöhnlich ruhigen und gezielten Bewegungen der Männer, die im krassen Gegensatz zu dem übrigen Chaos standen. Er beeilte sich, dem blutüberströmten

Schlagzeuger inmitten durchlöcherter Trommeln und umgekippter Becken einen behelfsmäßigen Kopfverband anzulegen, dann zog der kräftige Bergler sein leistungsfähiges Walkie-talkie aus der Gesäßtasche und versuchte, seine im Gebäude verteilten Leute zu sammeln.

Bundespolizeichef Marcel Dulliker starrte zu diesem Zeitpunkt mit schmerzverzerrtem Gesicht verzweifelt durch die unversehrten, prächtigen Regenwaldkakteen zum Stahlgerippe des geborstenen Solariumglasdachs hinauf. Quer über seinem Oberkörper lag reglos ausgestreckt die Schwarzhaarige auf seinem gebrochenen Arm. Langsam stemmte er mit dem gesunden Arm die zierlich gebaute Bewußtlose von sich. Das Telefon war Dulliker in dem Inferno aus der Hand geglitten und schimmerte schwarz unter einem riesigen Scherbenhaufen hervor. Während wertvolle Minuten verstrichen, wand sich der BUPO-Chef schwitzend und keuchend Zentimeter um Zentimeter aus der anschmiegsamen Bedeckung heraus und begriff gleichzeitig sein Glück im Unglück: Die breite Infrarot-Wärmelampe über den Urwaldpflanzen hatte einem Schutzschild gleich den gefährlichen Splitterregen von seinem Kopf abgehalten. Doch Dulliker tobte innerlich vor Wut über sein Mißgeschick, das ihn daran hinderte, seinen Männern sofort die für die Gegenmaßnahmen erforderlichen Anweisungen zu erteilen. Und zu allem Überfluß begann die Kleine jetzt auch noch zu wimmern, während sie ihre perlmuttfarbenen Fingernägel wie eine Katze vor dem Fall verzweifelt in seinen Oberschenkel krallte.

56

Als Schwab in die Winternacht hinaus und über den sanft, ansteigenden, schmalen, aus dem Schnee herausgefrästen Pfad zum Parkplatz hinaufhetzte, blickte er ein zweites Mal zurück. Ein Stein fiel ihm vom Herzen, als er die dunkle Gestalt undeutlich im Schatten der Bergtannen auftauchen und auf den Pfad einschwenken sah. Bath hatte es also auch geschafft. »Los, zum Lastwagen!« rief er mit verhaltener Stimme.

In diesem Augenblick hörte er das Knirschen schwerer Schritte, das Rascheln von Stoff, das abgedämpfte Scheppern von metallenen Gegenständen. Die acht Männer kamen in schnellem, entschlossenem Gänsemarsch, dicht aufgeschlossen, die Sturmgewehre vor der Brust haltend, mit grimmigen Gesichtern unter den Helmen auf ihn zu und hätten Schwab fast überrannt, wäre er nicht mit einem Satz zur Seite gesprungen.

Schwab, der in der Schweizer Armee schön regelmäßig jedes Jahr seine dreiwöchigen Wiederholungskurse im Feldeinsatz geleistet hatte und dem der Kampfdrill noch in den Knochen saß, reagierte genau, wie es der Gruppenführer der Festungswächter erwartet hatte: Schwab meldete präzise: »Bunkerbesatzung auf dem Weg zum Fahrzeug. Wir holen Verbandszeug, Feuerlöscher und Werkzeug. Explosion im Bunker. Zwei Kameraden sind verwundet. Standort: Kommandoraum!«

Der Gruppenführer nickte und starrte angewidert auf die erbärmliche Szene vor der hell erleuchteten Villa hinunter, wo hysterisch schreiende Frauen an ratlosen Männern hingen, Gestalten ziellos im Schnee umherirrten, während eine Gruppe sichtlich aufgebrachter Herren zwei Uniformierte mit fordernden Gebärden allmählich in Bedrängnis brachte. Das sich abzeichnende Handgemenge und der Ruf eines der Polizisten nach Unterstützung gaben für den Anführer der Festungswächter den Ausschlag: Mit einem scharfen Kommando setzte er seine Männer in Trab, rief Schwab etwas zu, das nach »Zurückmelden« klang, und hielt entschlossen auf den Eingang der Villa zu, wo die Situation Dullikers Männern langsam zu entgleiten drohte.

Schwab stieß die Luft aus. »Das ist noch mal gut gegangen«, rief er Sabine zu, die nun wieder dicht hinter ihm war. In einiger Entfernung kam auch der dritte Mann nach.

57

Erich Felgen blickte ungeduldig auf seine Stahlarmbanduhr, während das Garagentor unendlich langsam zur Seite glitt und den Blick auf die verlassene Rampe freigab. Wolfgang fuhr ruppig los, der schwere Achtzylinder-Geländewagen schoß über den nassen Beton zum offenen Tor, wo ein Posten zwar noch versuchte, das auf vollen Touren heranpreschende, aus vier Scheinwerfern blendende Monstrum anzuhalten, sich aber dann mit einem Satz in Sicherheit brachte.

»Es ist jetzt knapp vier Uhr«, bellte Felgen, ohne den Blick von den Leuchtziffern abzuwenden. »Sobald wir im Haus sind, rufst du, Wolfgang, den Helikopter auf. Stand-by ab vier Uhr dreißig; er soll sich bereithalten, uns auf dem Dach aufzunehmen. Kapiert?«

»Bereitschaft ab halb fünf. Pick-up oben auf dem Dach«, wiederholte Wolfgang und riß den Wagen in die Kurve. Felgen, den die Fliehkraft gegen die Tür warf, hielt den Haltegriff fest umklammert und fuhr in schneidendem Ton fort: »Der Heli bringt mich und Bath zum Flugplatz. Haben wir die Situation dort unter Kontrolle?«

»Jawohl, Boß«, rief Wolfgang und steuerte scharf gegen, als die Räder in der Kurve hinten wegrutschten. »Die vier Mann, die im *Klösterli* stationiert waren, haben den Jet des alten Prizzi in ihre Gewalt gebracht. Die Maschine ist startklar, die Piloten sitzen vermutlich bereits im Cockpit«, berichtete er atemlos, während auf dem Rücksitz der rotgesichtige Russe eine Telefonverbindung herstellte.

»Gut«, sagte Felgen und drehte sich mit giftigem Blick zu dem Libanesen um: »Du nimmst dir das Schielauge vor. Ich will haargenau wissen, was heute nacht in der Bunkeranlage passiert ist. Gib ihm genügend von diesem chemischen Zeug. Frag ihn nach Martin Deuber. Wenn er zu plaudern anfängt, ruf mich. Verstanden?«

»Sicher, Boß«, grinste der Libanese und riß den auf die Brust gesunkenen Kopf des bewußtlosen Ken Cluster an den Haaren hoch. »Und was machen wir mit dem Bullen?«

»In den Behandlungsraum mit ihm!« befahl Felgen mit einem höhnischen Zug um die Lippen, »John Metzger soll sein Vergnügen mit ihm haben.«

Plötzlich tauchten drei schwere Gefährte mit gleißenden Lichtern und gelbblinkenden Warnleuchten vor ihnen auf. Wolfgang trat fluchend auf die Bremse, wich an den Straßenrand aus, blendete die Scheinwerfer ab und hielt vorschriftsgemäß an. In einem haarsträubenden Kreuzungsmanöver schlitterten die Fahrzeuge knapp am Range Rover vorbei und jagten mit heulenden Motoren die Straße hinauf. »Idioten«, stieß Wolfgang zwischen den Zähnen hervor und wollte weiterfahren, als ihm Felgen die Hand auf den Arm legte. »Spezialeinheiten der Polizei, die das Gebiet weiträumig abriegeln.«

Er blickte der Patrouille mit zugekniffenen Augen nach und überlegte: Sie hatten einen entscheidenden Vorsprung gewonnen. Jetzt ging es darum, die Initiative nicht mehr aus der Hand zu geben. Ein Bild tauchte vor seinen Augen auf; Erinnerungen stiegen in ihm hoch: Es war wie damals im Jemen, als er mit zwei Getreuen eine Übermacht von Leibgardisten niedermetzelte, um sich nach dem gescheiterten Anschlag auf den Sultan zum Hafen durchzuschlagen, wo das Schnellboot wartete. Oder wie vor zehn Jahren, als er, der gefürchtete Franz Laskerny, ganz allein, mitten im abendlichen Stoßverkehr den schwedischen Premierminister auf offener Straße mit drei Schüssen niederstreckte.

Sollen wir weiterfahren?« fragte Wolfgang besorgt, aber Felgen wehrte mit sonderbar verklärtem Blick ab. Der Libanese rückte näher an den schlaffen, im Sitz zusammengesunkenen Körper Custers heran und drückte ihm die schußbereite Pistole zwischen die Rippen.

Erich Felgen stand knapp vor dem Ziel, für das er all die Jahre gekämpft hatte. Wie üblich war nicht alles nach Plan verlaufen, sagte er sich, aber als hundertfach erprobter Untergrundmann wußte er, daß es immer noch etwas zu tun gab. Entstünden keine Pannen, brauchte es geniale Köpfe wie ihn gar nicht. Wenn es darum ging, das Steuer in der Krise herumzuwerfen, gegebenenfalls rücksichtslos zu töten, war er einsame Spitze. Auch heute abend: Zugegeben, das Ableben Knochers kam etwas verfrüht, doch der Organisation erwuchsen daraus keine Nachteile. Seit gut einem Jahr, als der Mikrochip serienmäßig zur Verfügung stand und auch von einem durchschnittlichen Chirurgen auf Netzhauttransplantate gesetzt werden konnte, war der weißhaarige alte Mann entbehrlich geworden. Und die Chips, die ausreichten, um eine Kompanie Killer damit auszurüsten, lagen im Chalet im Privattresor bereit. Ebenso die tiefgefrorenen Netzhäute.

»Fahr los«, befahl Felgen abwesend und sann darüber nach, was noch schiefgehen könnte. Der Gedanke an Martin Deuber versetzte ihm einen Stich. Der Kerl hatte versucht, ihn auszutricksen – anders war es nicht zu erklären, daß er mit Bath und zwei Komplizen in den Bunker eingedrungen war. Vermutlich hatte er nebenbei noch einen privaten Coup durchziehen wollen. Zum Glück, dachte Felgen, hatte er in weiser Voraussicht diesem arroganten Kerl nicht auch noch die entscheidenden Informationen über das Konto preisgegeben.

Der Range Rover näherte sich dem Chalet *Wildhorn*, als der Russe, der per Handy mit dem Chalet Verbindung hielt, plötzlich rief: »Die Polizei verfolgt drei Personen, die mit einem geklauten Panzer entkommen sind!«

»Drei?« Felgen fuhr hellwach herum. »Weiß man etwas Genaueres darüber?«

Der Russe funkte ins Chalet zurück, wo der kleine unscheinbare Deutsche mit der Nickelbrille über einen hochmodernen Scanner gebeugt den Polizeifunk abhörte. Nachdem er angestrengt in den Hörer gelauscht hatte, gab er nach vorn: »Die Polizei vermutet, daß es sich um zwei Männer und eine Frau handelt, die als Festungswächter verkleidet den Bunker ausgeraubt haben.«

Felgen riß ihm das Telefon aus der Hand und rief die Helikopterbesatzung im *Klösterli* auf. Während der Wagen in die Tiefgarage des *Wildhorn* fuhr und mit kreischenden Reifen zum Stillstand kam, erteilte Felgen in höchster Anspannung lautstark seine Anweisungen.

Von der Dorfkirche fiel der trommelnde Wasserfall auf den rosenübersäten Vorhof. Die funkelnden, schweren Tropfen verwandelten sich in Goldstücke, die auf den hölzernen Sargdeckel prasselten, dann gegen Custers Schläfen und in Serenellas tief ausgeschnittenen, zart schimmernden Busen. Eine satingrüne Kellnerin kurvte auf weißen Rollschuhen an die Bar heran und küßte Custer mit kirschroten Lippen auf den Mund. Der Staatsanwalt mit einem billardkugelgroßen, schwarzen Loch im Kopf starrte über einen leeren Teller stumm herüber. Rechts am Bartresen fütterten sonnenverbrannte Männer mit lässig gesträhntem Haar unter silbrigschwarzen Fallschirmhelmen das Chamäleon mit Heuschrecken, während das Brummen eines schweren Motorrads die Flaschen im Regal der Bar zum Zittern brachte. Da manövrierte Professor Brunner mit den Füßen am Lenker das lärmende Vehikel heran. Uringläser unter den linken Arm geklemmt, mit der anderen Hand eine Flasche mit reinem Alkohol gegen die Bar schwenkend, wo Dulliker, der Barkeeper, hämisch mit dem Tagebuch fuchtelte. Die dröhnende Maschine scheuchte die Kellnerin von seinen Lippen weg, Custer blinzelte ... Komisch, das Brummen verebbte nicht, es kam direkt aus seinem Schädel, und plötzlich flitzten weiße Tannenwipfel vorbei, eine Motorhaube fiel nach vorne ab, als der schwere Wagen über die Rampe in die Tiefgarage des großen Chalets hinunterrollte.

Custer fühlte sich wie eine Quecksilbersäule unter dem Gefrierpunkt, die plötzlich hochschoß, als der Wagen anhielt, Türen aufgerissen wurden, kräftige Hände ihn auf den trockenen Betonboden der Garage zerrten. Seiner sieben Sinne wieder – wenn auch schmerzhaft – mächtig, ließ er sich von hart zupakkenden, unterdrückt fluchenden Männern in einen matt erleuchteten Korridor stoßen. Von dort rissen sie ihn grob über grün bespannte Stufen in einen breiten Flur mit dunkler, hölzerner Decke hinauf. Ein zweiter Trupp folgte keuchend und schloß eine bronzefarbene Tür auf. Die Männer atmeten auf, lockerten den Griff, als die metallene Tür auseinanderglitt und ihnen grelles Halogenlicht entgegenschlug.

Die Männer zwängten Custer in einen verstellbaren Behandlungsstuhl, zurrten die Riemen um ihn fest und verließen wortlos den Raum.

Mit aller Kraft riß Ken an den ledernen Riemen, die Hände und Füße fesselten. Vergeblich. Die Tür ging auf, Schritte nahten von hinten, ein Hüsteln. Erich Felgen trat mit spöttischem Lächeln in Custers Blickfeld.

»Wie fühlen Sie sich, Mister Custer?«

»Bei Ihrem Anblick wird mir kotzübel!« Custer spuckte aus. Das Lächeln verflog aus Felgens Gesicht. Höhnische Brutalität lag in seinen Augen.

»Aber, aber, lassen Sie sich nicht so gehen«, tadelte Felgen und wusch sich die Hände am Waschbecken. »Meine Leidenschaft gilt dem Starken und dem stramm Organisierten, Herr Custer.«

»Der überlegenen Herrenrasse. Sie sind ein widerlicher Nazi!«

Felgen schaute mitleidig auf ihn herunter: »*Weißer Stolz Weltweit* ist eine mächtige Bewegung, die sich unaufhaltsam ausbreitet. Das arische Gedankengut der zweiten Generation umspannt die Welt auf dem Weg der Informationsnetzwerke. Alle Macht den Weißen, heißt unser Credo. Rasse statt Religion, Klasse statt Masse! Im Jahr 2000 wird die *Stormfront* den Nordwesten Amerikas beherrschen. Washington. Oregon, Idaho: ein Land ohne Nigger, Juden und Islamisten. Und vom Nordwesten her werden wir ganz Amerika aufrollen und schließlich in Washington die Macht an uns reißen.« Felgen sprach, als hätte er die Massen der Welt bereits vor sich.

»Sie haben gemordet, Felgen. Barrelet, Edeltraut Stenz, Kommissar Wettländer, die Piloten des SuperPuma. Warum? Weil Sie scharf auf Philipp Bouhlers heimliches Vermögen sind. Eine verschollene Riesensumme, die ganz friedlich in den Schweizer Banktresoren schlummert! Das Tagebuch hat Sie verraten, Felgen.«

Felgen betrachtete ihn mit einem unverhohlenen Ausdruck der Verblüffung. »Das Tagebuch?«

»Ja. Reichsführer-SS Philipp Bouhler hatte dummerweise nicht nur die Existenz des Vermögens peinlich genau erwähnt, sondern auch von diesem in die USA geflüchteten Wilhelm Bill Metzger berichtet. Ziemlich dumm für Sie.«

Erich Felgen tastete Custers Körper ab und fand das Medaillon. Mit einem hämischen Grinsen riß er die Kette in einem schnellen, brutalen Griff vom Hals und steckte das Schmuckstück in die Tasche: »Metall stört das Experiment«, lächelte er höhnisch.

»Wieso mußte Heinz Bouhler sterben?« fragte Custer. Und in den nächsten Sekunden wurde sein Verdacht bestätigt.

Felgen stieß verächtlich die Luft aus: »Das war Knochers persönliche Angelegenheit. Heinz hatte sich zum Frömmler gewandelt und wollte das Riesenvermögen seines Alten reumütig an jüdische Organisationen verschenken. Heinz war ein Idiot!«

»Dann spritzte ihm Sigmund Knocher das Phenol ins Herz?« tastete sich Custer weiter.

»Eine Technik, die ihm Mengele in Auschwitz tausendmal vorgeführt hat.« Felgen zuckte herablassend die Schultern.

»Unglaublich«, staunte Custer. »Der Jude Knocher bringt seinen Retter um, verhindert, daß jüdische Leidensgenossen aus der Nazibeute entschädigt werden. Seine Mutter würde sich im Grab umdrehen.«

Felgen winkte gelangweilt ab. »Knocher ist tot, von Felsbrocken erschlagen. Der tragische Unfall hat uns von der Last seiner Vergangenheit befreit. Obwohl Knocher zum *Weißen Arischen Widerstand* konvertierte, war er allmählich zum Klotz am Fuß unserer Organisation geworden. Todesfälle läutern uns. Wir wachsen mit der Aufgabe, uns kann nichts mehr aufhalten, Cluster. Wir sind stark und stramm organisiert und besitzen die allen überlegene Waffe: die tödlichen Gehirnwellen aus dem Killer-Auge. Unsere Organisation hat somit Zugriff auf militärische und zivile Steuerungssysteme, kann den menschlichen Organismus lähmen, das Herz auf einen Schlag zum Stehen bringen. Diesmal werden wir die Weltherrschaft erringen, denn wir besitzen Verstand, Intelligenz, aber auch Geld und Waffen im Überfluß. Rasse hat eben Klasse, Mister Cluster! Doch ich befürchte, Sie werden unseren Triumph leider nicht mehr erleben können.«

Mit demselben dreckigen Lächeln, mit dem er gekommen war, verzog sich Erich Felgen.

Custer warf sein ganzes Gewicht gegen die Fesseln, ein hilfloser Versuch. Da ging die Tür wieder auf, und Metzger betrat tänzelnd den Raum, stülpte sich den Kopfhörer über den runden, fast haarlosen Schädel und setzte sich mit altweibischer Umständlichkeit auf den weißen Klappsessel an der Wand. Er schlug die Beine übereinander, zog mit den Fingern geziert die Bügelfalte hoch. Seine Hände flogen jäh nach oben, als wäre ihm gerade etwas Wichtiges eingefallen; er prüfte aber nur den Sitz der Kopfhörer. Mit leidender Miene drückte der Amerikaner dann die Fingerspitzen an seine Schläfen.

»Du hast ein schönes Gesicht«, sagte der Amerikaner sanft, ohne die Augen zu öffnen. »Und einen straffen Arsch.«

»Um das festzustellen, braucht es keinen Mikro-Augenchip«, erwiderte Custer gereizt.

Der Amerikaner rieb sich die Hände. »Nenn mich John, John Metzger!«

»Was wollt ihr mit dem Mikrochip anfangen?« fragte Custer. Der Amerikaner stand auf und bohrte, indem er langsam näher kam, seinen Blick bedrohlich in Clusters zorniges Gesicht.

»Wir wollen töten. *Stormfront*, die wiedererstandene Waffen-SS, das Schwert der Arier wird Amerika erschüttern – mit dieser Geheimwaffe.« John Metzger zeigte auf sein rechtes Auge. »Wir zerreißen unsere Feinde in der Luft, zerstören sie am Boden, ihr Leben wird zur Hölle.« Mit hämischem Grinsen streckte er seinen Arm zum Gruß. »Zunächst werden wir die FBI-Teams, die uns beschatten, mitsamt ihrem Direktor vernichten, dann werden wir dem Präsidenten der Vereinigten Staaten, diesem elenden Kriecher, den Garaus machen.«

John Metzger schüttelte sich vor Abscheu, dann drückte er mit beiden Händen die Kopfhörer wieder gegen die Ohren. Custer wußte Bescheid: In den Muscheln verbargen sich Verstärker und Stromquellen, wobei das ganze Gerät völlig harmlos aussah, wie ein ganz normaler Kopfhörer eben. Ein Augen-Killer wie John Metzger würde als einer von Tausenden, die mit übergestülptem Kopfhörer durch die Gegend wandern, im Büro sitzen, Auto fahren, auch keinem Menschen auffallen.

»Ich habe geile Bilder für dich«, sagte Custer in einem plötzlichen Einfall, als der Amerikaner den Klappsessel heranholte.

»Pralle Schwänze. In meiner Gesäßtasche steckt eine Diskette. Schieb sie in den PC dort an der Wand, und du kommst so richtig in Stimmung«, lockte Custer und wand sich im Stuhl, indem er die Hüfte nach vorne drehte.

Mißtrauisch schürzte der Amerikaner die Lippen, dann griff er zu, zwängte seine Finger in Custers Hosentasche und hielt die Diskette zögernd hoch.

»Dort drüben. Einschieben und Anklicken. Das Bildprogramm geht automatisch auf«, animierte Custer und überlegte fieberhaft: Sie befanden sich zwei Stockwerke tief unter der Erde. Erich Felgen trug das Medaillon mit dem Geheimsender zur Ortung seines Standorts in seinem Kittel. Mit Hilfe von außen war also nicht mehr zu rechnen. Morgen würde man ihn irgendwo oben im Gästezimmer tot in einem Lehnstuhl auffinden, und der eiligst herbeigerufene Arzt käme wohl kaum darum herum, einen schlichten Herzanfall zu diagnostizieren. Bitter traf ihn die eiskalte Gewißheit, daß er ganz allein auf sich gestellt war. Zeit gewinnen hieß im Augenblick die Losung; in der Ablenkung mit Hilfe von Serenellas Schwanzsammlung lag seine einzige Chance.

»Klick die PENIS CONNECTION an«, rief Custer dem Amerikaner zu, der plötzlich grunzende Laute von sich gab.

»Oh, meine Güte!« ächzte er, die Beine aneinandergepreßt. »Wo hast du die Sachen her?« sabberte er.

»Meine Privatsammlung«, flüsterte Custer zweideutig.

Der Amerikaner glotzte auf den *Emmentaler* von Bunkersoldat Buri, stand jäh auf und pflanzte sich mit lüsternem Blick breitbeinig vor Custer auf.

»Ich kann leider nicht«, schüttelte Custer den Kopf und schielte auf seine gefesselten Hände.

Der Amerikaner legte seine Hände auf Custers Handgelenke und dachte nach. Nach einer Weile blickte er ihn aus gelblichen, heimtückisch blitzenden Augen an: »Das würde dir so passen, doch ich bin nicht zum Vergnügen da, mein Lieber. Ich habe einen Auftrag.« Er wich zurück und setzte sich wieder auf den Klappstuhl.

»Wie wollt ihr dem Präsidenten an den Kragen?« hielt Custer das Gespräch verzweifelt in Schwung.

»Wir töten ihn mit bloßem Auge – mit den Gehirnwellen aus dem Mikroverstärker.« Metzger tippte mit dem Finger bedeutsam an seine rechte Schläfe. In Genf habe er nach der Operation, gewissermaßen als Test und zur Bestürzung des Professors, den kläffenden Dobermann des Chinesen ins Jenseits geschickt, sagte er voller Stolz. »Und jetzt wirst du erleben, was es heißt, von meinem Auge qualvoll getötet zu werden!«

Ein heller, brennender Blick bohrte sich in Custers linke Brusthälfte. Ken spürte, wie eine unheimliche, erstickende Enge seinen Atem langsam abwürgte. Es war ein fürchterlicher, vernichtender Alptraum. Todesangst schlich in seine innersten Tiefen; ein letzter Überlebenswille bäumte sich noch einmal auf ...

58

Zur nicht geringen Überraschung des herankeuchenden Schwab stand der Fünfzehn-Tonnen-Schützenpanzer der Festungswächter in seiner ganzen wuchtigen Breite einen knappen Meter vor dem dicht an das Garagengebäude geparkten Pinzgauer; an ein Herausmanövrieren war nicht zu denken.

»Wir sind eingeklemmt«, brummte Schwab, als Motorengeräusch das Eintreffen der Verstärkung ankündigte.

»Wir nehmen den Panzer«, entschied eine Stimme aus dem Hintergrund. Verblüfft schaute Schwab in das grinsende Gesicht von Deuber. »Du?« staunte er. »Ich dachte ...« Er erkundigte sich nach Bath, als auffahrende Fahrzeuge sie plötzlich in helles Scheinwerferlicht tauchten. Martin Deuber riß den Hünen, der wie gebannt in die Lichter starrte, hinter den gepanzerten Mannschaftstransporter.

Der Zugführer des Polizeigrenadierzugs war mit der Hälfte seiner Männer in drei Geländewagen soeben in die Parkfläche eingeschwenkt, als er im Scheinwerferkegel drei aufgeschreckte Gestalten hinter dem Panzerfahrzeug verschwinden sah. Er gab dem Fahrer mit der Hand das Zeichen zum Anhalten und überlegte. Sein Auftrag lautete klar und eindeutig, einen Sperrgürtel um das

Katastrophengebiet zu legen und das Entweichen von Personen oder Fahrzeugen zu verhindern. Nach seinem Verständnis war er deshalb verpflichtet, auch Militärpersonen zu identifizieren.

Schwab öffnete geduckt die Hecktür, ließ die beiden anderen hineinklettern und stieg nach. Er verriegelte die Tür und kroch durch den Mannschaftsraum auf den Fahrersitz, drückte den Starterknopf und stellte den Fahrbereichhebel auf die Stellung »2«, während er durch die Sehschlitze beobachtete, wie ein unförmiger Geländewagen langsam herankroch.

Als die Polizeigrenadiere ausschwärmten, flammten die Scheinwerfer des Panzers auf, eine schwarze Rauchwolke schoß aus dem Auspuffrohr, der trapezförmige Umriß des Stahlkolosses bewegte sich vorwärts und drehte plötzlich vor dem anrukkenden Kommandofahrzeug ab. Der Zugführer hielt seine Leute an und schaute dem Manöver mit Stirnrunzeln zu.

Schwab riß die Radiuslenkhebel nach hinten und gab Gas. Der V-6-Dieselmotor brüllte, Schwab ließ die Hebel fahren, der Schützenpanzer schnellte nach vorne und schlitzte mit dem ausschwenkenden Heck die Seite des Polizeiwagens wie eine Bierdose auf. Schwab korrigierte mit den Lenkhebeln und donnerte mit aufheulendem Motor gegen das kleine Gebäude mit dem verborgenen Bunkernotausgang. Verdammt – hier war kein Durchkommen; das Gelände fiel steil ab, auf dem schmalen Fußweg, der zu den Prizzi-Chalets führte, hatte der Panzer keine Chance. Auf ein Zeichen des Einsatzleiters feuerten die Grenadiere kurze Garben aus ihren Maschinenpistolen. Sabine hielt sich die Ohren zu, als der Kugelhagel auf die Panzerung prasselte, während Schwab auf die Stelle am steilen Abhang zuhielt, wo ihm beim Heraufkommen im tiefverschneiten Hang die Kontur eines breiten Feldwegs aufgefallen war.

Die Polizisten stellten das Feuer ein und starrten entgeistert auf den abrutschenden Panzer: Schwab war nämlich entschlossen am kleinen Häuschen vorbeigeprescht, in der Annahme, von dort führe der vermeintliche Weg in die Senke hinunter. Statt dessen starrte er in den weihnachtlich glitzernden, klaren Sternenhimmel, als die Panzernase über dem Felsen abkippte. Es schien eine Ewigkeit, bis der Boden in Sicht kam. Dann tauchte der Panzer in den Schnee des Steilhangs und sauste wie ein Schlitten in die Tiefe. Schwab riß mit aller Kraft an den Lenkhebeln. Das Fahrzeug schlitterte, zum Glück geradeaus, durchschlug einen Stacheldrahtzaun wie Seidenpapier, brach durch eine niedrige Hecke und raste in höllischem Tempo unaufhaltsam auf ein gespenstisch in der Senke lauerndes, unförmiges Hausdach zu.

59

Wie in den gräßlichen Alpträumen einsamer Nächte kämpfte Ken Custer verzweifelt gegen den qualvollen, tödlichen Würgegriff einer körperlosen Macht. Sein Herz pochte wild, seine Zähne knirschten, sein Blick versuchte verzweifelt, den unheilvoll starrenden Augen John Metzgers standzuhalten. Ich sterbe nicht! hämmerte sein Bewußtsein. Ich bin stärker, viel stärker! Sein Schädel schien zu bersten. Ich bin der Stärkere, mein Verstand ist dir haushoch überlegen! dröhnte die innere Stimme. Du kannst mich nicht vernichten! Stockend setzte der Atem wieder ein. Heftig warf sich Custer im Stuhl hin und her. Und plötzlich senkte der Amerikaner seine Lider. Der Schmerz in Custers Brust ließ nach.

»Ich werd' meinen Ständer nicht los!« keuchte er geistesgegenwärtig und deutete mit dem Kinn auf die deutliche Wölbung in seinem Schritt.

John Metzger zuckte zusammen und starrte wie betäubt herüber. Langsam erhob sich der Amerikaner, schritt wie in Trance näher, kniete sich nieder. Er prüfte den Sitz der Fesseln an Custers Beinen, löste ihm vorsichtig den Lederriemen des rechten Handgelenks. Custer sah, daß der Amerikaner es eilig hatte und bereits seine Hose aufknöpfte.

»Mit einer Hand geht es schlecht«, versuchte es Custer verbissen.

»Es geht auch ohne Hand«, antwortete der Amerikaner grinsend, indem er sich die Lippen netzte. Er senkte den Stuhl auf die unterste Stufe herab und stellte die Sitzlehne senkrecht.

»Reichsführer-SS Philipp Bouhler hat deinem Vater nach dem Krieg sein ganzes Vermögen vermacht. Wo befindet sich das Geld?« fragte Custer unvermittelt.

Der Amerikaner ließ die Hose los. Sein bläßliches Gesicht zeigte die kalte Herablassung eines Reptils, dann schimmerte pure Gier auf, als wenn ein Chamäleon eine Heuschrecke ins

Visier nimmt. »Auf dem Weg in die USA!« Mit ihren Geheimwaffen hätten sie die Bank penetriert und das Geld unauffindbar auf das Konto des *Weißen Arischen Widerstands* transferiert. »Aber das ist noch nicht alles«, sagte er darauf und betrachtete Custer berechnend aus zugekniffenen Augen. Die Rechtslage sei geklärt, meinte Metzger, weil sein Anspruch auf das seit Kriegsende nachrichtenlos in der Schweiz ruhende Vermögen in den USA durch ein Gerichtsurteil bestätigt worden sei. Mittlerweile habe das Vermögen einen Wert von über sechshundert Millionen erreicht. »Dollar, versteht sich. Und weißt du, was das Schönste ist«, fragte Metzger und schlug sich vor Aufregung mit der flachen Hand verzückt auf den Oberschenkel. »Wir bekommen den Zaster gleich zweimal. Oder kapiert das dein winziges Bullenhirn etwa nicht? Einmal durch Deubers heimlichen Transfer von heute nacht und zum zweiten Mal von der Bank, die vom amerikanischen Gericht zur Zahlung der Riesensumme verpflichtet worden ist!« Der Gedanke erregte John Metzger erneut. Mit gespreizten Beinen trat er näher zu Custer; dessen Gesicht trennten nur wenige Zentimeter vom Reißverschluß der Cordhose. Als der Amerikaner ihn am Hinterkopf packte und gegen seinen Schritt zwingen wollte, spielte sich alles in Sekundenschnelle ab.

Custer genoß den Vorteil der Überraschung, während den Amerikaner seine Geilheit einlullte.

Custers Hand packte die Operationsschere auf dem Drehgestell und stieß sie Metzger von unten ins Gesicht. Die Spitze der Schere traf den Wangenknochen, glitt ab und bohrte sich tief in das rechte Auge des Amerikaners.

»Fick dich ins Knie«, keuchte Custer, löste hastig mit der freien Hand die Fessel am Handgelenk und befreite sich blitzartig aus der Fußumklammerung, als sich der bullige Amerikaner blutüberströmt und wie am Spieß brüllend auf ihn stürzte.

Custer schnellte aus dem Sitz hoch, zielte mit dem Schädel auf den Solarplexus des Angreifers und warf sich gegen den Bauch des Amerikaners. John Metzger torkelte rückwärts; sein Hinterkopf krachte in den Computer, das Genick brach an der Tischkante, der farbig prangende *Emmentaler* zerbarst.

60

Sabine wurde durch den plötzlichen Abfall des Panzerwagens nach vorne geschleudert und prallte mit dem Kopf an den Sender/Empfänger. Deuber hatte sich geistesgegenwärtig auf der Sitzbank im Mannschaftsraum angeschnallt und konnte im letzten Augenblick die Frau festhalten und ihren Aufprall mildern.

Die Senke verengte sich, und das Raupenfahrzeug schlitterte auf den tiefsten Punkt zu, wo das breite, finstere Haus den Ausgang ins flache Land verstellte. Schwab hatte keine Kontrolle über den Panzer; er glitt unaufhaltsam auf die Hausmauer zu. Dort war dann wohl Endstation. Statt Brasilien Krankenhaus, Knast oder Leichenhalle, rasten Schwabs Gedanken.

Da erfuhr der Panzer wie von einer Riesenfaust getroffen einen seitlichen Schlag, der ihn jäh nach rechts abdrehen ließ. Der steinerne Brunnentrog, der ihn von der geraden Bahn abgelenkt hatte, brach in der Mitte auseinander, aber der Panzer schoß jetzt nach rechts auf die Stallungen zu. Im Scheinwerferlicht tauchten plötzlich die Umrisse eines breiten Tores auf; Schwab hielt sich die Arme schützend vor das Gesicht ... Holz barst, Trümmer prasselten herab, als der Panzer an Wucht verlor und mit einem letzten Stoß die Wand auf der anderen Seite der Scheunendurchfahrt zerfetzte, um dann im flachen Schneefeld hinter dem Haus langsam auszurollen.

Es dauerte eine Weile, bis der massige Schwab vom Fahrersitz geklettert war und über die Oberseite des Schützenpanzers hinweg zurückschauen konnte. Im Haus ging das Licht an, Rufe ertönten, Kühe brüllten, zwei Gestalten stürzten ins Freie, blieben wie angefroren stehen und begannen dann so zu wettern und zu fluchen, daß die Hütte ein zweites Mal erbebte. Der Panzer war haargenau durch die Tenne an den Futterkrippen der Rinder vorbeigedonnert. Heufetzen lagen über den Scheinwerfern, Martin Deuber kroch benommen nach vorne, half der noch sichtlich benommenen Sabine auf den Sitz in der Kommandantenluke, während Schwab die abgebrochenen Antennenstäbe in den Schnee warf, sich wieder in die Fahrerluke zwängte, sorgfältig Gas gab und wegrollte, bevor der aufgebrachte Bauer mit der Mistgabel in der Hand herangestapft war.

Schwab fuhr nun langsam auf dem flachen Fußweg entlang zum unteren Gehöft, als ein Helikopter vorbeibrauste, hochzog und zu einer Wendeschleife ansetzte. Deuber hatte die Luke im Mannschaftsraum geöffnet und beobachtete das Flugmanöver, Sabine hielt sich mit beiden Händen an den Griffen des überschweren Maschinengewehrs fest, während Schwab in die Straße einmündete, die in einer Kurve vor dem Haus vorbei auf die gegenüberliegende Anhöhe des *Grand Chalet* hinaufführte. Schwab fuhr talwärts und richtete seine volle Aufmerksamkeit auf die breite, zwischen steilen Böschungen eingebettete Fahrbahn, als der Helikopter von hinten auf sie herunterstach, einen Augenblick über ihnen schwebte und dann plötzlich abdrehte.

Der Panzer ratterte sicher auf die Kurve zu. Sabine studierte die Abzugsvorrichtung an der Waffe. Der Munitionsgurt war in das Patronenlager eingelegt, das Maschinengewehr schien geladen zu sein. Martin Deuber stand in der offenen Mannschaftsluke. Als Schwab um die Kurve fuhr, befand sich die mächtige, fünfzig Meter hohe Bahnbrücke, die beide Talseiten in fünf kühnen Bögen überspannte, hellerleuchtet vor ihnen. Schwere Lastwagen mit blinkenden gelben Warnlichtern, Polizeiwagen und Greifkräne verbarrikadierten unter der Brücke die Straße; eine Batterie von Hochleistungsscheinwerfern verwandelte die Nacht zum Tag.

Geistesgegenwärtig riß Schwab den Panzer nach rechts auf die kleine, ansteigende Zufahrtsstraße, die als Sackgasse bezeichnet war. Dann hielt er an und starrte mit offenem Mund auf den Körper, der unter dem mittleren Bogen an einem Seil baumelte. Deuber und Sabine blickten gleichermaßen fassungslos auf das makabre Schauspiel. Aus der kurzen Distanz konnten sie deutlich erkennen, daß das Seil den reglos Hangenden nicht am Hals umschlang. Irgendwelche Sadisten hatten den Mann an seinen Geschlechtsteilen aufgehängt.

»Nein!« schrie Schwab und griff sich unwillkürlich zwischen die Beine, dann gab er mit zusammengepreßten Lippen Gas, als sich einer der Polizeiwagen aus dem Wirrwarr von Fahrzeugen löste und mit Blaulicht langsam auf den Panzer zuhielt.

Sabine riß den großen Ladegriff am Maschinengewehr nach hinten. Ein sattes, metallenes Klacken übertönte das Motorengeräusch. Dann drückte sie zwischen den Handgriffen auf den äußeren, halbkreisförmigen Hebel. Der Verschluß schnappte ein, als Schwab die Anhöhe erreichte. Er fuhr am hellerleuchteten Chalet *Sieben Groschen* vorbei und gelangte durch leichtes

Unterholz ans Ende der Sackgasse, wo sich ein kleines, finsteres Chalet in den unberührten Schnee drückte. Schwab stellte den Motor ab, schaltete das Licht aus und schnaufte tief durch. Deuber kletterte atemlos auf die Oberseite und kauerte sich nieder: »Der arme Teufel, der unter der Bücke an seinen Eiern hing, war der Israeli, der Professor Knocher entlarven wollte. Felgen, dieses Schwein, hat seine Drohung auf scheußliche Weise wahrgemacht.«

»Was machen wir jetzt?« fragte Sabine pragmatisch, am ganzen Körper nicht nur vor Kälte zitternd. »Vielleicht könnten wir zu Fuß der Bahnlinie entlang entkommen«, schlug sie vor, aber Schwab schüttelte langsam den Kopf. Man könne Bath, der sich in der Gewalt von Felgen befinde und bestimmt in Lebensgefahr schwebe, jetzt nicht im Stich lassen. Einer von ihnen müsse zurück ins Chalet *Wildhorn.* »Wenn ihr nicht mitkommt, gehe ich allein.«

»Die Bahnlinie ist auf jeden Fall der kürzeste Weg«, beharrte Sabine.

»Einverstanden, aber wir fahren«, sagte Schwab und schaute auf die Gleise hinunter, die etwa zwei Meter unter dem Straßenniveau vorbeizogen.

»Festhalten!« rief er, ließ den Motor wieder an und manövrierte das Fahrzeug herum, als hinter ihnen Scheinwerferlicht aufflammte.

»Polizei«, warnte Sabine, aber die Nase des Panzers kippte bereits über die niedrige Böschung auf den Bahndamm.

Als der Panzer auf dem Schotterbett der Bahngleise auf die Brücke zurasselte, schoß der Helikopter aus der Finsternis in das Schweinwerferlicht. Eine Gestalt feuerte aus der offenen Tür. Sabine zog das Maschinengewehr herum und drückte mit zitternden Händen auf den Abzugshebel. Unter gewaltigem Geknatter schoß eine lange Garbe in den Nachthimmel hinauf. Die Leuchtspurgeschosse strichen als roter Feuerschweif über die hell erleuchteten Türme des *Palace* und regneten in den schwarzen Wald am Wasserngrat hinunter. Der Helikopterpilot tauchte erschrocken in die sichere Dunkelheit ab, während Sabine zufrieden den Daumen hochstreckte und sich vor Anspannung mit den Zähnen in die Unterlippe biß.

In diesem Moment donnerte Schwab mit breitem Grinsen auf dem Gesicht auf die Eisenbahnbrücke. Arbeiter ließen erschrocken ihre Werkzeuge fallen und retteten sich mit einem Sprung an die beidseitigen Geländer.

Schwab schrie ein Kampfgeheul in die Nacht hinaus und raste dem Bahnhof von Gstaad entgegen. Sabine spähte nach dem Hubschrauber, während Deuber krampfhaft versuchte, am Sender die richtige Funkfrequenz einzustellen.

Schwab hatte um diese Zeit überhaupt nicht mit einem Frühzug gerechnet. Doch auf der Straßenüberführung blitzten ihm plötzlich die Lichter einer schweren Lokomotive entgegen. Der Zugführer leitete eine Schnellbremsung ein. Die Warnpfeife heulte wie eine Alarmsirene bei Hochwasser, Druckluft zischte – doch Schwab fuhr unbeeindruckt an die Puffer der Lokomotive heran. Der Zugführer war in seiner matt beleuchteten Kabine aufgesprungen und tobte. Schwab bedeutete ihm mit Handzeichen, er solle zurück in den Bahnhof rollen, und gab langsam Gas. Der Panzer drückte gegen die Eisenpuffer der Lokomotive, und langsam glitt der Zug rückwärts, als schöbe ihn Schwab ganz allein in die Station zurück.

Da donnerte der Hubschrauber wieder heran. Diesmal gelang dem verwegenen Piloten die Überraschung. Die ersten Garben aus der Maschinenpistole prasselten auf die Lokomotive, die Frontscheibe fiel klirrend aus dem Rahmen. Der wendige Helikopter griff ein zweites Mal an, wobei der Schütze jetzt auf die offenen Luken feuerte. Sabine ließ sich in den Mannschaftsraum fallen, während der Panzer im Bahnhof zum Stillstand kam. Sie sah entsetzt, daß Schwab reglos auf dem Fahrersitz saß. Martin und Sabine zerrten den schweren Körper aus dem engen Fahrerraum nach hinten auf die Sitzbänke. Schwabs Gesicht war bis zur Unkenntlichkeit zerfetzt. Jede Hilfe kam zu spät. Fassungslos kniete Sabine nieder und starrte auf die blutige Masse eines Gesichts, dessen verschmitzte Züge sie in den letzten drei Tagen liebgewonnen hatte. Deuber öffnete die Hecktür und drängte Sabine hinaus. »Denk an Bath!« zischte er. »Wir müssen weiter!«

Als Sabine schließlich benommen aus dem Panzer kletterte und über den Bahnhofsparkplatz zu der als Chalet getarnten Bankfiliale hinüberrannte, war von Martin Deuber nichts mehr zu sehen. Zwei mit Gesichtsstrümpfen vermummte Männer schnitten ihr plötzlich den Weg ab und packten sie an Armen und Beinen. Sie wehrte sich, biß und kratzte, aber ein Schlag in den Bauch raubte ihr die Besinnung.

61

Ken Custer sah sich um. Der Behandlungsraum enthielt nichts Brauchbares, nur ein Skalpell lag auf dem Instrumenteller. Er steckte es sorgfältig in die Brusttasche seines Sakkos und öffnete die Tür, durch die der Amerikaner hereingekommen war. Sie führte in einen leeren, kalten Raum mit weißgetünchten Wänden und einer an der Decke flackernden Neonröhre. Zögernd betrat er die kahle Zelle und betrachtete abwägend die gelb angestrichene gegenüberliegende Tür und die massive Eisentür zu seiner Rechten; der lange Griff aus Chromstahl verriet einen Kühlraum. Entschlossen wuchtete Custer den Griff herunter und stemmte die Tür auf. Licht flammte automatisch auf und beleuchtete einen vor Kälte dampfenden, mit Eisblumen überzogenen Behälter auf einem Aluminiumgestell. Custer trat näher und hob den Deckel ab. Sechs menschliche Augen glotzten ihn an. Erschrocken ließ er den Deckel wieder los. Ein schwarzer Kasten nebenan enthielt ein Kälteaggregat und war offenbar dafür gedacht, tiefgefrorene Inhalte zu transportieren. Sorgfältig öffnete Custer den inneren Behälter im Kasten und fand in Plastikbeutel eingebettete gelbgraue Hautstreifen. Netzhäute, erriet er. Er schloß den schwarzen Behälter wieder ab und machte kehrt. Da sah er die zwei Fratzen, die ihn aus dem Schatten hinter der halboffenen Tür anglotzten. Custer blieb wie betäubt stehen. Das naßkalte Grauen kroch ihm den Nacken hinauf: Den Gesichtern fehlten die Körper. Es waren abgeschnittene, säuberlich auf das Regal gestellte menschliche Köpfe mit grausam offenen, stieren Augen.

Custer krümmte sich vor Übelkeit und wankte zum Ausgang. Als er aufschaute, stand Messerli im Türrahmen und richtete mit höhnischem Grinsen die Pistole mit Schalldämpfer auf seine Brust. »Umdrehen, Hände in die Höhe und langsam herauskommen«, befahl er genüßlich.

Custer machte genau das. Als er den Druck der Laufmündung im Rücken verspürte, ging er noch zwei Schritte weiter rückwärts, so daß Messerli die Pistole energischer gegen seinen Rücken stieß, um ihn auf Distanz zu halten. Auf diesen Augenblick hatte Custer gewartet. Blitzschnell drehte er sich herum, indem er in einer einzigen Bewegung mit dem Ellenbogen die Waffe wegschlug und Messerli mit aller Wucht die Faust ins Gesicht schmetterte. Der Rest war Routine. Als Messerli taumelte, setzte er mit einem Haken auf die Kinnspitze nach, griff nach der Waffe und hieb dem Torkelnden das Verschlußgehäuse der schweren Pistole über den Schädel. Dann zog er ihm die braune Jacke aus, klaubte die beiden Reservemagazine aus der Brusttasche und riß ihm den Schlüsselbund vom Gürtel. Danach schleppte er den regungslosen Körper in den Behandlungsraum zurück, wo er ihn keuchend auf den Stuhl hievte, mit den Riemen fesselte und Mund und Augen mit Heftpflaster zuklebte. Dann dämpfte er das grelle Licht der Lampen zu einem matten Schimmer ab, packte den erstarrten John Metzger und schleppte den Toten in den Gefrierraum hinüber, wo er ihn auf dem eiskalten Boden zurückließ. Schließlich packte Custer atemlos den schwarzen Transportkasten auf dem Gestell, machte sich mit würgenden Lauten hinter der Tür zu schaffen und verließ mit dem Behälter die klirrende Kälte, stellte ihn im leeren Vorraum auf den Boden, legte Messerlis braune Jacke daneben und sperrte die Kühlraumtür zu. Custer hoffte, es sähe aus, als ob Messerli den Behälter selber eben mal abgestellt und kurz an einen bestimmten Ort gegangen wäre.

Zwei Stockwerke weiter oben verließ Erich Felgen in diesem Augenblick hastig das Bibliothekszimmer, als es von der Wanduhr über dem roten Chestersofa fünf Uhr schlug.

Bath hörte zuerst ein winziges Silberglöcklein viermal die volle Stunde ankündigen, dann schlug die große Glocke melodiös fünfmal. Da rissen ihn Arme hoch, stellten ihn ruppig auf die Beine und zerrten ihn aus dem Raum, wo er eben noch schwerelos in süßen Träumen geschwebt hatte. Ein berauschendes Wohlbefinden wogte noch durch seinen Körper; sein Bewußtsein sträubte sich gegen die langsam einschleichende Realität.

Felgen trieb die Männer, die Bath zum Lift schleppten, zur Eile an: »Macht schon! Wir treffen uns gleich unten in der Garage.« Dann eilte er durch das große Wohnzimmer in das private Studio des Professors, öffnete hastig den Wandtresor, entnahm ihm ein dünnes Lederetui, schloß ab und lief zum Aufzug zurück.

Als Erich Felgen durch die säulengestützte, zehn Wagen fassende Garagenhalle eilte, standen der Libanese und Wolfgang in bauschigen Skijacken schon um den großen, roten Allrad-Pritschenwagen. In der Fahrerkabine lehnte sich Bath mit geschlossenen Augen zurück. Der Range Rover hielt mit laufendem Motor vor dem offenen Tor. Felgen, der sofort bemerkte, daß einer fehlte, schrie Wolfgang an, er solle gefälligst den lahmarschigen Messerli heranholen. »Ist der Kerl eigentlich verrückt?« Dann trat er zum noblen Geländewagen und befahl dem Fahrer, der sich aus dem Fenster beugte, vorauszufahren und vor der Einfahrt zum *Palace* die Ankunft des Pritschenwagens abzuwarten. »Ihr bahnt uns den Weg und haltet uns den Gegner so lange vom Leib, bis wir mit dem Heli in der Luft sind.« Er schaute in die fünf grimmigen Gesichter im Wageninnern und sagte dann noch: »Gebt mir eine Knarre!« Einer stieg aus und übergab ihm das Sturmgewehr mit eingeklapptem Kolben, als Wolfgang unter der gelben Tür, die zum medizinischen Trakt führte, wieder auftauchte und im Laufen den schwarzen Kasten mit der Jacke emporschwang. »Von Messerli fehlt jede Spur«, rief er, als der Range Rover hinausrauschte. Felgen nahm den Behälter sorgsam entgegen, legte ihn neben Bath auf die Sitzbank, dann hetzte er den Libanesen mit einer ärgerlichen Handbewegung ins Haus zurück. Wolfgang lief hinterher, während Felgen seine Waffe unachtsam in die Fahrerkabine warf, sich ungeduldig gegen die Motorhaube lehnte und mit verbissenem Gesichtsausdruck auf die Armbanduhr starrte. Eigentlich hatte er alles dabei und konnte loslegen, überlegte er: die Mikrochips im ledernen Etui, die kostbaren Netzhauttransplantate im schwarzen Kasten und Bath, das lebende Zielgerät, den Natura-Gehirnwellensender! Doch er brauchte seine Leute noch, um sicher rauszukommen. »Noch zehn Stunden«, sagte Felgen plötzlich zu Bath, »dann haben wir es überstanden. Nebraska wird dir gefallen.«

Doch Bath war nach der starken Dosis von Psychopharmaka noch in Trance. »Deuber und Bath, die Festungsknacker, Mann!« lallte er. »Goldräuber! Aber ohne Goldschatz Sabine läuft bei mir gar nichts, gar nichts, Mann!« Dann lächelte er versonnen und hielt Felgen neckisch den Zeigefinger entgegen.

Ken Custer traf den Libanesen mit dem ersten Schuß haargenau zwischen die Augen. Während der dunkelhäutige Körper zurücktaumelte, klaffte das schwarze Loch in seiner Stirn deutlich sichtbar – genau wie vor zwei Tagen in München im Kopf von Kriminalkommissar Wettländer. Für einen winzigen Augenblick empfand Custer grimmige Genugtuung.

Wolfgang hatte im Vorraum mit einem spöttischen Lächeln beobachtet, wie der Libanese die Tür zum Behandlungszimmer aufgewuchtet hatte und mit gezogener, in Augenhöhe angeschlagener Waffe in den Raum gesprungen war, bereit, den Feind mit dem ersten Schuß tödlich zu treffen. Wolfgang fand dieses nahkampfmäßige Macho-Gehabe lächerlich, denn nach seiner Meinung saß der Trottel von Messerli ... Sein Gedanke brach jäh ab. Betäubt blieb Wolfgang stehen, grapschte nach seiner Waffe, die er achtlos in die weite Jackentasche gesteckt hatte, wo sich die Kimme beim Herausnehmen im ausgefransten Futter verfing.

Custer, der sich hinter dem breiten Körper Messerlis in Stellung gebracht hatte, war auf das Verhalten gefaßt gewesen, mit dem der Libanese sein Schicksal besiegelte. Er selber hätte sich kaum anders bewegt, wäre er unerwartet auf den gefesselten Messerli im Behandlungsstuhl gestoßen, Wolfgang war danach leichtes Spiel. Custer feuerte ihm zweimal in die Brust, packte seine Waffe und rannte zur gelben Tür.

62

Marcel Dulliker humpelte über die Stufen des Hoteleingangs ins Freie und gelangte nach zwanzig Metern zum Polizeifahrzeug, das im Schutz des niedrigen Anbaus vor dem Schaufenster der Sportboutique parkte. Männer mit kugelsicheren Westen und Helmen schirmten den Kommandowagen ab, indem sie mit Maschinenpistolen im Anschlag das große Parkfeld vor dem Hotelpalast scharf im Auge behielten. Ein Leutnant öffnete die gepanzerte Tür und nahm den Umschlag aus der Hand des BUPO-Chefs entgegen, öffnete ihn und schaute auf die Bilder. Im Wageninneren jagten sich die abgehackten Funkgespräche, unterbrochen von Rauschen, statischem Knistern und kurzen, elektronischen Piepstönen. Der Leutnant winkte einen Wachtmeister heran: »Fotos der Gesuchten: Erich Felgen alias Franz Laskerny.« Er streckte ihm das Bündel hin. »Und dieser hier ist Martin Deuber! Verteilen Sie die Bilder an alle Posten!« Der Wachtmeister schaute kurz auf die Porträtaufnahmen, nickte und stapfte davon.

Dulliker hatte den Festungswachtkommandanten veranlaßt, mit seiner Truppe den Bunkerhügel und die Prizzi-Chalets zu umstellen. Die Polizeigrenadiere hatte er in die Umgebung des *Palace* abgezogen. Das Hotel war aber abgeriegelt, die Straße gesperrt, und unten im Dorf auf dem alten Viehschauplatz warteten die Anti-Terror-Spezialisten auf ihren Einsatzbefehl. Der angeforderte Hubschrauber war aus unverständlichen Gründen noch nicht eingetroffen. Drinnen im Hotel hatte der Sicherheitsdienst alle Hände voll zu tun, die aus ihren Betten aufgeschreckten Gäste zu beruhigen. Der Manager improvisierte im Baccarat-Saal zwar eine Filmdarbietung, doch die erregte, aus ihrem Luxus aufgescheuchte Klientel verschmähte den alten Bond-Streifen und drängte zu den Fenstern, um den Polizeiaufmarsch aus sicherer Distanz zu verfolgen. Zwischen den Polizisten nahmen sie gelegentlich auch zivil gekleidete Gestalten wahr, und selbsternannte Kenner unter den aufgeregten Hotelgästen behaupteten, es handele sich um Geheimdienstler, die als Skilehrer getarnt die Terroristen auskundschafteten.

Als Ken Custer die gelbe Verbindungstür öffnete und mit vorgehaltener Waffe auf den roten Pritschenwagen zulief, warf sich Erich Felgen auf den Fahrersitz, riß Bath an seine Seite, startete den Motor und raste mit Vollgas zum Tor. Custer zielte sorgfältig durch die Heckscheibe auf Felgen, doch Baths Kopf schwenkte in diesem Augenblick in das Schußfeld, dann blitzte die Scheibe im Licht der Neonleuchte auf. Geblendet senkte Custer die Waffe auf den breiten Reifen des rechten Hinterrades, drückte zweimal hintereinander ab, doch die Schüsse trafen ins Leere, der Wagen war bereits hinter der Säule in der Auffahrt verschwunden. Custer rannte zum schwarzen Mercedes, setzte sich hinter das Steuer, tastete vergeblich nach dem Zündschlüssel, durchwühlte hektisch das Handschuhfach, klappte die Sonnenblende herunter: kein Schlüssel! Da bemerkte er in der Ecke der Garage die Umrisse eines zugedeckten Autos. Er rannte hinüber und zerrte die graue Schutzplane von der roten Karosserie herunter.

Der Posten an der *Palace*-Straße hielt den langsam heranrollenden Range Rover auf, trat ans Seitenfenster, während sein Kollege mit der Waffe im Anschlag sicherte. Dulliker stand in der offenen Tür des Kommandowagens vor der Glasfront des Skishops und wies gerade über Funk den Festungswachtkommandanten an, Serenella Prizzi zur Einsatzzentrale im *Palace* zu eskortieren, als ein Helikopter wie aus dem Nichts heraus mit ohrenbetäubendem Lärm über den Platz knatterte, hochzog und über dem Lichterglanz der Hotelburg zwischen den vier zinnenbewehrten Türmen in der Luft kreiste. Da krachten die ersten Schüsse.

Später würden die nüchternen Ermittlungen ergeben, daß die Terroristen die Verwirrung, die von der halsbrecherisch über die Köpfe der Polizeigrenadiere donnernden Maschine gestiftet wurde, für den überraschenden Schlag ausnutzten. Aber im Augenblick herrschte völliges Chaos; die Ereignisse überstürzten sich.

Als der rote Pritschenwagen ins Blickfeld gekommen war, wurde der Sicherungsposten durch die Windschutzscheibe hindurch mit einer tödlichen Garbe niedergestreckt. Gleichzeitig hatte der Fahrer seine Waffe gezogen und dem kontrollierenden Polizisten aus nächster Nähe in den Hals geschossen.

Ein Blutschwall spritzte aus der aufgerissenen Schlagader, der Mann sank stumm zusammen, als sich die Männer aus dem Wagen warfen und hinter den halb geöffneten Türen ihre automatischen Gewehre anschlugen. Ein Feuerhagel prasselte plötzlich unter tosendem Lärm auf die Polizeimänner, die hinter Autos Zuflucht suchten, sich an die Wagen lehnten und aus allen Rohren zurückschossen.

Die Garben durchsiebten die Karosserien der Autos, die Fensterscheiben des Baccarat-Saals barsten, Querschläger zerschmetterten die Vitrinen mit der kostbaren Juwelenausstellung, während die Gäste, eben noch herablassend durch die Fenster schauend, nun auf dem Teppich lagen und panisch auf allen Vieren zum Ausgang krochen. Die Glaswand des Skishops fiel klirrend in sich zusammen, die Geschosse durchlöcherten Skier, Pelzstiefel und teure Fantasy-Jacken. Dulliker rettete sich mit einem Satz in den Kommandowagen, dessen Panzerscheiben dem Kugelhagel standhielten. Er stieß dabei den Arm in der Schlinge so heftig gegen das Funkgerät, daß ihm der Schmerz fast die Besinnung raubte. Sekundenlang war ihm schwarz vor Augen, und als er endlich wieder aus seinem geschützten Beobachtungsstandort nach vorne blickte, geschah das Unglaubliche: Der rote Pritschenwagen drehte plötzlich von der Straße ab, setzte rasant zurück und jagte auf die Böschung zu, die den Platz begrenzte. Schnee spritzte hoch, als der schwere Wagen über die schanzenartige Wölbung hinwegschoß, mit schlaff herabhängenden Rädern durch die Luft flog, im Schneewall vor den geparkten Limousinen hart aufsetzte und in einer stiebenden Wolke in die Reihe der geparkten Limousinen krachte. Die teuren Autos wurden ineinandergeschoben, zerschrammten, Metall kreischte. Fassungslos sah Dulliker, wie Glassplitter im Scheinwerferlicht durch die Luft wirbelten.

Bath hatte die Wucht des Aufpralls aus dem Beifahrersitz geschleudert. Erich Felgen rutschte geduckt über die Sitzbank und warf sich auf der anderen Seite neben den benommenen Bath in den Schnee, packte ihn hart am Arm und riß ihn hinter das Fahrzeug. Dabei feuerte er mit dem Sturmgewehr aus der Hüfte gegen die Stellungen der Polizei.

Erich Felgen hätte die ungefähr fünfzig Meter lange Strecke mit Bath im Schlepptau kaum geschafft, hätten seine Männer hinter dem Range Rover nicht ununterbrochen die Polizeikräfte mit Feuer eingedeckt. Aber selbst dann wäre die Flucht über den offenen Platz zum schützenden Lieferanteneingang hinter der Skiboutique ein heikles Unterfangen geblieben; denn der schwarze Behälter unter seinem Arm behinderte ihn, und an eine gezielte Schußabgabe war nicht zu denken, weil die Waffe dazu diente, einen apathischen Bath voranzutreiben. Doch Erich Felgen stand in den frühen Morgenstunden des 24. Dezembers sein legendäres Glück zur Seite: Plötzlich preschte ein roter offener Sportwagen über die Geländerippe, in die kurz zuvor der Pritschenwagen eine Bresche geschlagen hatte. Dulliker erkannte auf Anhieb Custer hinter dem Steuer, als die Corvette mit der Sommerbereifung nach rechts schleuderte, abhob und mit der Nase voran zwischen den arg zerbeulten Wracks durch die Gasse schlingerte und vorne in die steil abfallende Einfahrt der Hotelgarage tauchte. Einen Augenblick lang herrschte eine beklemmende Stille; kein einziger Schuß fiel mehr. Dann drang das Kreischen von Metall und das Klirren von Glas aus dem Untergrund, und das ohrenbetäubende Geknatter brach erneut los. Die Polizeigrenadiere rückten vor, und plötzlich erzitterte der Boden unter einer heftigen Explosion, als der Geländewagen der Terroristen explodierte und ein Flammenmeer gen Himmel züngelte.

Der Helikopter über dem zehnstöckigen Trutzbau des Hotels drehte ab, um der Druckwelle auszuweichen, während zwei von Felgens Männern auf der Straße liegenblieben. Die restlichen drei zogen sich durch den beißenden Qualm zurück und hetzten die Straße zum schützenden Unterholz hinunter. Als sie um die

Biegung kamen, rannten sie der anrückenden Polizeiverstärkung buchstäblich in die Arme. Die zwei vorderen Scharfschützen schossen zwei der Flüchtenden kurzerhand über den Haufen, während der Russe sich noch mit einem Hechtsprung über die Leitplanke werfen konnte. Doch seine Waffe gab nur ein erbärmliches »klick« von sich, als der Anführer der Anti-Terror-Gruppe mit einem gewaltigen Sprung neben ihm landete, ihm das Gewehr mit einem gezielten wuchtigen Fußtritt aus der Hand schlug und den Kopf an den Haaren nach oben riß. Dann setzte er dem nach der Pistole greifenden massigen Kerl das rasierklingenscharfe Kampfmesser an den Hals – und zog durch. Wie ein Sturzbach ergoß sich das hellrote Blut in den Schnee.

Ken Custer hatte die Corvette im Foyer des Untergeschosses vor entgeistert flüchtenden Zimmermädchen zum Stehen gebracht, die automatische Neunmillimeter von Wolfgang durchgeladen, die Pistole mit dem Schalldämpfer in den Hosenbund gesteckt und war zum Aufzug gerannt. Im Hotel herrschte Totenstille. Den Gästen war die Lust am Gaffen vergangen.

Serenella Prizzi verlangte gebieterisch, Ken Custer zu sprechen. Dulliker schüttelte den Kopf: »Sie bleiben hier!« Er gähnte in den Telefonhörer und wählte die Zentralstelle in Bern an. Er hatte seit vierundzwanzig Stunden nicht geschlafen. Sein Magen knurrte, sehnsüchtig starrte er auf die Kaffeetasse in der Hand des Managers, der hinter der zerbrochenen Eingangstür das heiße Getränk schlürfte. »Hören Sie, ich will eine permanente Flugraumüberwachung. Kein Flugzeug verläßt das Tal, ohne daß wir den Bestimmungsort und die Namen der Passagiere kennen. Prüfen Sie die Zulassung des Helikopters, verstanden? Moment noch!« Dulliker griff nach einem Zettel und las die Erkennungszeichen ab. »Und wo, zum Teufel, bleibt mein Helikopter? Sie sollen sofort den verdammten Hubschrauber schicken!« Er lauschte mißmutig und knallte den Hörer auf die Gabel. Darauf wies er den Wachtmeister an, die Frau in die Hotelhalle zu führen und sie nicht aus den Augen zu lassen. Serenella kochte vor Wut: »Ihr Pech, Dulliker. Die Bande wird Ihnen entwischen.« Sie zeigte mit der Hand zum Hotelpalast hinauf, wo die Nase des Hubschraubers knapp über den Turmzinnen zum Vorschein kam.

»Wir werden Deuber schnappen, verlassen Sie sich darauf!« Dulliker starrte auf die Uhr. Es war fast sechs Uhr morgens, das

Weiß der Berge tauchte schon langsam aus der Dunkelheit der Nacht wieder auf.

Custer stand vor dem Fahrstuhl und starrte durch den langen, mit Schaukästen aufgelockerten Korridor, während er den Daumen auf den Liftknopf drückte. Er hatte Felgens Plan längst durchschaut und wunderte sich, daß Dulliker seine Leute nicht auf dessen Fährte hetzte.

Der Flur lag verlassen vor ihm. Normalerweise kamen um diese Zeit die Frühstückskellner von den Bedienstetenwohnungen herüber. Der Fahrstuhl war offenbar irgendwo blockiert, Custer entschied sich, den Service-Aufzug zu benutzen. Als er um die Ecke in die kleine Halle bog, sah er Felgen mit Bath die Anlieferungsrampe hinunterrennen. Ken setzte nach und stieß am Fuß der Rampe die ausschwingende Tür auf. Er stand im Möbellager. Felgen eilte durch Gartenmöbel hindurch auf den Ausgang zu und drehte sich um. Custer duckte sich rechtzeitig, als Felgen feuerte. Das Geschoß zersplitterte einen goldgerahmten Wandspiegel. Grimmig zog Custer die Pistole und nahm die Verfolgung wieder auf. Im Lebensmittelmagazin gab Ken einen gezielten Schuß ab; ihm schien es, als sei Felgen leicht getaumelt. Doch dann waren die beiden hinter einem Regal mit Mehlsäcken verschwunden.

Als Custer keuchend den Service-Lift erreichte, schloß sich die Tür. Wütend stieß er mit dem Fuß dagegen. Ein Kellner aus dem Nachtclub, der sich für den Heimweg umgezogen hatte, starrte ihn verständnislos an. Custer packte ihn am Arm: »Gibt es einen zweiten Lift, der zum Dachgeschoß hinaufführt?« Der Kellner nickte und lief voraus. Custer bedankte sich beim verdutzten Kellner, drückte auf die zehnte Etage, und erst als sich die Lifttür langsam schloß, bemerkte er, daß er immer noch die Waffe schußbereit vor seiner Brust hielt.

Er atmete tief durch. Schweiß floß ihm über das Gesicht; die Ereignisse hatten ein wahnwitziges Tempo erreicht.

Die Erkenntnis, daß ein angesehener Professor aus der betulichen Schweiz die amerikanischen Neonazis unterstützte, hatte selbst Custer verblüfft. Die Geldmittel aus der *Novapharm*, die jetzt noch durch das heimliche Vermögen von Reichsführer Philipp Bouhler vermehrt werden sollten, und dies sogar per gerichtlichem Entscheid, versetzten die extreme Rechte der USA in die Lage, die modernsten und besten Waffen zu kaufen. Custer schwindelte bei dem Gedanken: Von den Prizzis die D- und E-Waffen für die Informationskriegsführung, aus anderen Quellen raffinierte Sprengsätze und letzten Endes die neuen, tragbaren Miniatomwaffen. Oklahoma geisterte vor Custers Augen. Philadelphia, die Tunnels in New York City. Mit Knochers Killer-Augenchips konnte der Profi Erich Felgen ein geheimes, tödliches Kommando aufbauen, gegen das das FBI machtlos sein würde. Custer rief sich die Konferenz im Weißen Haus ins Gedächtnis. Die Bedrohung der nationalen Sicherheit hatte der Präsident im Verrat von *COAST* und dem Leck in Spanien erblickt. Doch die gewaltige finanzielle Aufrüstung der Neonazibewegungen der zweiten Generation in den USA ließ COAST bis zur Bedeutungslosigkeit verblassen ...

Der Lift stoppte abrupt, die Tür glitt zur Seite. Der finstere, kalte Raum vor ihm erzitterte unter den dröhnenden Rotoren des Helikopters. Custer suchte krampfhaft einen Ausgang und entdeckte die eiserne Feuerleiter, die zu einer Klappe in der Decke führte. Seine Hände faßten in die Sprossen; rasch zog er sich hoch und stemmte sich mit den Schultern gegen den schweren Deckel. Der Lärm schwoll an, ein Luftstoß wirbelte Schnee herunter. Wenig später stand Custer draußen und klammerte sich an die brusthohe Backsteinmauer, die die Dachluke abschirmte. Die Rotoren peitschten ihm Schnee und Eiskörner ins Gesicht. Mit zugekniffenen Augen spähte er über die Mauer und sah, wie Erich Felgen von kräftigen Armen an Bord gehievt wurde. Dann schloß sich die Tür. Hinter der Scheibe hob Erich Felgen die Hand lächelnd zum Gruß. Custer riß die Pistole hoch und zielte auf den Benzintank hinter der Turbine des Hubschraubers. Dann ließ er den Arm entmutigt fallen. »Bath, Bath!« schrie er aus Leibeskräften in den Lärm. »Zeig's den Bastarden. Verstehst du? Gebrauch deine Wunderaugen. Gib es ihnen!« Seine Stimme ging im Lärm unter. Der Hubschrauber drehte ab und flog in den dämmernden Morgen hinaus.

Als Custer fünf Minuten später wütend in der Hotelhalle nach Dulliker Ausschau hielt, kam der große Bergler mit funkelnden Augen und wirrem Haarschopf auf ihn zu. Custer erkannte den Kellner von der »Soirée spectacle«. Eine Schramme zog sich über seine Stirn, die sich in Falten legte, als er Custer den Weg versperrte und flüsterte: »Kommen Sie mit mir!«

»Wer sind Sie?«

»Res Stirny.«

»Die feinen Leute im Schnee?«

»Ja, *Rolands Kiosk*. Wir arbeiten für die Amerikaner. Los, hier geht's lang!«

In diesem Augenblick stürmte Stefanie Kramer in die Hotelhalle und rannte auf die beiden Männer zu. »Ken, ist alles in Ordnung?« keuchte sie. Stirny drängte Custer den Flur entlang, und Stefanie lief atemlos hinterher.

»Ken, wer ist dieser Typ?« Sie zeigte auf Res Stirny.

»Stirny ist in Ordnung, Stefanie. Und nun hör mal gut zu, meine Liebe. Dulliker interessiert sich überhaupt nicht für Erich Felgen. Er ist uns entwischt. Dafür jagt die Polizei hinter dem entwichenen Knastbruder her und will sich die Bunkerknacker schnappen.«

Sie schritten eilig die Anlieferungsrampe hinunter und bogen dann in die Küche ein, wo es verführerisch nach starkem Kaffee duftete.

»Ich sage dir, Felgen hat den Professor jahrelang mit dem Mord an Heinz Bouhler erpreßt. Die *Novapharm* zahlte seit langem an die rassistischen Nazibewegungen in den USA.« Sie hasteten am Rand des Pools entlang.

»Und der Prizzi-Clan? Ich weigere mich zu glauben, daß sie alle Unschuldslämmer sind«, stieß Stefanie hervor, als sie zur Service-Tür gelangten, die in den Filterraum des Schwimmbads führte.

»Der alte Prizzi, der Sizilianer«, überschrie Ken den Lärm der Pumpen, »hat den Professor auch erpreßt, aber aus rein geschäftlichen Motiven. Die Prizzi ließen Knochers Leute in Spanien die Drecksarbeit machen, verstehst du?«

Stefanie schüttelte den Kopf. »Ich verstehe gar nichts!« Ken deutete mit der Hand auf den Kopf. »Bück dich!« Zusammengekrümmt wanden sie sich unter den Leitungssträngen zur Eisentür durch, wo Stirny stehenblieb und einen Schlüssel hervorzog. »Erinnerst du dich noch an das Tagebuch? Schön! Der Sizilianer wußte doch die ganze Zeit um die Familiengeschichte des Philipp Bouhler. Er konnte dem Professor den Mord an Heinz wenn schon nicht nachweisen, so doch mit der Enthüllung des Verbrechens am Fluchtgefährten drohen, was das klägliche Ende von Professor Knocher bedeutet hätte. Verstehst du jetzt? Auch die

Geldquellen für die ehrgeizige Forschung wären versiegt. Der Professor war dem Clan auf Gedeih und Verderb ausgeliefert. Er fraß dem Sizilianer notgedrungen aus der Hand, als es darum ging, die Geheimdaten von COAST zu beschaffen. Knocher blieb nichts anderes übrig, als schön zu gehorchen. Carlo Prizzi, der kluge Taktiker, hat ihn nach vorne ins Minenfeld geschickt, allerdings mit der Chance eines schönen Nebengewinns.«

»Und Martin Deuber, der Hacker?« fragte Stefanie, als Stirny die Eisentür aufstieß. Die verrosteten Scharniere quietschten gräßlich, und Stefanie hielt sich die Ohren zu.

»Los, strengt euch an. Wir müssen abhauen«, mahnte Stirny. »Ich vermute, Deuber drang für Felgen in den Computer der Schweizerischen Zentralbank ein, um das Nazivermögen des alten Bouhler zu transferieren – an den *Weißen Stolz Weltweit* oder wie diese verdammte Rassenbewegung heißt.«

»Und die Polizei interessierte sich nur für den Einbruch in den Bunker der Nationalbank«, begriff Stefanie.

Ein schmaler, in den Schnee getretener Pfad führte in dichtes Tannenholz. Stirny lief voraus und winkte, als er die Fichtengruppe erreichte.

»Natürlich. Gold der Schweizerischen Nationalbank klaut man nicht. Das weiß jeder. Darauf steht die Todesstrafe! Die Knocher-Story dagegen ist voller Fußangeln und politisch zu brisant. Also läßt man besser die Finger davon«, sagte Ken und rannte los.

Als er hinter Stefanie in das Unterholz eindrang, drehte er sich noch einmal um und blickte zurück; ein klarer Himmel versprach einen sonnigen Weihnachtstag. Sie hatten das Hotel durch den Anbau an der Rückseite verlassen. Hinter dem Eisfeld bemerkte Custer den Rücken eines patrouillierenden Polizisten. Stirny drängte. Der schmale Schneepfad führte im Zickzack an Chalets vorbei zu einem kleinen Bergbauernhaus, wo im Schutz des ausladenden Vordachs einer der neuartigen Geländewagen zur Abfahrt bereitstand. Zwei Männer traten aus dem Schatten. Überrascht blickten sie auf die attraktive, bekannte Journalistin, besprachen sich dann leise mit Stirny, verglichen die Uhrzeit, nickten und kehrten auf ihre Posten zurück.

Der häßliche, schwarze Wagen holperte den steilen Weg hinunter auf die Hauptstraße und beschleunigte.

»Wohin fahren wir?« fragte Ken.

»Zum Flugplatz«, antwortete Res Stirny und blickte wachsam geradeaus.

63

Sie saßen einander im dunkel getäfelten Zimmer gegenüber, die Turmuhr vom nahen St. Peter hatte gerade siebenmal geschlagen, und Bankpräsident Luginbühl goß sorgfältig Cognac in die Schwenker auf dem Eichentisch.

Im Gebäude der Bankunion an der Zürcher Bahnhofstraße begann ein neuer Arbeitstag.

»Auf dein Wohl, Gustav!« sagte Präsident Luginbühl und hob sein Glas.

»So früh am Morgen?« Der alte Mann runzelte die Stirn.

»Du kannst einen gebrauchen«, antwortete Luginbühl und holte vom Schreibtisch ein Dossier. Staubteilchen wirbelten empor und schwirrten in den grellen Lichtstrahlen der Tischlampe wie ein Mückenschwarm.

Gustav Senquist saß aufrecht im Ledersessel und reckte entschlossen das Kinn hoch. Ein dunkelgrauer, tadellos sitzender Anzug hielt seine gebrechliche Figur zusammen, ein Siegelring glänzte an der Hand, die zitternd nach dem Glas griff. Mit hoher Stimme fragte er: »Worum geht es denn, Martin?«

Der um Jahre jüngere, blonde Bankpräsident setzte das Glas ab und schaute mit wässrigem Blick auf seinen Gast, den er aus dringendem Anlaß in die Bank hatte rufen lassen. Martin Luginbühl galt als kühler Rechner und Hohepriester der Rendite. Spiegelte sich nicht das Dollarzeichen in seinen Pupillen? überlegte sein Gegenüber für einen kurzen Augenblick.

»Es geht um den Enzian-Trust.« Luginbühls Gesicht zeigte nicht die Spur einer Regung.

Senquist spürte den vertrauten Schmerz in der Brust aufflakkern. Seine Fäuste ballten sich um den Spazierstock, daß die Knöchel weiß anliefen.

»Der Enzian-Trust ist ein großes Portefeuille«, sagte er vorsichtig. »Eines der größten.« Zwei Falten zogen die Mundwinkel hart nach unten.

Martin Luginbühl lehnte sich zurück. »Du hast große Verdienste um die Bank«, sagte er, und die Kälte in den blauen Augen zerfloß zu einem Meer von Charme. »Du hattest immer eine gute Nase – und die Hartnäckigkeit, etwas durchzuboxen.«

Senquist rückte unbehaglich nach vorne. Bärbeißig preßte er die Lippen zusammen. Nach einer Weile sagte er: »Der Enzian-Trust entstand aus dem Bouhler-Vermögen. Philipp Bouhler war Hitlers heimliche rechte Hand. Eine mysteriöse Gestalt. Man sprach nie viel über ihn. Auch nach dem Krieg nicht. Er stand Göring, dem Luftwaffenchef, sehr nahe.«

»Was geschah bei Kriegsende?« fragte Luginbühl mit eisigem Blick.

»Bouhler hat sich in alliierter Gefangenschaft umgebracht.«

»Ich meine, was mit dem Vermögen geschehen ist«, sagte Luginbühl.

Senquist griff zum Glas und rührte es zu den dürren Lippen. Seine Stimme zitterte, als er zu berichten anfing: Philipp Bouhler hatte während des Krieges ein stattliches Vermögen angehäuft. Gold, amerikanische Schatzanweisungen in US-Dollar, ein paar Schweizer Titel, kurz und gut, rund etwa 16 Millionen Dollar Gesamtwert. 1944, vermutlich nach der Landung der Alliierten in der Normandie, erhielt die Bank eine Vollmachtsurkunde zugunsten eines Amerikaners.

In der Bank entspann sich eine Diskussion, ob Bouhler, über den nicht viel in Erfahrung zu bringen war, als NS-Kriegsverbrecher galt. Man ließ die Frage unbeantwortet, während das Vermögen stetig zunahm.

»Wie hieß der bevollmächtigte Amerikaner?« fragte Luginbühl wie nebenbei und zündete sich eine Zigarette an.

»Ach, ein gängiger Name.« Senquist blickte angestrengt auf ein abstraktes Gemälde. »Metzger, richtig, so hieß er!« Die beiden schwiegen, jeder in seinen Gedanken verfangen ...

Im Sommer 1969, kurz nach der ersten Mondlandung, hatte Direktor Senquist den Amerikaner Wilhelm Metzger in Zürich empfangen. Die Bank prüfte danach seine Identität mit aller erdenklichen Sorgfalt und untersuchte, ob die aus dem Jahre 1944 stammende Bevollmächtigung durch Philipp Bouhler noch Gültigkeit besaß. In der Tat gab es an der Vollmachtsurkunde nichts zu rütteln. Man hatte mit dem Kontobesitzer Bouhler vereinbart, daß die Vollmacht zugunsten von Wilhelm

(Bill) Metzger auch nach dem Tod von Philipp Bouhler nicht erlöschen dürfe. Eine solche Abmachung war im Gesetz ausdrücklich verankert und hielt jeder Anfechtung stand.

Metzger hatte die Bankunion dann beauftragt, das Vermögen in einen liechtensteinischen Trust mit dem lieblichen Namen *Enzian* einzubringen. Wie er nachwies, sollte nach dem letzten Willen Philipp Bouhlers der Trust bis ins Jahr 1985 unangetastet bleiben, dann für den »Wiederaufbau der deutschen Idee« verwendet werden.

Senquist gelang es, sich und einen Liechtensteiner als Verwalter des *Enzian*-Trusts einzusetzen. In dieser Eigenschaft fiel ihnen die Verantwortung zu, das Vermögen dereinst im Sinne der Trust-Satzungen zu verwenden.

Ein paar Jahre später verstarb – wie seinem Alter entsprechend zu erwarten – der Liechtensteiner, und Senquist ließ einen Nachfolger einsetzen, der die Vorgeschichte nicht kannte und sich in der Folge ganz nach seinen Anweisungen verhielt. Da Senquist als Treuhänder des *Enzian*-Trusts die Befugnis besaß, über das Trustvermögen zu verfügen, stieß er nie auf Widerspruch, wenn er kleinere Summen an Personen überweisen ließ, die in den Satzungen nicht erwähnt waren.

Senquist rechtfertigte dieses Vorgehen vor seinem Gewissen mit der Generalklausel in der Trust-Urkunde, wonach der Trustee auch befugt war, Geld für gemeinnützige Zweck im Sinne der Zielsetzung des Enzian-Trusts zu verwenden.

Spendengelder flossen auf diese Weise an Hilfsorganisationen für Flüchtlinge, an Forschungsstellen, sogar an jüdische Organisationen, aber auch an undurchsichtige Adressen, hinter denen sich vermutlich Senquist selber verbarg.

Im ganzen betrachtet machten diese Vergütungen freilich nur einen Bruchteil der jährlichen Erträge aus. Das Guthaben des *Enzian-Trusts* wuchs beständig, so daß kein Grund bestand, die Vermögensverwaltung kritisch zu durchleuchten.

Metzger verstarb nach einer chaotischen Anti-Vietnamkriegsdemonstration 1972 an den Folgen innerer Verletzungen, und Senquist faßte ein Jahr später den kühnen Entschluß, das Riesenvermögen im geheimen unter seine ganz persönlichen Fittiche zu nehmen. Drei Tote, Philipp Bouhler, der Liechtensteiner und Bill Metzger, lagen auf dem Weg in die schwindelerregende Höhe von Macht durch unbeschränkten Reichtum. Hatte das Schicksal nicht Gustav Senquist auserkoren, den Nachlaß des NS-Kriegsverbrechers Bouhler einem guten Zweck zuzuführen? War ihm der Enzian-Trust nicht durch höhere Fügung als herrenloses Gut in den Schoß gefallen? Nächtelang stand Senquist einem erdachten Ankläger feurig Rede und Antwort. Seine Ausflüchte auf angenommene Einwände untermauerte er qualvoll mit selbst gezimmerten, moralischen Argumenten, eine böse Fehlentwicklung der Geschichte zum Guten wenden zu müssen, bis er sich schließlich an die pragmatische Rechtfertigung klammerte, daß ihm die Pflicht oblag, das Vermögen weiter zu mehren, bis dereinst einmal die Anspruchsberechtigung einwandfrei feststünde. Im Innersten liebäugelte er allerdings mit dem Gedanken, daß Gras über die Geschichte wachsen würde, so daß er an einem fernen Tag den *Enzian-Trust* als sein wohlverdientes Eigentum bezeichnen könnte.

Gustav Senquist hatte das schöne Guthaben immer persönlich betreut und wich von dieser Gewohnheit auch nicht ab, als er zum Generaldirektor und später zum Bankpräsidenten ernannt wurde. Kurz vor dem Schritt in den Ruhestand ließ Senquist den *Enzian*-Trust nach einer läuternden Gewissensforschung in den Gewahrsam der Nationalbank übergehen, nachdem eine Sammelstelle für die nun als *nachrichtenlos* bezeichneten Vermögen eingerichtet worden war.

Gustav Senquist bewies der Nationalbank in einer ausführlichen, bis auf 1944 zurückgehenden Dokumentation, daß keine Begünstigten mehr lebten und erst 1985 entschieden werden müsse, wie das Vermögen dann zu verwenden sei.

Bodmer von der Nationalbank, den Senquist vor Jahren auf seinen Posten gehievt hatte, ließ ausrichten, die Akten blieben einstweilen unangetastet. In den nächsten zehn Jahren werde das Vermögen mit absoluter Sicherheit als *nachrichtenlos* registriert bleiben, bis es vermutlich eines Tages in die Staatskasse falle. Im übrigen wies er Senquist an, die Anlagen des Trusts zu versilbern und die daraus resultierenden Frankenguthaben auf einem Sonderkonto der Nationalbank anzulegen.

Ende 1988 stellte ein John Metzger aus dem Bundesstaat Nebraska in einem wirren Brief enorme Ansprüche an die Schweizer Bankunion. Die Zeit sei gekommen, schrieb er, das *Enzian*-Vermögen im Sinne der Anordnung der Gründerväter zu verwenden. Die Bank antwortete mit einem kurzen, abschlägigen

Brief, ein Konto auf den Namen oder die Nummer von Metzger oder *Enzian* bestehe nicht.

Ein zweites Schreiben aus Nebraska, das grobe Unflätigkeiten enthielt und am Schluß ausdrücklich den Enzian-Trust und einen »impotenten« Direktor Sunkist erwähnte, ließ die Bank unbeantwortet. Als mildernder Umstand mochte gelten, daß eine jüngere Generation nachgerückt war und der neue Vizedirektor auf seine interne Umfrage keinen Hinweis auf einen *Enzian-Trust* erhalten hatte und deshalb eine vertiefende Untersuchung unterließ.

»Dieser John Metzger aus Nebraska gehörte zur Neonazi-Szene in den USA«, sagte Luginbühl ruhig und beobachtete den blauen Rauch seiner Virginia.

Senquist scharrte mit seinen schwarzen Lackschuhen. »Gut, daß er tot ist. Diese Brut hält Amerika mit Terroranschlägen in Atem.«

Martin Luginbühl starrte ihn an.

»Oder stimmt etwas nicht?« fragte Senquist alarmiert.

»Metzgers Erben haben uns auf Herausgabe des Vermögens verklagt.«

Das ledrige Antlitz von Senquist zerfiel zu einer häßlichen Maske. Der alte Mann war auf seinem Stuhl zusammengesunken.

»Die Richterin am Gericht von Kings County in New York hat uns zu einer Zahlung von 589 Millionen Dollar verurteilt. Gleichzeitig verfügte sie die Blockade unserer Guthaben in den USA.« Martin Luginbühl zerdrückte die Zigarette, zermalmte sie grimmig mit dem Daumen und stand auf.

Gustav Senquist flehte mit den Augen wie ein Hund, der die Peitsche witterte. »Das ist Unsinn ...«, stammelte er.

»Metzgers Anwälte haben die Vollmachtsurkunde aus dem Jahre 1944 vorgelegt«, meinte Luginbühl.

Es entstand eine unbehagliche Pause, in der Gustav Senquist seinen Blick von einem Stuhl zum nächsten wandern ließ. Luginbühl schritt das Zimmer ab, die Hände auf dem Rücken. »Außerdem trumpften sie mit zwei Beweisstücken auf ...« Er drehte sich auf den Absätzen um und wies auf Senquist, der hastig den Rest des Cognacs hinunterkippte, mit dem Zeigefinger der ausgestreckten Hand. »... einem Brief aus dem Jahre 1959, in dem unsere Bank die Existenz der Vollmacht bestätigt hatte, und einem zweiten Schreiben; ebenfalls von unserem löblichen Institut, datiert vom Juni 1996, wonach wir die Existenz einer Vollmacht und irgendwelcher Vermögenswerte glattweg abstreiten.«

Senquist stützte sich auf den Spazierstock und stand mit einem Ruck auf. Er hielt sich wie ein alter Soldat aufrecht und sagte mit geröteten Wangen: »Wir haben das Vermögen in eine sichere Rechtsform gebracht. Kein Mensch hat es angetastet. Im Gegenteil, wir haben es in all den Jahren gewaltig vermehrt.« Er schöpfte Atem, während Luginbühl ein Buch aus dem Regal zog und sich lässig gegen die Wand lehnte. Mit geringschätzigem Lächeln las er den Titel: »The Fine Art of Banking« und legte den Band nachdenklich zurück. »Wenn diese Nazibrut ihren Anspruch beweisen kann, dann ...« Senquist fuchtelte mit dem Spazierstock. »Das ist doch Schrott aus der Vergangenheit. Wir haben damals im Aktivdienst 1939 bis 1945 an der Grenze ...«

»Setz dich, Gustav!« befahl Luginbühl mit eisiger Stimme und drängte den greisen ehemaligen Bankpräsidenten mit blitzenden Augen in den Sessel zurück.

»Das Vermögen des Enzian-Trusts ist verschwunden«, sagte Luginbühl leise und verschränkte die Arme. »Bis auf den letzten Franken.«

Wieder dieser nagende Schmerz in der Brust. »Das ist unmöglich.« Senquist starrte Luginbühl an und schüttelte den Kopf.

»Seit gestern nacht«, informierte Luginbühl. »Besser gesagt, seit heute morgen sind die Kröten auf und davon. Jemand hat einen Überweisungsauftrag erteilt und das Konto geleert. Soviel wissen wir von der Clearingstelle.«

Senquist hustete, stammelte Unverständliches, klaubte in der Westentasche nach den Pillen.

Wie zu sich selber sprach Luginbühl weiter: »Die Nationalbank war nicht in der Lage, die Transaktion zu rekonstruieren. Weder die Person, die das Geld transferiert hat, noch die empfangende Stelle sind bekannt, weil der Täter gleichzeitig die Daten der Transaktion vernichtet hat. Das Vorgehen deutet auf einen hochqualifizierten Spezialisten, dem der Datenzugriff in das gesicherte Operationszentrum der Schweizerischen Nationalbank gelang.«

Ein heimlicher Groll fraß an Luginbühl. Seit zwei Jahren rannte er mit seinen Vorschlägen nach erhöhter Sicherheit gegen eine Mauer. Nach seiner These befand sich das gesamte Bankensystem in einem höchst verletzlichen Zustand. Die Systemverantwortlichen hatten zunächst seine Vorschläge milde belächelt, schließlich aber mit Hilfe der Lieferanten ein Sicherheitskonzept vorgelegt, das die Netze mit einem *Torwächter* schützen sollte. Luginbühl wußte indessen, daß seinen Freunden am *MIT* in Boston selbst nach Installation des unfehlbaren *Torwächters* der Einstieg in die Bankunion-Computer gelang. Die pfiffigen Guys hatten ihm nämlich 75 Dollar vom Konto abgebucht, um einen Strafzettel zu bezahlen, den er mit ihrem ausgeliehenen Wagen am Harvard Square verschuldet hatte.

Der *Enzian-Fall* hatte nun seine schlimmsten Befürchtungen übertroffen. Die Systeme waren so anfällig wie eine Sperrholzwand im Auge des Taifuns. Nur der Informatikchef glaubte noch an den Storch, hielt Paßwörter und Gatekeeper für sicher.

Und der schöne blaue *Enzian* von Gustav Senquist kostete die Aktionäre der Bankunion nun 589 Millionen Dollar! Das erste Licht der schwachen Morgensonne fiel durch die Fenster. Senquist war in sich zusammengesunken. Aber plötzlich richtete sich sein Körper ruckartig auf. Luginbühl sprang erschrokken auf ihn zu.

Senquist umklammerte den Spazierstock, die Augen öffneten sich weit, der Kopf fiel mit einem Ruck rückwärts gegen die Stuhllehne, der Kiefer klappte auf. Gustav Senquist regte sich nicht mehr.

Er hätte wohl mit genüßlichem Schmunzeln das nun folgende Spektakel verfolgt. Luginbühl starrte zunächst mit offenem Mund auf den Toten, wich ängstlich zurück, stolperte, wankte zum Telefon, lief kopflos aus dem Raum und brüllte in den Flur hinaus nach Hilfe. Der kühle Bankier geriet völlig aus der Fassung. Die »Fine Art of Banking« rechnete nicht mit Leichen auf der Direktionsetage.

64

Deine kleine Schlampe sitzt dort in dem weißen Vogel«, sagte Erich Felgen und zeigte auf die Maschine vor dem grauen, verwitterten Gebäude. »Sobald wir landen, steigst du in den Jet um! Dann machst du haargenau, was man dir sagt, sonst kriegt dein Mädchen Scherereien!« Felgen hielt den schwarzen Behälter auf seinen Knien fest und suchte die Umgebung sorgfältig mit den Augen ab, als der Hubschrauber über dem Hangar kreiste.

Die drei orangefarbenen Lastwagen brummten zum zweitenmal an den kleinen Flugplatzgebäuden vorbei die lange, nach Südwesten ausgerichtete Piste hinunter. Vorne an den Stoßstangen hingen die roten Schneefräsen, die eine Schneise in die fünfzig Zentimeter hohe Schneeschicht fraßen.

Vor dem Aufnahmegebäude neben dem Hangar für Sportflugzeuge parkte die weiße, elegante Gulfstream V des Sizilianers. Die kurze Rollbahn zur Piste war bereits vom Schnee gesäubert. Die Bugtür des zweimotorigen Jets stand offen, und auf dem obersten Tritt der ausgeschwenkten Treppe beobachtete ein Mann in einer braunen Pelzjacke und Sonnenbrille den herumkurvenden Hubschrauber.

»Die Hauptstraße abfliegen«, befahl Erich Felgen; der Pilot nickte, brachte den Hubschrauber über den Bahngleisen in eine Kurve und folgte der mit Pappeln gesäumten Straße. Die drei Lastwagen wendeten, während der Hubschrauber den Weiler am Pistenende überflog, zum breiten, schwarzen Saane-Fluß hinunterstach, über der Brücke hochzog und zum Flugplatzgebäude zurückbrauste.

»Alles in Ordnung, wir landen«, sagte Erich Felgen. Kampf bedeutete für ihn eine hochgradig dynamische Aktion, wo es darum ging, stets allen Eventualitäten Rechnung zu tragen und die Initiative zu behalten.

Er hatte die Möglichkeit, im Hubschrauber aus dem Tal zu entkommen, sorgfältig erwogen, dann verworfen. Sicher rechnete Custer mit genau diesem Plan, und die Polizei hatte mit größter Wahrscheinlichkeit bereits eine strenge Luftraumüberwachung angeordnet. Andererseits hatte der Sizilianer seine Maschine für den frühen Vormittag bereitstellen lassen, und es war damit zu rechnen, daß Serenella seinen Plan, den Jet zu klauen, durchschaut hatte. Aber das kleine Flugfeld bot im Licht des anbrechenden Tages ein friedliches Bild. Die Überraschung dürfte gelingen.

Erich Felgen prüfte die Uhrzeit am schwarzen Instrumentenbrett: Sieben Uhr und fünf Minuten zeigten die grün schimmernden Zeiger an. Wenn sie um halb acht starten konnten, überlegte Felgen, sollte eigentlich nichts mehr schiefgehen. Der Flug war zwar für einen späteren Zeitpunkt angemeldet worden, doch die Schneeräumungsmannschaft hatte gute Arbeit geleistet. Die Piste war praktisch offen, und ein Blick auf die Tankstelle überzeugte Felgen, daß die Betankung des Flugzeugs abgeschlossen war. Aber der Skeptiker Felgen machte sich trotzdem auf einen Zwischenfall gefaßt. Im Grunde seines Herzens wünschte er sich geradezu eine Situation, wo er seine Fähigkeiten unter Beweis stellen konnte. Und sollte Ken Custer auftauchen, was er geradezu ersehnte, würde er mit Vergnügen dem Kerl zum Abschied eine blutige Lektion erteilen.

Der Hubschrauber setzte neben der Tankstelle, ungefähr fünfzig Meter vom Bug des Jets entfernt, auf. Schnee wirbelte hoch und überpuderte den Tanklaster, der neben der Zapfstelle stand.

Felgen streifte seine Wetterjacke über und löste den Dreipunktgurt. »Los, gehen wir«, brummte er und umklammerte mit der linken Hand den Griff des Behälters, während das kräftige Klopfen des Rotors verebbte und die gedrosselten Turbinen mit einem hellen Summen ausklangen. Bath, der langsam aus seinem Rausch erwachte, blinzelte zum großen Jet hinüber und machte sich zum Aussteigen bereit.

Als sich der weiße Vorhang des aufgewirbelten Schnees legte, hatten die Schneeräumungsfahrzeuge die halbe Strecke zurückgelegt und näherten sich den geparkten Flugzeugen.

Die Zwillinge, ehemalige Vopos, die an der Berliner Mauer den Todesstreifen überwacht hatten, dann vor der Wende zu Felgens Spezialtruppe eingeteilt worden waren, standen in diesem Augenblick vor dem langen Tisch am Fenster des Flugleitungsbüros und beobachteten angespannt, wie sich die Tür des Hubschraubers öffnete und Felgen hinauskletterte. Zwischen ihnen hockte reglos der Flugplatzangestellte und starrte auf die neben dem Telefon liegende Eierhandgranate.

Die Zwillinge waren kaum zu unterscheiden: das gleiche schwarz gekräuselte Haar über buschigen Augenbrauen, der gleiche dünne Lippenbart unter breiten Nasenflügeln; einzig die Körpergröße bot ein klares Unterscheidungsmerkmal, weshalb im Team immer nur vom Langen und vom Kurzen die Rede war.

Als die Schneefräsen noch ungefähr hundertfünfzig Meter vom Parkfeld entfernt waren, steckte der Lange die Uzi-Maschinenpistole unter seine dunkelgrüne Skijacke. »Ich geh' und schaue mal nach. Du bleibst hier!« befahl er dem Kurzen.

Felgen betrat die Piste und winkte Bath ungeduldig zu sich. Der Kerl auf der Bugtreppe des Jets hatte sich erhoben und gab Felgen mit dem emporgestreckten Daumen das »OK«-Zeichen.

In diesem Augenblick fuhr der Streifenwagen der Polizei auf die Rollbahn. Felgen erstarrte. Seine Hand fuhr in die Tasche der dunkelblauen Allwetterjacke und fühlte den Griff der Pistole.

Die Streife war in aller Herrgottsfrühe zu einem Lawinenunfall auf der anderen Seite des Flusses gerufen worden. Ein junger Bauer, Familienvater mit drei Kindern, war mit seinem Wagen in die Lawine geraten und in den Abgrund geschleudert worden. Niedergeschlagen hatten sich die Polizisten nach Einleitung der Bergungsaktion und erfolgter Tatbestandsaufnahme auf den Heimweg gemacht, als sie den Hubschrauber auf der Piste niedergehen sahen.

»Der Rettungsheli«, sagte der junge Polizist am Steuer.

Der Ältere schüttelte den Kopf. »Sieht nicht nach der Rettungsflugwacht aus. Aber da war doch eine Funkmeldung. Komm, wenn wir schon da sind, schauen wir uns die Maschine mal an!«

»Verbrenn dir die Finger nicht an feinen Leuten«, warnte der jüngere und blieb hinter dem Steuer sitzen, während sein Kollege aus dem Beifahrersitz stieg und entschlossen auf den Hubschrauber zuschritt. In einer Entfernung von zwanzig Metern wartete er, bis die Rotoren vollständig ausgelaufen waren. Felgen ging auf ihn zu, grüßte höflich und informierte den Beamten über den bevorstehenden Abflug des großen Jets.

Ken Custer bat Res Stirny anzuhalten, als sie den Bahnübergang passiert hatten.

»Du bleibst hier, Stefanie, und versuchst, mit dem Funkgerät die Polizei heranzulotsen.«

»Ich komme mit, Ken«, widersprach die Journalistin auf dem Beifahrersitz.

»Kommt überhaupt nicht in Frage. Wir schnappen uns Felgen, und du hängst dich an das Telefon. Okay?«

Die Männer stiegen aus und rannten auf die Hinterseite des Aufnahmegebäudes zu, während sich Stefanie hinters Steuer setzte. Sie startete den Motor, drückte den Fuß fest auf das Bremspedal und beobachtete, wie sich Stirny vorsichtig von hinten an das Gebäude heranschlich.

Der spähte vorsichtig durch das kleine Türfenster in den Raum, dann lief er zu Custer zurück. Die beiden Männer berieten sich kurz. Darauf schritt Res Stirny um die Ecke und ging gemächlich von vorne auf das Büro des Flugleiters zu.

»Keine falsche Bewegung, sonst wirst du umgenietet«, warnte der Kurze und preßte dem Flugleiter die Pistole in den Rücken.

»Salü, wir haben ein Paket für die Gulfstream«, sagte Stirny, als er schwungvoll eintrat. »Wo sollen wir es hinlegen?«

Der Kurze zeigte zum Jet hinüber: »Legen Sie es unter die Bugtreppe, okay?«

»Alles in Ordnung?« fragte Stirny den Flugleiter, der mit Schweißperlen auf der Stirn heftig nickte: »Alles in Ordnung!«

»Na, dann los!« rief Stirny. In diesem Augenblick krachte die hintere Holztür aus dem Rahmen. Ehe sich der Kurze versah, stand Custer neben ihm und schleuderte dem völlig Verblüfften seine rechte Faust auf die Kinnspitze. Stirny zog nach, indem er dem Taumelnden den Pistolenknauf auf den Hinterkopf schmetterte. Sie fesselten den Bewußtlosen mit einem Kälberstrick und ließen ihn neben dem alten Holzofen auf dem Fußboden liegen.

»Was genau ist passiert, Fritz?« keuchte Res Stirny.

Er habe auf Wunsch von Raffaelo Prizzi heute um fünf Uhr in der Früh den Dienst angetreten, um die Schneeräumung zu überwachen, damit der Jet am Vormittag planmäßig abheben könne, berichtete Fritz atemlos. Im Schein der Taschenlampe habe er die aufgebrochene Tür bemerkt, sie aufgestoßen, den Raum abgeleuchtet, dann sei er eingetreten. In diesem Augenblick seien die vermummten Gestalten in das Flugleitungsbüro gestürmt und hätten ihn überwältigt. »Neben dem langen Kerl dort draußen müssen noch zwei Typen in der Maschine sitzen.«

»Die Piloten?« fragte Custer.

»Die beiden Engländer sind kurz nach mir eingetroffen. Die Saubande hat sie überwältigt und ins Cockpit gezwungen.« Ken Custer blickte durch das Fenster zum Hubschrauber hinüber. Der Polizist diskutierte gebärdenreich mit Felgen, der wiederholt mit der freien Hand auf den schwarzen Behälter, dann zum großen Jet zeigte.

»Es handelt sich um wissenschaftliches Material«, versuchte Felgen dem Polizisten beizubringen, während Bath mit seinen wild rollenden Augen wenig dazu beitrug, das Vertrauen des Beamten zu gewinnen.

»Transplantate, Sie wissen wohl, daß davon Menschenleben abhängen«, erklärte Felgen bestimmt, als der Polizist darauf beharrte, den Behälter zu inspizieren. Er dachte in diesem Moment an den verunglückten Bauer, dem sie vermutlich beide Beine abnehmen mußten, und da kam dieser feine Pinkel aus der Stadt daher und schwafelte von Wissenschaft und Forschung!

Es seien tiefgefrorene Präparate, die dringend in Genf benötigt würden; das Öffnen des Behälters könne die Konsistenz der Teile beeinträchtigen, versuchte Felgen nochmals, den Polizisten loszuwerden. Die Zeit wurde langsam eng; er schaute nervös auf die Uhr und gab ein Handzeichen zum Jet hinüber.

»Wem winken Sie?« fragte der Polizist mißtrauisch und schaute über die Schulter zurück, als der lange Zwilling Kaugummi kauend mit den Händen in der Jackentasche unter dem Jet hindurchschritt und auf sie zukam.

»Oh – nur dem Tankwart. Wir sind in Eile, die Piloten sitzen bereits im Cockpit, Herr Wachtmeister.«

Der Polizist ließ sich auch durch die Beförderung nicht bestechen und verlangte jetzt mit deutlicher Stimme und unzweideutiger Körperhaltung, daß der Behälter geöffnet werde. »Halt dich bereit«, flüsterte Custer. Stirny nickte, während der Flugleiter zum Telefonhörer griff.

Die Lastwagen arbeiteten sich brummend durch die Schneemassen die Piste entlang. Der Schnee schoß in einer mächtigen Fontäne aus dem verstellbaren Rohr hoch in die Luft hinaus.

Im Flugzeug starrte Felgens Mann durch das Cockpitfenster auf die Szene vor dem Hubschrauber, während er die beiden englischen Piloten mit einer Achtunddreißiger in Schach hielt. Auf dem Sitz hinter dem Cockpit hatte sich sein chinesischer Kumpan mit einer Maschinenpistole über den Knien breitgemacht.

Mit Entrüstung im Gesicht öffnete Felgen schließlich den Deckel des Behälters, während sich der Polizist auf die Knie herabließ, um genauer hinzusehen. Dann stieß er einen Schrei aus, schoß hoch und starrte fassungslos in die Kiste hinunter ... Auch Felgen sprang erschrocken zurück, hatte sich aber augenblicklich in der Hand. »Verfluchte Scheiße!« zischte er. Dieser verdammte Custer hatte ihn erwischt! Ein cleveres Bürschchen dieser Amerikaner, Respekt! Aber Felgen ließ sich nicht so leicht erschüttern.

Während Bath zur Gulfstream hinüberrannte, die Bugtreppe hinaufstieg und im Innern verschwand, suchte Felgen hinter dunklen Brillengläsern sorgfältig die Gebäude ab. Wo steckte Custer? Er fühlte, daß der verdammte Kerl irgendwo auf der Lauer lag. Der Lange wußte unterdessen nicht genau, was geschehen war, stürmte aber vorsorglich mit der Uzi in der Hand auf die beiden Männer zu.

Die geräumige Kabine des schnittigen, zweimotorigen Gulfstream V bot alle Annehmlichkeiten, die man sich nur wünschen konnte. An die mit feinstem, dunkelgrünem Leder gepolsterten Passagiersitze fügte sich der Salon mit der Mahagonibar und dem Satelliten-Kommunikationszentrum an, wo Telefon, Fax und Internetanschluß die weltweiten Verbindungen des Sizilianers sicherstellten. Dahinter erstreckten sich die Schlafzimmer mit Bad und Dusche. Der schnelle Firmenjet hatte für den Flug von Los Angeles nach Genf neulich gerade noch elf Stunden und fünf Minuten gebraucht.

Die zwei Düsentriebwerke summten, die Maschine war startklar, die beiden Piloten saßen unbeweglich in ihren Sitzen im Cockpit und beobachteten angespannt die Instrumente. Innerlich kochten sie vor Wut, doch sie waren hilflos, denn unter dem Sitz des Kopiloten lag der Zwanzig-Kilo-Semtex-Sprengsatz mit dem elektronischen Zünder.

Jan, der tschechische Sprengstoffexperte mit dem viereckigen Gesicht und Bürstenhaarschnitt hielt einen schwarzen, flachen Sender mit einem Tasten-Display in der Hand. »Mit der Fernbedienung kann ich die Bombe zünden. Benehmt ihr euch anständig und bringt die Kiste planmäßig in die Luft, entschärfe ich den Sprengkörper. Jeder Versuch, die Bombe vorher zu bewegen, führt zur sofortigen Detonation. Also Pfoten weg, wenn ihr nicht wollt, daß euch zwanzig Kilogramm Semtex um die Ohren fliegen!«

Entgeistert starrte der Polizist auf den Kopf in der Kiste und zog ganz langsam seine Waffe aus dem Futteral. Wie betäubt stand er da, ohne den Blick von der fürchterlichen Fratze mit den gläsernen, aufgerissenen Augen abzuwenden. Wertvolle Sekunden verstrichen. Der junge Polizist am Steuer des Streifenwagens bemerkte verzweifelt, wie sich Felgens Hände in die Jacke schoben, während sein Kollege endlich die Waffe auf ihn richtete. Da riß Felgen die Pistole aus der Jackentasche und schoß den ahnungslosen Beamten mit vier rasch aufeinanderfolgenden Schüssen über den Haufen. Ken Custer starrte durch das Fenster des Flugleiterbüros auf das Rollfeld hinaus, als die Schüsse krachten.

Der Lange reagierte panisch. Er sprang unter den Rumpf des Jets und feuerte aus der Uzi gnadenlos auf den Streifenwagen, wo der junge Polizist, von den Ereignissen völlig überrumpelt, nach hinten zum Kofferraum rannte, den Deckel hochriß und unter den Rettungsgeräten und den Sauerstoffflaschen, die sie eben noch an der Unfallstelle im Wald gebraucht hatten, nach seiner Dienstwaffe und den Maschinenpistolen wühlte.

Die Schüsse des Zwillings durchschlugen den Kofferraumdeckel; blutüberströmt sank der Beamte zusammen.

Der Lärm der Rotoren ging in ein kräftiges Klopfen über.

In diesem Augenblick klirrten Glasscheiben, und zwei Gestalten sprangen durch die zertrümmerten Fensterrahmen auf das Flugfeld. Custer erreichte im Zickzack-Lauf den Streifenwagen, während Res Stirny ihm Feuerschutz gab. Der lange Zwilling warf sich hinter den Jet und robbte hinüber zur Benzinzapfstelle.

Custer rannte vorwärts, indem er aus seiner Walther PPK feuerte, aber Felgen packte bereits mit beiden Händen den Seitenstabilisator des anhebenden Hubschraubers. Die Maschine vollzog eine Drehung von neunzig Grad, und Felgens Körper verschwand aus der Schußlinie, nur seine Beine zappelten noch unter dem Rumpf hervor.

Der weiße Helikopter wies auf der Seite vier Fensteröffnungen auf. Der Seitenstabilisator diente zugleich als Stufe zur geöffneten Tür. Felgen versuchte vergeblich, sich hochzuziehen, der Pilot senkte die Maschine darauf wieder auf Bodennähe ab.

Custer blieb stehen und winkte Stirny heran, als der Lange, der sich an die Zapfstelle mit dem hohen Dach angelehnt hatte, Stirny überraschend von der Seite ins Visier genommen hatte. Custer schrie ihm eine Warnung zu; Stirny versuchte mit einem Spurt und einer Hechtrolle über die Schlauchwagen zu entkommen, doch die Schüsse trafen ihn in die Schulter, wirbelten ihn herum und schleuderten seinen athletischen Körper gegen den Wagen mit den Benzinschläuchen.

»Ich stelle jetzt den Zünder auf fünf Minuten.« Jan tippte eine Zahlenfolge ein, drückte Enter, und am Zündkasten der Bombe begann die rote Digitalanzeige zu ticken: 04:59, 58, 57 …

»Oh, mein Gott«, stöhnte Sabine, und der Chinese verkrallte seine Hände am Schaft seiner Maschinenpistole.

»Ich gehe jetzt nach draußen«, erklärte der Tscheche, »und werde ein paar der Burschen umlegen. Wenn ich in fünf Minuten nicht zurück bin, dann habt ihr Pech gehabt. Wenn ich draufgehe, soll es euch nicht besser gehen!« Der Tscheche sprang die Bugtreppe hinunter, feuerte gegen die Führerkabine des näher kommenden Lasters, stürmte unter dem Rumpf des Jet durch zum Aufnahmegebäude, wo er die Tür mit einem Fußtritt aufstieß und im Innern verschwand.

Der Lange sprang in diesem Moment aus seiner Deckung heraus und lief auf Custer zu. Die Distanz betrug weniger als hundert Meter, als er breitbeinig zum Stehen kam, die Waffe anlegte und Custer in seiner ganzen Länge vor dem Lauf hatte. Da vernebelte der von den Rotoren aufgeworfene, gewaltige Schneeschauer seine Sicht.

Der Lastwagen befand sich jetzt auf gleicher Höhe mit dem Hubschrauber, als der Fahrer plötzlich das Ablenkrohr der Fräse herumschwenkte. Der dicke Strahl aus der Schneeschleuder traf auf den Hubschrauber, spritzte in die offene Kabine, dann richtete der Fahrer das Rohr gegen die Rotoren.

Die Situation änderte sich damit schlagartig. Erich Felgen ließ sich unter dem Druck der niederprasselnden Schneemassen fallen. Der Pilot duckte sich unter der Schneefontäne. Als er wieder aufschaute, war die Scheibe der Pilotenkanzel völlig mit Schnee bedeckt. Der Hubschrauber geriet ins Wanken, die Turbinen stotterten, der Pilot versuchte nach Gefühl zu korrigieren, zog mit dem Instinkt jahrelanger Flugerfahrung hoch. Allerdings zu schnell. Der Hubschrauber drehte, die Nase bäumte sich auf, der Schwanz berührte den Schnee, der Heckpropeller schleifte über die Piste, hackte in den Beton. Den Langen hatte der plötzlich ausschwenkende Schwanz wuchtig zu Boden geschlagen, und bevor er sich aufrichten konnte, fräste der Propeller durch den Schnee, schlug in den Beton, ein Metallstück flog funkensprühend weg. Plötzlich schwankte der Hubschrauber rückwärts, der messerscharfe Heckrotor wirbelte auf den Zwilling zu, der sich verzweifelt herumwarf und auf allen vieren versuchte, wegzukommen. Der sausende Propeller geriet genau zwischen seine Beine und schlitzte den Mann bis zu den Schultern auf. Dann sauste die Maschine nach vorne, die Schwanzflosse kam hoch, der Hubschrauber hob ab, und anfänglich schien es, als gelänge es dem Piloten, doch noch die Kontrolle über die Maschine zu erlangen. Mit abgesenkter Nase schoß sie nach vorne, aber die großen Rotorblätter schlugen am Dach der Zapfstelle an; der Hubschrauber wirbelte herum, schoß in grotesker Schräglage in die Höhe und schmierte dann seitlich ab. Als der schwere Rumpf mit den zwei Turbinen auf den Tanklaster prallte, schoß eine Stichflamme weit in den Himmel hinauf, und eine gewaltige Explosion erschütterte das Tal.

Stefanie Kramer interpretierte die grimmige Entschlossenheit auf dem Gesicht des Tschechen richtig, als dieser in das Büro des Flugleiters einbrach. Sie hatte den Geländelaster in die Einfahrt zum Flugfeld manövriert und mit wachsendem Entsetzen die mörderische Szene beobachtet ...

Die Sitze hinter der offenen Pilotenkanzel des Jets waren im Halbkreis um einen kleinen Salontisch angeordnet. Bath war im Sessel neben Sabine mit dem Sitzgurt festgebunden. Gegenüber lag der Chinese gekrümmt im Polster, vorne hockten die Piloten unbeweglich in ihren Stühlen. Ein Vorhängeschloß hielt die Kette straff zusammen, mit der der Captain und sein Kopilot an ihre Sitze gefesselt waren. Der Schlüssel zum Schloß baumelte am Gürtel des Chinesen. »Bath, um Himmels willen, was machen wir? Wo sind die andern?« Entsetzt blickte Sabine auf den Countdown der Bombe: 02:12, 02:11, 02:10 ...

Doch Bath schwieg und schaute stur geradeaus. Stefanie ließ den Hörer des Funkgeräts fallen und jagte den bulligen Geländelaster mit wilder Entschlossenheit über den Platz.

Der Tscheche schnitt inzwischen dem gefesselten Zwilling mit dem Kampfmesser die Fesseln entzwei und warf ihm eine Uzi-Maschinenpistole zu. »Los, rüber zum Jet!« schrie er.

Als die beiden aus der Tür preschten, raste Stefanies Truck mit der tiefliegenden Motorhaube wie ein Rieseninsekt auf sie zu. Der Tscheche feuerte, doch das kugelsichere Glas der Frontscheibe hielt stand. Der schwere Geländewagen erfaßte den Kurzen mit dem Frontbügel und schleuderte ihn gegen die niedere Grundmauer des Gebäudes. Der Truck kam mit blockierten Rädern schlitternd zum Stehen, während sich der Tscheche reaktionsschnell auf die Kühlerhaube hechtete. Als Stefanie abrupt zurücksetzte, klammerte er sich fest und zog sich auf das Dach des Fahrzeugs hinauf. Der Wagen raste auf das Rollfeld hinaus, als der Tscheche sich hinten in den offenen Laderaum schwang und nach vorne kroch.

Stefanie packte den Spaten, der zwischen den beiden Vordersitzen lag. Das Spatenblatt war im rechten Winkel zum Griff abgedreht, so daß es einer Hacke ähnelte. Sie schleuderte die Waffe nach hinten. Der Tscheche, im Gesicht getroffen, fiel schreiend hintenüber. Haßerfüllt zerrte er eine dunkelgrüne, runde Handgranate aus der Tasche.

Der Truck raste auf das brennende und qualmende, im Tanklaster verkeilte Hubschrauberwrack zu, als sich die Seitentür öffnete, eine Gestalt in den Schnee rollte, sich mehrmals überschlug, während der Track in die Flammen raste. Der Tscheche erkannte die Gefahr zu spät, er blieb auf der Ladebrücke hängen, und als er sich aus dem brennenden Inferno retten wollte, explodierte der Sprengstoff in den Taschen seines Kampfanzugs.

Stefanie Kramer drehte sich im Schnee auf den Bauch, drückte die Hände fest an die Ohren, als die Detonationen in kurzer Folge den Boden erzittern ließen und dröhnend im Berg widerhallten.

Im Jet starrte Bath immer noch reglos geradeaus.

»Bath, wir brauchen deine Hilfe! Oh, mein Gott!« Sabine blickte entsetzt auf die Digitalanzeige: 01:45, 01:44, 01:43 …

Die Augen des Chinesen begannen sich plötzlich zu drehen, er fuhr sich an die Kehle, rang nach Atem. Baths Blick bohrte sich auf sein Herz. Der Chinese begann sich zu schütteln, seine Arme zitterten heftig, die Waffe fiel auf den Boden, dann verkrampften sich seine Finger im Stoff seiner Kampfjacke, während die Augen gequält um Hilfe flehten.

Die Digitalanzeige lief unerbittlich ab: 01:10, 01:09 …

Als der Chinese zusammensackte, wand sich Bath aus den Sitzgurten und beugte sich über das Display des Zünders. »Eine vierstellige Zahl«, hauchte Sabine. 00:36, 00:35, 00:34 …

Bath drückte die Fingerspitzen beider Hände an die Schläfen und bohrte einen stechenden Blick aus blitzenden Augen in das tickende Display. 00:20, 00:19, 00:18 …

Die Piloten wanden sich verzweifelt in ihren Fesseln. Sabine biß sich die Unterlippe blutig. Schreie drangen in die Kabine, dumpfe Explosionen folgten, das Knistern der Flammen hielt an. 00:10. »Noch zehn Sekunden«, flüsterte Sabine zitternd.

Draußen krachten wieder Schüsse. Rauchschwaden drangen in die Kabine. 00:05, 00:04, 00:03 ...

Bath bewegte langsam seine Hand und tippte 3-1-5-0, dann Enter ein.

Die Zahlen stoppten. Die Digitalanzeige blieb auf 00:01 stehen. Das rote Licht am Display wechselte auf Grün.

Bath richtete sich auf, atmete tief durch und ließ sich erschöpft zurücksinken.

Nach einer Weile hob Stefanie Kramer vorsichtig den Kopf aus dem Schnee und strich sich die Haare aus dem rauchgeschwärzten Gesicht. Die Schneegipfel glänzten in der Morgensonne, während der Flugplatz noch im Schatten lag. Dicker Qualm schraubte sich in einer häßlichen, schwarzen Säule in den klaren, blauen Himmel. Custer wälzte sich im Schnee, aber Felgen gewann die Oberhand und zückte ein Kampfmesser.

Stefanie schrie aus Leibeskräften. Da tauchte Felgens Körper in einen Schneewall, Custer sprang hoch, in seiner Hand glänzte eine Klinge. Felgen packte Custers zustechenden Arm, stemmte ein Bein in seinen Bauch, ließ sich rückwärts fallen und riß ihn in einer heftigen Bewegung über sich hinweg. Ken wurde über Felgens Körper gegen die Wand der Zapfstelle geschleudert. Benommen verharrte er sekundenlang. Felgen holte mit dem Messer in der Hand aus.

»Ken! Paß auf!« schrie Stefanie. Die Klinge wirbelte durch die Luft. Custer duckte sich, das Messer prallte kreischend von der Mauer ab und fiel in den Schnee. Wieder gingen die Männer aufeinander los, rangen verbissen. Felgen befreite sich jäh aus der Umklammerung, sprang hoch und trat Custer ins Gesicht. Ken warf sich zurück; er erwischte Felgen am Fuß und wirbelte ihn herum. Im Hintergrund kletterte eine Gestalt aus dem Laster, während Custer Felgen am Kinn hochriß und ihm den Kopf heftig in den Nacken drückte. Gleichzeitig stieß er ihm das Knie brutal gegen das Rückgrat. Dann hielt er ihm keuchend das Skalpell an die Kehle. Felgen erstarrte. Regungslos verharrten die beiden Männer. Nur ihr Atem raste, stieg weiß in die klare Morgenluft.

»Das war's dann wohl, Felgen«, stieß Custer hervor, während er das Gelände nach Stirny absuchte. Statt dessen sah er das Schielauge unter der Bugtür des Jets erscheinen. »Weißer Stolz am Arsch – Blut im Gesicht, Felgen!« Langsam ritzte er ihm die Klinge des Skalpells neben der Halsschlagader in die Haut. »Auge um Auge …«

»Keine Bewegung«, dröhnte da die Stimme des Schattens, der plötzlich über Custer stand.

Martin Deuber hielt eine schwere Automatische in der Faust. »Aufstehen! Schön langsam. Los, Bewegung!«

Custer fuhr mit einer einzigen raschen Bewegung hoch und schlitzte Deuber mit dem Skalpell die Hand an der Pistole auf. Mit einem Aufschrei ließ Deuber die Waffe fallen. Felgen raffte sich hoch und rannte zum Flugzeug. Nach ungefähr zehn Metern wechselte er die Richtung und hielt auf die Stelle zu, wo die Uzi des vom Hubschrauber zersägten Zwillings am Boden lag.

Stefanie sah mit Entsetzen, wie Felgen die Maschinenpistole packte, auf den Absätzen herumwirbelte und auf Custer zielte, bevor dieser die Pistole Deubers ergattern konnte. »Das Kriegsglück hat sich mal wieder gewendet, Custer«, schrie Felgen mit höhnischem Grinsen. »Der Schädel im Kasten war übrigens echt Klasse. Sie geben nie auf, das nenn ich Kampfgeist. Aber jetzt bin ich leider in Eile. Keine Zeit für ein Duell!« Felgen hob den Lauf wieder an und zielte.

Da sackte er plötzlich wie vom Schlag getroffen zusammen. Stefanie blickte ungläubig zum Jet hinüber. Deuber starrte mit offenem Mund auf Bath, der zwei Stufen der Bugtreppe hinunterstieg und mit zornigem Blick stehenblieb. Die Stahlkugel, die Felgen an der Schläfe getroffen hatte, rollte glitzernd über den Beton.

Ken bückte sich, hob die schwere Automatik auf und drückte den Lauf Deuber in die Rippen.

»FBI, Sie sind verhaftet, Martin Deuber. Was Sie von jetzt an aussagen, kann gegen Sie verwendet werden. Sie haben das Recht …«

»Mensch, Custer, sparen Sie sich den Scheiß! Wir stehen auf der gleichen Seite. Ich arbeite für die CIA!«

Custer verstärkte wütend den Druck der Waffe: »Erzähl den Unsinn der Polizei, Deuber. Los, rüber zum Streifenwagen, dort liegen schöne Handschellen für dich bereit.«

Aus der Ferne drang das Heulen von Polizeisirenen. Deuber sperrte sich. »Nein! Um Himmels willen, Custer, hören Sie doch zu. Wir müssen so rasch wie möglich hier raus!«

»Würde dir so passen, vorwärts, sonst hau ich dir eins über den Schädel.«

Martin Deuber bewegte sich nicht vom Fleck.

»Tja, wenn's nicht anders geht, Dickschädel!« Custer holte zum Schlag aus. Doch sein Arm erstarrte in der Luft. Das letzte, was Ken Custer hörte, war ein lauter Schrei von Stefanie, dann traf ihn die zweite Stahlkugel von Bath am Hinterkopf. Das Geschoß landete genau auf der Schürfwunde, die Felgens Steinbrocken in der karibischen Nacht aufgerissen hatte. Ken Custer fiel der Länge nach in den Schnee.

Die Triebwerke der Gulfstream V heulten auf, als Deuber sich den ohnmächtigen FBI-Agenten auf die Schultern lud und zum Flugzeug hinüberrannte. Bath half ihm, den schlaffen Körper an Bord zu hieven, dann zog er die Treppe ein und schloß die Tür, während der Jet bereits an der verzweifelten Stefanie vorbei zur Piste rollte.

Als das elegante Flugzeug am nordöstlichen Pistenende wendete und unter voller Schubkraft die Piste hinunterdonnerte, sah Martin Deuber durch das Kabinenfenster die Polizeifahrzeuge auf den Flugplatz rasen. Die Gulfstream V hob ab und stach dröhnend über die strahlend weißen Gipfel in den stahlblauen Morgenhimmel.

Marcel Dulliker stürzte aus dem Fahrzeug und blieb wie angewurzelt stehen: Die Hände zu Fäusten geballt, die Lippen zu einem dünnen Strich zusammengepreßt warf er dem schimmernden Jet wütende Blicke nach. »Sucht nach Verletzten!« bellte Dulliker. »Wo bleibt die verdammte Ambulanz?«

65

Der laute Knall schreckte Ken Custer aus seinem unruhigen Dämmerschlaf. Es dauerte eine Weile, bis er die wirren Träume abgeschüttelt hatte und begriff, daß der Schuß aus seiner unmittelbaren Umgebung stammte. Angespannt lauschte er, bewegte die Zehen, die Fingerspitzen – Gott sei Dank, seine Muskeln gehorchten. Der stechende Schmerz in den Schläfen erinnerte ihn allmählich daran, daß er sich in einer verdammt unangenehmen Lage befand. »Unser Flug nach London Heathrow dauert eine Stunde und zehn Minuten«, hörte Ken Custer wie von weit her; vorsichtig schlug er die Augen auf.

»Wir haben es geschafft!« strahlte Bath und schenkte Champagner in die Kelchgläser. »Fröhliche Weihnachten!«

Ein schönes Gesicht mit vollen lächelnden Lippen blickte auf Ken herunter. Er lag auf einem Sitz mit heruntergeklappter Lehne, und die Frau wischte ihm mit einem Tuch die Stirn ab. »Autsch!« Mit schmerzverzerrtem Gesicht richtete er sich auf.

»Nein, schön stillhalten, die Schramme am Kopf blutet noch!«

Ächzend legte Ken Custer den brummenden Schädel ins weiche Kissen zurück, als sich Martin Deuber neben ihn setzte: »Wie geht's, Sir?« fragte er, während er ihm eine Dienstmarke von der CIA vor dem Gesicht hin und her schwenkte. »Geht Sie nichts an«, antwortete Ken und schaute verblüfft auf die Marke.

»Amerikanischer Geheimdienst, ich hab' es Ihnen doch gesagt!« sagte Deuber trocken.

»Darauf ist kein Verlaß«, stieß Custer mühsam hervor und hielt sich mit beiden Händen den Schädel.

Deuber seufzte. »Und wie steht es damit?« Er hielt ihm mit Daumen und Zeigefingerspitze ein Blatt unter die Nase. Unwirsch nahm Custer den Wisch Papier in die Hand und las:

Telefax vom Direktor des Bundeskriminalamts FBI an Spezialagenten Ken Custer:

Bestätige Deubers Legitimation. Martin arbeitet für die Central Intelligence Agency mit höchsten Vollmachten. Die Operation wird von der Zentrale in München koordiniert. Sie können Deuber so weit vertrauen wie all diesen Burschen vom Geheimdienst – sofern man ihnen überhaupt über den Weg trauen kann.

Melden Sie sich zur Lagebesprechung, wenn Sie mal wieder in Quantico sind. Fröhliche Weihnachten!

»Schöne Bescherung«, kommentierte Custer nur.

Sabine brachte eine dampfende Tasse: »Kaffee?«

»Gern.«

Sie stellte den Kaffee auf den Klapptisch und schenkte ihm ein bezauberndes Lächeln. »Heute ist Heiligabend, Sir. Schauen Sie doch nicht so böse.«

Custer nippte an dem Kaffee; allmählich dämmerte ihm die Tragweite der Information. Custer wand sich ärgerlich Deuber zu.

»CIA? Wollen Sie mich verscheißern?«

Martin Deuber schüttelte den Kopf.

»Augenblick mal«, knirschte Ken Custer. »Sie meinen also, die CIA habe den SuperPuma gechartert, Sie aus dem Knast rausgeholt und die Kiste anschließend in die Luft gejagt? Die eigenen Leute geopfert? In zwanzig Jahren Untergrunddrecksarbeit ist mir so etwas noch nicht untergekommen.« »Die Besatzung bestand aus zwei Piloten, zwei CIA-Agenten und dem Spanier Conde«, erwiderte Deuber gelassen. »Conde diente als Scout.«

»Ungeheuerlich, vier gute Männer!« Custer starrte auf die Metallmarke der Central Intelligence Agency, die Deuber immer noch lächelnd in der mit einem hellgrünen Verband umwickelten Hand vorzeigte.

Keiner sprach. Custer schlürfte verbissen den heißen Kaffee. Nach einer Weile sagte Deuber: »Der Pilot meldete ein Leck in der Benzinzufuhr. Wir vermuten, daß vom zerborstenen Sicherheitsnetz Stahlsplitter hochschossen und einen Tank beschädigten.«

»Dann war es ein Unfall«, sagte Custer.

Deuber nickte. »Der Pilot änderte den Kurs, um ans französische Ufer zu gelangen. Nach der Kurskorrektur hörte die Bodenstation noch den Notruf Mayday. Dann war die Verbindung tot.«

»Und wie gelangte Conde auf den Grund des Sees, schön verpackt in einen Segeltuchsack?« fragte Custer bissig.

»Conde war Übermittlungsspezialist der spanischen Zivilgarde. Er arbeitete für unsere Seite. Wir hatten ihm aufgetragen, Staatsanwalt Barrelet über den Amateurfunk anzupeilen, um die Verhältnisse im Knast auszukundschaften. Conde hat die Aufgabe brillant gelöst. Nach Plan sollte er nach der Befreiung mit mir abspringen und allein nach Madrid zurückkehren. Allerdings erfuhr er davon erst an Bord über dem Genfer See. Er klatschte aus sechs Metern Höhe so unglücklich auf, daß er sich leider das Rückgrat brach. Ich schleppte ihn auf den Kahn, aber er war bereits tot.«

»Und der Seesack?«

»An Bord des Heli hatten sie mir ein paar Sachen gegeben, Funkgerät und technisches Zubehör«, erklärte Deuber. »Ich steckte das Zeug in den Sack, band ihn um den Leib und sprang mit Conde ab. Um die Operation nicht zu gefährden, entschied ich, den Leichnam zu versenken. Dazu verwendete ich den Sack. Leider lief es schief.«

Deuber trug über den verschmutzten, grün und schwarz gefleckten Kampfhosen eine schneidige, dunkelblaue Fliegerjacke aus Nylon, die gut zu seinem verwegenen, spitzbübischen Gesicht paßte. »Ziehen wir mal Bilanz«, begann er. »Die Organisation *Weißer Stolz Weltweit* ist von ihren Geldquellen abgeschnitten. Die Weiterverbreitung des tödlichen Augenchips haben wir verhindert. COAST befindet sich unter Kontrolle.«

»Die Schweizer werden stocksauer sein«, warf Custer spitz dazwischen.

»Der entscheidende Hinweis auf Professor Knocher und seine Berufskiller stammte von Bundeskriminalkommissar Vongunten. Ohne seine geniale Fahndungsarbeit hätten wir Felgen nie das Handwerk legen können.«

Warum, zum Teufel, er sich nicht früher als Geheimdienstagent zu erkennen gegeben habe, wollte Custer wissen, aber Deuber schüttelte nur den Kopf. Das FBI hätte doch nie im Leben seine Zustimmung zu dieser Untergrundoperation erteilt, tadelte er in leicht herablassendem Ton. Oder ob er glaube, der FBI-Mann Custer hätte Bundespolizeichef Dulliker noch in die Augen sehen können, wenn er gewußt hätte, was sie vorhatten? Er sei doch verpflichtet, die Rechtsordnung eines Landes zu respektieren, und hätte nie und nimmer die Hand geboten, den Geheimbunker der Schweizerischen Notenbank auszunehmen. »Oder irre ich mich?« fragte Deuber mit theatralischer Geste. »Die CIA mußte Sie davon abhalten, allzu geradlinig vorzugehen, sonst wäre die Übung kläglich gescheitert!« Deuber erklärte dann noch, Custer sei drauf und dran gewesen, den Plan zu vermasseln, da habe er sich etwas einfallen lassen müssen. Der lächerliche Überfall im Schwimmbad durch die zwei ulkigen Kerle sei von ihm inszeniert worden, um Zeit zu gewinnen. Custer brummte etwas Unverständliches, das allerdings nicht sehr schmeichelhaft klang, dann fragte er, wohin er das große Geld transferiert habe.

»In das Schatzamt der Vereinigten Staaten von Amerika«, antwortete Deuber mit Pathos in der Stimme.

»Zur U. S. Treasury? Warum um Gottes willen?«

»Wohin denn sonst? Dort gehören die Nazigelder doch hin. Ganz nach Gesetz!« Ein breites Grinsen überzog Deubers Gesicht.

»Welches Gesetz, zum Teufel. Seit wann halten Sie sich an Gesetze? Sie sind irre, Mensch!« rief Custer.

»Das Washingtoner Abkommen von 1946 zwischen der Schweiz und den USA sah die Übergabe von Nazivermögen an die Alliierten vor«, antwortete Deuber seelenruhig. »Und soviel ich weiß, ist das Abkommen nie für ungültig erklärt worden. Wir haben letzte Nacht bloß ein bißchen beim Vollzug einer alten Vertragsklausel nachgeholfen.«

»Glauben Sie, die Schweizer teilen Ihre Auffassung von Rechtshilfe?« fragte Custer kopfschüttelnd.

»Die Spuren sind verwischt. Die Schweizerische Bundespolizei wird nach einem auferstandenen Verbrechergenie namens Deuber fahnden, der die Millionen in einem waghalsigen Coup abgeräumt hat!« Deuber brach in schallendes Gelächter aus.

»Brillant!« Custer neigte anerkennend den Kopf und konnte sich ein Grinsen nicht verkneifen.

»Telefon!« rief Bath unter der Tür zum Salon.

»Auf Lautsprecher schalten!« befahl Deuber.

Es war die rauchige Stimme von Serenella Prizzi: »Im Bunker ist ganz schön was los. Verzweifelte Sicherheitsfritzen der Banken, hohe Militärs, Geheimdienstler und die Bundesanwältin, von drei nervösen Gorillas abgeschirmt, schwirren herum. Alles ist abgeriegelt. Etwas zu spät, befürchte ich.« Ein sinnliches Lachen drang durch den Äther in die Flugzeugkabine.

»Eine tolle Frau«, sagten Deuber und Custer wie aus einem Munde. Dann schauten sie sich verschwörerisch grinsend an.

»Der Unteroffizier vom Bunker, ist er – ich meine – lebt er?« rief Sabine aufgeregt dazwischen.

»Wer ist die Frau?« fragte Serenella.

»Mein Schutzengel«, rief Deuber.

»Im Bunker gab es anscheinend einen Verletzten mit einer Schußwunde am Oberarm. Sonst weiß ich von nichts. Ken? Ist Ken bei euch?«

»Wo treibst du dich herum?« meldete sich Ken.

»In Kächs Hubschrauber. Wir begleiten die Regierungsvertreter nach Genf. Sie befinden sich in Bombenstimmung. So kurzweilig hätten sie es schon lange nicht mehr gehabt!« Aus dem Hintergrund ertönte rauhes Gelächter.

»Marcel Dulliker hat Felgen auf der Flugpiste gefunden. Tot. Seine Männer durchsuchen jetzt das Chalet *Wildhorn.* Frau Kramer befindet sich wohlauf im *Palace.*«

Wie groß der Schaden in ihrem Haus sei, erkundigte sich Custer, und Serenella berichtete, daß die Bresche bereits zugemauert sei. »Knocher ist tot. Von einem Felsbrocken erschlagen. Die andern Gäste sind zum Glück mit dem Schrecken und ein paar Schürfwunden davongekommen.«

»Was hat die Schweizer Polizei vor?« fragte Custer.

»Sie haben Messerli im *Wildhorn* gefunden und sofort verhaftet. Scheinbar fanden sie auch eine Videokamera und Aufnahmen, die eine Persönlichkeit in der Genfer Justiz schwer belasten. Die Bundesanwältin hält darüber in einer Stunde im *Palace* eine Pressekonferenz ab. Von Mister Custer ist keine Rede, was dir lieb sein wird, Ken. Aber alle sprechen von Deuber wie vom leibhaftigen Teufel, als säße er noch drinnen im Bunker!«

»Und in Genf?« fragte Custer.

»Das Staatsdepartement ist von mir unterrichtet worden«, antwortete Deuber. »Ich hatte auf die Möglichkeit von bösartigen Gehirnströmen hingewiesen, aber die Kerle waren nicht sonderlich überrascht. Offenbar befassen sich Spezialisten im Pentagon seit längerem mit diesem Phänomen. Jedenfalls wird der Präsident in Genf hinter einem elektronischen Schirm sprechen, der jegliche Art von schädlichen Strahlen aufhalten soll.«

»Die Schweizer Polizei hat ihre Sicherheitsmaßnahmen in Genf massiv verstärkt, habe ich erfahren. Und dem Präsidenten wurde von einem Ausflug nach Gstaad abgeraten«, sagte Serenella leicht belustigt.

Martin Deuber schaltete den Lautsprecher aus, nahm den Hörer und begab sich zur Bar im Salon, wo er weiterredete, während sich Bath mit dem Glas in der Hand neben Custer niederkauerte:

»Tut mir leid – das«, er zeigte auf den Kopfverband. »Ich wußte halt nicht, daß Sie auf der gleichen Seite standen.«

»Ich auch nicht«, lachte Custer und blickte fasziniert in die rollenden Augen.

»Es sah aus, als wollten Sie Martin umbringen. Da hab' ich eben die Kugel geworfen.«

»Tja, ich werd' es überleben«, grinste Custer. »Wo geht es denn nach der Landung in London hin?«

Bath zeigte auf die verschmutzten Hosen: »Klamotten wechseln, nehm' ich an.«

Sabine war hinzugekommen und schwenkte einen Umschlag in der Hand: »Mit höflicher Empfehlung von Martin Deuber«, sagte sie.

»Lesen Sie – es ist die einzige Kopie. Und dann tun wir so, als ob alles nie stattgefunden hätte«, sagte Deuber, der in den Salon zurückgekehrt war, zu Custer.

Custer nahm das Blatt stirnrunzelnd entgegen ...

»Seit dem Zweiten Weltkrieg arbeiteten die Prizzis für den amerikanischen Geheimdienst. Die CIA stützte sich bei verschiedenen Gelegenheiten auf die Organisation, letztmals, als es darum ging, zusammen mit den Saudis für 300 Millionen Dollar Waffen an die Bosnier zu liefern. Daneben hatte der Clan übrigens dem FBI stets wertvolle Hinweise auf geplante Terroranschläge oder größere Drogenoperationen zukommen lassen. Geheimaktionen wie in Gstaad waren unter allen Präsidenten abgelaufen. Die Vereinigten Staaten sahen sich seit Präsident Roosevelt immer wieder gezwungen, im Untergrund zu operieren. Eisenhower und Kennedy ließen Aktionen gegen Kuba laufen, um Castro zu stürzen. Nixon rührte subversive Operationen in Kambodscha durch. Dabei hatten die Präsidenten jeweils unterschiedlichen Erfolg. Kennedy nahmen die Amerikaner überhaupt nichts übel, auch wenn etwas schief lief. Bei Nixon war es gerade umgekehrt. Er hatte das Pech, das seine harmlosen Tricks schließlich zu seinem Rücktritt führten. Präsident Reagan hielt die Iran-Contra-Affäre souverän unter Kontrolle. Über Präsident Bushs Hilfe an Bosnien wußte kein Mensch Bescheid. Heute wird nur noch gerade der Präsident über eine Geheimaktion ins Bild gesetzt; die CIA trägt die volle Verantwortung und badet die Geschichte aus, wenn etwas nicht nach Plan verläuft.«

»Der Glaube daran, daß unsere Regierung so etwas nicht tut, ermöglicht uns überhaupt erst, Operationen, die im nationalen Interesse stehen, mit ungewöhnlichen Methoden zu Ende zu führen«, warf Deuber ein, als Custer einen knurrenden Laut von sich gab, dann ließ er ihn weiterlesen:

»In der Prizzi-Organisation dienten weltweit alte Nachrichtenfüchse und Kriegsveteranen der amerikanischen Streitkräfte. Sie berieten den Clan, stellten die Verbindung zu uns her oder unterstützten eine Aktion. Als wir von den Bestrebungen von *Weißer Stolz Weltweit* Kenntnis erhielten, das Philipp-Bouhler-Vermögen aus der Schweiz in die USA zu transferieren, wechselten die Alarmleuchten auf knallrot. Der enorme Geldzufluß an die Terrororganisation mußte mit allen Mitteln verhindert werden ...«

»Als die Informationskriegsführung aktuell wurde, setzten die Generäle in altbekannter Manier ein Ausführembargo durch«, unterbrach Deuber. »Die Prizzis kamen nicht an die High-Tech-Güter heran.«

»Gut so«, brummte Custer.

»Eben nicht. Die Zeiten haben sich geändert. Im Informationsbereich läßt sich auf lange Zeit rein gar nichts geheimhalten.«

»Aber das Embargo gibt uns ein Kontrollmittel in die Hand. Wenn wir Ausfuhrgenehmigungen erteilen, wissen wir, wer die heiße Ware besitzt.«

»Das ist eine Illusion. Libyen wird niemals eine Genehmigung beantragen, weil sie verweigert werden wird. Libyen oder Länder wie der Iran organisieren sich das Zeug auf dem Schwarzmarkt, wo uns jede Kontrolle fehlt.«

Ken Custer dachte zurück an die Besprechung im Weißen Haus, als der Krisenstab das Leck im spanischen COAST erörterte. Er hörte den CIA-Direktor sagen, das alte Verbindungsnetz habe gute Arbeit geleistet. Meinte er demnach den Prizzi-Clan? Langley hatte seit jeher nie Skrupel gehabt, alle Schattierungen von kleinen und großen Gaunern für seine Untergrundoperationen einzuspannen. Aber heiligte der Zweck immer die Mittel?

»Die Welt hat sich verändert, und die Geheimdienste haben sich mit ihr verändert«, sagte Deuber.

»Also öffnet man die Schleusen, und jeder Schurke kann unsere besten Entwicklungen im Verteidigungsbereich kaufen – ist es das, was Sie wollen?«

»Ziemlich genau!« nickte Deuber. »Dazu brauchen wir aber zuverlässige Organisationen wie die Prizzis mit einem soliden Geschäftsgebaren und einem guten Ruf in der Branche. Sie verschachern die Ware an unbescholtene Drittweltländer und an größenwahnsinnige Potentaten. Die Käufer glauben, sie hätten das Embargo geschickt umgangen. Sie fühlen sich sicher. Wir aber wissen Bescheid.«

»Was nützt Ihnen das?« fragte Custer. »Der beste Schutz der nationalen Sicherheit ist immer noch die Innovation. Wir entwickeln neue, bessere Produkte und sind unseren Gegnern immer um eine Nasenlänge voraus.«

»Wenn wir wissen, wer welche Waffen erhält, können wir notfalls die Feuerleitsysteme oder den Zündmechanismus der Sprengköpfe unbrauchbar machen. In heiklen Fällen programmieren wir die heiße Ware um«, erklärte Deuber.

»Was heißt das?«

»Es heißt, daß wir ein Virus einpflanzen oder eine logische Bombe im Waffensystem verstecken.«

»Die Waffen werden also wirkungslos?«

»Sollten die Waffen jemals gegen uns oder unsere Freunde eingesetzt werden, können wir den Virus aktivieren oder die Strahlenbombe zünden. Die Waffen verpuffen dann wirkungslos in der Luft oder weitab vom Ziel. Darin erblicken wir einen wesentlichen Vorteil unseres Infokrieg-Potentials. Allerdings kommen die Möglichkeiten nur zum Tragen, wenn wir über die gelieferten Waffen informiert sind, was wir zum großen Teil unseren Freunden verdanken.«

»Zu welchem Preis?«

»Zum Preis der Handlungsfreiheit.«

»Sie lassen den Prizzi-Clan schalten und walten, wie er will – zum Beispiel mit den brisanten Nato-Daten von COAST! Sie schauen untätig zu, wie geheime Zugriffssysteme an den Meistbietenden verschachert werden! Das verstehen Sie doch wohl unter Handlungsfreiheit?«

»Man muß das nicht so eng sehen«, wehrte Deuber ab. »Im Gegenzug wissen wir, was läuft. So können wir nach Bedarf Falschinformationen in die Systeme einspeisen. Wesentliche Geheimdaten – zum Beispiel aus dem Bereich der nuklearen Waffentechnologie oder die Standorte der Träger-U-Boote – sind ohnehin nicht auf dem Nato-Netzwerk enthalten. Sie erscheinen in keinem vernetzten System, auch nicht in den USA.«

»Somit war die Aufregung um COAST umsonst?« fragte Custer.

Deuber schüttelte den Kopf. COAST habe ihnen als Köder, nach dem Erich Felgen prompt geschnappt habe, gedient. COAST bleibe das schnellste und effizienteste militärische Nachrichtennetz in der nordatlantischen Verteidigungsgemeinschaft. Im Prinzip handele es sich um einen Internetableger, der auf die Nato-Bedürfnisse zugeschnitten sei. Unberechtigte Surfer, die von Prizzi den Siegelring mit dem Schlüssel zu COAST gekauft haben, könnten die Daten nur beschränkt nutzen, weil ihnen die Grundinformationen, die eben nicht auf dem Netzwerk liegen, fehlten. »Die Dimension ist viel gewaltiger, als die Netzdaten vermuten lassen«, erklärte Deuber. »Wir stehen an der Schwelle einer zweiten elektronischen Revolution von ungeheurem Ausmaß. Was bis jetzt geschehen ist, wird dann Makulatur sein. Es wäre reine Verschwendung von Energie und Zeit, sich um die Geheimhaltung von Informationssystemen und Infokriegswaffen zu kümmern, die ohnehin bald veraltet sein werden.«

»Deshalb liefen also die Ermittlungen von FBI und CIA auf zwei Gleisen«, murmelte Custer und hielt Sabine die leere Tasse hin.

»Was haben Sie gesagt?« fragte Deuber.

»Oh, nichts, ich meinte nur, das FBI hatte von Anfang an die extremen rassistischen Organisationen in Nebraska im Visier. Man war zu dem Schluß gelangt, Professor Knocher bedrohe mit seinem tödlichen Augenchip die Menschheit, und Erich Felgen stehe im Begriff, mit seinen Berufskillern die Macht zu übernehmen.«

»Die Einschätzung war vermutlich übertrieben«, wagte Deuber einzuwenden.

»Keineswegs. Erich Felgen rekrutierte Killer, denen er den Augenchip einpflanzen ließ. Die Typen hätten es fertiggebracht, Menschen mit bloßem Auge umzubringen. Hinzu kommt die Fernsteuerung von Computern mittels massiv verstärkter Gehirnwellen. Geldautomaten der Banken, Kontrollsysteme in Atomkraftwerken, die Flugsicherung und vieles mehr standen plötzlich schutzlos da. *Weißer Stolz Weltweit* hatte ein gewaltiges Schädigungspotential in Griffnähe.«

»Einstweilen haben wir alles unter Kontrolle«, hoffte Deuber. »Und Bath, das Naturtalent?« fragte Custer.

Bath stehe unter dem Schutz der amerikanischen Regierung, erklärte Martin Deuber. Die CIA habe ihm eine andere Identität verschafft. »Ich wußte, daß er nach Brasilien auswandern wollte. Dieser Wunsch kam uns gelegen.«

Custer rückte seinen Verband zurecht und machte nach wie vor ein griesgrämiges Gesicht.

»Nun, stoß endlich auf den Coup an, Ken? Ich darf doch Ken sagen?« fragte Deuber aufmunternd.

Ken schaute ihn von unten herauf an: »Du kannst mir jederzeit mit einer Schneeschleuder aus der Patsche helfen, aber mich zu duzen, finde ich doch ein starkes Stück!«

Alle brachen in schallendes Gelächter aus, was die angespannte Atmosphäre sichtlich löste.

»Und welches geniale Anschlußprogramm hat der Secret Service in London auf Lager?« erkundigte sich Ken nun.

»Du bist auf der Concorde nach Washington gebucht. Sabine und Bath werden eine Maschine der British Airways besteigen.«

Sabine zog zwei dunkelgrüne Umschläge hervor und lächelte verzückt: »Zwei brasilianische Pässe, zwei Erste-Klasse-Tickets nach Rio de Janeiro und eine Hotelreservierung an der Copacabana für einen Monat«, strahlte sie.

»Die Wohnung wird später bereitstehen«, meinte Deuber. »Übrigens, unser Mann Stirny ist außer Lebensgefahr. Er liegt mit einer zerschmetterten Schulter im Spital.«

»Unser Mann?« protestierte Custer, und seine Stirn legte sich wieder in Falten. »Stirny arbeitet für mich, für uns, für das FBI!«

»Manchmal. Zwischendurch auch für mich, für uns, für die CIA«, grinste Deuber.

»Das ist wieder mal typisch!« ereiferte sich Custer. »Wie lautete das Erkennungswort?«

»Die feinen Leute –«

»– im Schnee?«

»Nein – beim Tee!«

Deuber holte die Champagnerflasche heran, dann stellte er zwei Kelche auf den Klapptisch, richtete die Sitzlehne auf und besichtigte Kens Hinterkopf. »Die Wunde ist nur oberflächlich«, meinte er. »Kein dauernder Schaden. Komm, wir nehmen einen Schluck.«

Ken leerte sein Glas in einem Zug.

»Der Langzeitschaden ist längst eingetreten. Ich habe bei Stefanie Kramer verspielt.«

»Bei der Journalistin? Sie machte mir ganz den Eindruck, als wäre sie deine Traumfrau.«

Custer seufzte. »Sie war es, Martin. Aber mein verfluchter Job hat uns nach zwei Jahren wieder auseinandergetrieben. Sie sagte, zusammenleben heiße teilen, und Partnerschaft bedeute teilhaben. Sie hat recht, Martin. Wir sind wohl beide zu unabhängig. – Aber eins ist sicher ...« Er hielt ihm das leere Glas hin.

»Was meinst du?«

»Dieser rassistischen Neonazibrut in den USA sind gigantische Geldmittel entzogen. Unser Einsatz hat sich gelohnt, meine ich.«

»Aber die Schweizer werden vor Wut kochen. Du hast die heilige Kuh der verschollenen Vermögen angetastet. Das werden sie dir nie verzeihen«, grinste Deuber.

Ken Custer zuckte die Achseln und schaute auf die üppige Figur von Sabine, die auf Baths Knien saß, sich eng an ihn schmiegte und ihr Gesicht mit einem glückseligen Lächeln auf seine Brust legte.

»Ich hatte vom großen Geld noch eine kleine Vergütung abgezweigt«, erriet Deuber seine Gedanken. »Es lag gewissermaßen in meiner Zuständigkeit.«

»Wieviel?« flüsterte Custer, während er verstohlen auf Bath schielte.

»Eine Million US-Dollar. Sie liegt bereits auf dem Konto von Silberblick im Banco do Brasil. Spesenvergütung für wertvolle Unterstützung der CIA.« Martin Deuber leerte sein Glas Champagner und ergänzte: »Andere Länder verleihen Verdienstkreuze, wir zahlen Geld.«

Die beiden Männer schwiegen. Gleichmäßig summten die kräftigen Triebwerke der Gulfstream V über dem Ärmelkanal. In wenigen Minuten begann der Anflug auf Heathrow. Ken Custer blickte durch das Kabinenfenster in den blassen, dunstigen Tag, in eine ungewisse Zukunft hinaus. »Und was fällt für mich ab?« fragte er mit verlorenem Blick.

»Du erntest die Lorbeeren«, antwortete Martin Deuber.

Ken Custer leerte sein Glas ebenfalls.